剑桥雅思
真题精讲

IELTS9

周成刚 ● 主编

浙江教育出版社 · 杭州

图书在版编目(CIP)数据

剑桥雅思真题精讲. 9 / 周成刚主编. -- 2版. --
杭州 : 浙江教育出版社, 2018.3(2023.6重印)
ISBN 978-7-5536-6261-9

Ⅰ. ①剑… Ⅱ. ①周… Ⅲ. ①IELTS-题解 Ⅳ.
①H310.41-44

中国版本图书馆CIP数据核字(2017)第212085号

剑桥雅思真题精讲9
JIANQIAO YASI ZHEN TI JING JIANG 9
周成刚 主编

责任编辑	赵清刚
美术编辑	韩 波
责任校对	马立改
责任印务	时小娟
封面设计	大愚设计
出版发行	浙江教育出版社
	地址：杭州市天目山路40号
	邮编：310013
	电话：(0571) 85170300 - 80928
	邮箱：dywh@xdf.cn
印 刷	三河市良远印务有限公司
开 本	787mm×1092mm 1/16
成品尺寸	185mm×260mm
印 张	14.5
字 数	295 000
版 次	2018年3月第2版
印 次	2023年6月第18次印刷
标准书号	ISBN 978-7-5536-6261-9
定 价	48.00元

我的留学观

留学是当今中国的一个热点话题。所谓热点话题，就是讨论的人多，关注的人多。无论你决心已下还是尚在彷徨犹豫，留学的选择对你的人生来说都将是一个重大决定。它涉及你个人和家庭的许多投入，包括时间、金钱、精力，甚至情感，它关系到你未来的学习、工作和个人生活，它与你的前途息息相关。我相信每一个人在做出最后决定前，一定会一遍又一遍地问自己：

"我到底要不要出国留学？"

"我是否也应该像大多数人一样选择去欧美国家留学？"

首先我想说，决定留学或不留学其实没有对与错，留学只是一种学习方式的选择。而一旦涉及选择，就少不了分析与比较、思考与权衡。来新东方咨询留学的学生和家长，都会向我们提出类似的问题。

从某种意义上说，我们问自己"我到底要不要出国留学"就如同问"我到底要不要上大学"一样。大多数家长不会因为当下大学毕业生就业困难就不支持孩子上大学，也不会因为有一些成功的企业家没有读过大学就不让自己的孩子追求学业。大学生并非个个身怀绝技，也并非都能获得人们期待的那些成功，但大学尤其是名校仍然倍受追捧。为什么？因为大家心中明白，相对于没有上过大学的人，一般来说，大学生的平均综合素质较高，毕业后在职场上具有更强的竞争力和职业发展后劲。也就是说，我们希望通过读大学、读名校，来提高自己的胜出概率。谈到此处，上述的两个问题也就迎刃而解了。欧美国家和名校一样，它们代表着这个世界的先进生产力。无论是科学技术、政治经济，还是文化教育，欧美的大部分国家正在引领世界的发展。换句话说，这些发达国家是大部分发展中国家学习和借鉴的榜样。我们选择留学，选择到发达国家去学习，可以提高自己在世界舞台上的胜出概率，可以获得比其他人更多的成功机会。

那么为什么是否选择留学会在今天成为一个如此紧迫的问题呢？

可以说，这是全球一体化带来的必然社会趋势。所谓全球一体化，就是地区与地区之间，国家与国家之间，经济体与经济体之间的交流和接触日益频繁，障碍逐个被扫除，资源和信息的流动变得前所未有地畅通。一句话，过去因为种种原因，我们隔断了自己和世界绝大部分地区和国家的交流，我们国家的年轻人除了自己不需要和任何国家的同龄人去竞争。但随着国门不断打开，我们国家的年轻人已经和世界各国的年轻人走到了同一个舞台上，需要和全球同龄人去竞争。

今天，一个美国人可以很容易到中国找工作，他们到中国的公司找到一份工作就意味着中国人少了一份工作；相反，一个中国学生很容易到美国去留学，毕业后他们在华尔街谋到一份职业也就意味着抢走了美国人的一个饭碗。

在如此这般的全球同龄人竞争的格局下，越来越多的学生认识到，自己如果要在职场上胜出，就必须掌握当今世界普遍认可的价值观和在全球范围内有竞争力的知识和职业技能。当我们开始去寻找这些东西准备充实自己的时候，陡然发现，这些我们所希望拥有的先进的科学文化知识、有竞争力的核心技术、创新的思维观念，甚至符合人性发展的价值观等，大部分掌握在那些发达国家的手里，至少在目前这个历史发展阶段是如此。过去我们自己和自己比赛，规则和输赢我们自己说了算。但现在，我们要去和世界强队比赛，要按照国际比赛的规则去比，输赢由国际裁判决定。于是，我们不得不开始了解国际比赛，学习比赛规则。这就是为什么今天越来越多的家长要送自己的孩子出国留学，因为家长都希望自己的孩子在比赛中胜出。

事实上，我们背井离乡、负笈海外，或是去留学，或是去进修，或是去游历，都是中国人世代相传的教育理念的延伸和自我实践。几千年来，中国人通过读书改变自己命运的梦想从没有停止过。

过去，许多家庭省吃俭用，用攒下来的钱送孩子进私塾学校，接受教育；书生们则头悬梁、锥刺股，用面壁苦读换来最后的金榜题名，自此改变人生命运。后来我们有了高考，农村的孩子通过上大学或读研究生，进一步提升自己的实力，获取一份比自己的父母更好的工作，去从事教师、工程师、医生和律师这些令人羡慕和受人尊敬的职业。学生通过高考走进了不同的城市，有小城市，也有大城市，当然也有北京、上海等国际大都市。人们渴望走进这些城市，是因为他们知道这些城市更加前卫，人们的思想更加开放，资源更加集中，发展更快，机会更多，实现个人价值的概率更大。

如今，我们出国留学，到伦敦、多伦多、悉尼和纽约这些国际大都市去深造进修，这与当初我们走进县城、省城以及到北京、上海去读书何其相似？长久以来，这些行为和决定背后的核心理念丝毫没有改变，那就是"读书改变命运""教育兴邦"，唯一不同的是地缘和文化意义上的差异。我们只不过是从国内走到了国外，走进了一个不同的文化、语言和价值观的新世界。

当然，我们也不能否认许多中国学生出国留学还有一个目的——把英语学得更好。上两个世纪，英国和美国在文化、经济、军事、政治和科学上的领先地位使得英语成为一种准国际语言。世界上许多重要的社会活动、经济事件和科学发明都是用英语记录的，美、英等发达国家的媒体也在用英语传播他们的信息、知识和观念，影响遍及世界各个角落。我们掌握了英语，就如同掌握了一门世界通用语言，从这个意义上讲，英语之于世界，如同普通话之于中国。当我们在选择学习普通话、方言还是少数民族语言时，大多数人会选择普通话，因为普通话适用范围更广，接受度更高，也更容易习得，更方便和中国各地或各民族背景的人们交流。

有的家长会问，既然英语是一门世界通用语言，那我们是不是早点把孩子送出去更好？我的回答是：如果孩子出去太早，他可能由于长期接受西方文化熏陶，而脱离中国文化的根基，最终成为一个"香蕉人"。反过来，如果孩子仅仅扎根中国，很少与外面的世界接触，那他可能会在和世界对话时缺少应有的准备。

我相信，21世纪的今天，随着全球一体化的深入，无论是世界舞台还是经济高速发展的中国，都需要跨区域、跨文化、跨技能和跨语言的多元化的桥梁性人才。他们往往能够南北迁徙，既受中国文化的熏陶又受西方教育的洗礼；他们深谙世界的发展趋势，知道现在的西方有更多的先进技术，现在的中国有更多的发展机遇；这种"东西合璧"型的人才无论在国内还是国外，都会很容易找到自己的发展空间和职业定位。

写到这里，我不禁想起了过去30年自己的生活、工作、留学和成长的历程。我20世纪80年代上大学，毕业后留校任教10年，虽然是个英语专业的学生，但当时并没有想过要出国留学。突然有一天，我发现周围的朋友和同学都开始出国了，有的在国外大学当了教授，有的回国创业成了成功的企业家，有的把自己的跨国事业越做越红火。人是社会动物，不仅是为自己活着，他的思想、行为和价值观常常要受周围的人的影响，这是我对马克思所言"人的本质就其现实性而言是社会关系的总和"的一个新认识。于是，在这些朋友和同学的影响下，我也出国留学了。10 年的大学英语老师生涯为我的澳大利亚留学做好了铺垫，海外的研究生专业学习和优异的考试成绩又为自己赢得了在 BBC（英国广播公司）当记者的机会，英国的记者经历又为我日后加盟新东方提供了一份实力保障。今天，我已经把我的职业发展和新东方的发展连在了一起。

如果说，一个留学生只是一个点，那么千千万万的留学生就可以形成一股巨大的社会推动力。纵观中国的近现代史，中国社会每一次重大的社会变革和进步往往都是和留学生以及东西方思想的交汇紧密相关的，中国改革开放 30 多年所取得的成绩也佐证了这一点。这也许就是当面对 21 世纪的世界新格局时，中国学生出国留学以及中国留学生归国创业的大潮如此势不可挡的原动力吧！

30 年后的今天，我自己的孩子也踏上了他的赴美留学之路。我深知这条路不会平坦，知道他在这条路上有时会倍感寂寞和孤独。但我为他喝彩，为他自豪，因为这是一个 90 后年轻人自己的选择，因为这是我从前走过的一条路，虽然坎坷崎岖，但路上的风景很美很醉人！

周成刚

新东方教育科技集团首席执行官

目 录

Test 1

Test 2

Test 3

Listening

Part 1

📓 场景介绍

本部分是求职场景。这类话题在雅思考试中出现频率比较高，在剑桥真题系列中就出现过，机经中更多。这类话题一般涉及工作性质描述、薪水、上班时间地点以及面试时间的安排等等。

📖 本节必背词汇

vacant	*adj.* 空缺的	recruit	*v.* 招募，招聘
advert	*n.* 广告	fringe	*adj.* 边缘的，附加的
interfere with	打扰，扰乱	hostel	*n.* 青年旅馆
work permit	工作许可	perk	*n.* 额外津贴，外快
tutor	*n.* 指导教师	referee	*n.* 推荐人

📖 词汇拓展

menu	*n.* 菜单	bacon and egg pie	培根鸡蛋馅饼
celery	*n.* 芹菜	roast beef	烤牛肉
leek	*n.* 韭菜	mutton	*n.* 羊肉
cauliflower	*n.* 花椰菜	pork	*n.* 猪肉
broccoli	*n.* 西兰花	shrimp	*n.* 虾
garlic bread	蒜味面包	take away	打包

⚙️ 文本及疑难解析

1. I'd like to find out a few more details, if I may. 如果可能的话，我想了解一些细节。其中if I may实际上是一个省略句，等于if I may ask you about a few more details。

2. Well, um, what sort of work is it—washing up? 那么，嗯，到底是什么工作，是洗盘子之类的吗？本句中的washing up也是一个省略句，等于Is it washing up? washing up指餐馆中的各种洗。

3. And not waiting at table. 不是在餐桌服务。本句是省略句，等于You don't need to wait at table。

4. It wouldn't interfere with my studies. 这不会影响我的学习。本句中的interfere指的是"妨碍，抵触，影响"的意思。

5. Um, and because I'm not an EU national would I need a work permit? 嗯，因为我不是欧盟成员国公民，我需要工作许可吗？EU national指的是"欧盟成员国公民"。EU=European Union。一般非欧盟成员国的人在欧盟国家工作都需要permit，即工作许可。

6. Well, we have two branches—the one we're recruiting for is in Hillsdunne Road. 我们有两个分店，招聘的这个在Hillsdunne路。the one是代词，指的是上文的branches中的一个。

7. We feel it's pretty good and we also offer some good fringe benefits. 我们也感觉不错，而且我们还提供一些附加的福利。因为应聘的学生说good，所以餐馆的工作人员也说we feel it's pretty good。fringe的名词释义是"流苏，边缘，次要"，在这里是形容词用法，意为"附加的，额外的"。

8. Oh, that's a really good perk, isn't it? 啊，这真是不错的额外津贴，不是吗？该句的难点是对单词perk的理解，该单词的意思是"外快，额外津贴"。

9. Could I just also ask what qualities you're looking for? 我能否再问一下，你们需要应聘者具备什么素质？look for的本意是"找"，在这里指的是"招聘"；qualities指的是"应聘者应该具备的素质"。

10. We're actually quite quiet tonight. 实际上我们今晚很安静。言外之意就是你可以今晚过来面试。

题目解析

第1~10题都属于简单的提纲填空题。

1. 注意同义词定位的问题。题干中的type of work在原文中的表述是sort of work。另外，原文中有迷惑信息washing up。

2. 本题的答案距离第1题很远，这需要考生注意力集中，否则容易错过答案。本题可以进行代词还原：原文中的the one=the branch。另外，还要注意本题出题的角度，因为要用branch去定位，如果原文中先说答案，再说定位词，会比较难以定位；而题干中的语序在原文中是颠倒的，这反而使得定位更加容易。

3. 代词还原：题干中的nearest bus stop=原文中的the nearest one。同义词：题干中的next to=原文中的beside。

4. 信息密集：本题的答案距离第3题很近，这需要考生边写边听的能力。另外要注意金钱的读法，英语中一般不会读成four point four five，而会读成four pounds forty five，或者four forty five。

5. 本题直接可以用原词定位，不难。但是考生要注意答案最好写成复数的形式，因为每年不止一个节日。

6. 同义词：题干中的transport=原文中的drive you home。

7. 题干中的required=原文中的looking for。

8. 并列信息：本题与上一题是并列关系，比较容易定位。但是要注意派生词的问题：题干中是ability to，原文中说的是be able to。

9. 首先要注意预测问题，因为有些考生不知道英语中说日期的习惯是：周-日-月。当然如果把日月颠倒过来写，是不会扣分的。另外注意：日期最好写基数词，月份最好写缩写，这样可以避免低级错误。

10. 人名和地名的拼写是雅思常考内容。考生要注意两方面：(1)先听单词的发音(2)再听字母的拼读。有些字母的发音比较接近，会导致听不清，但是如果注意听单词的发音，就比较容易分清楚那些字母了。另外，雅思考试中会出现一些与英语发音习惯不一样的情况，比如，本题中j在人名Manuja中发/h/音，如果不注意后面听字母的拼读，有可能会拼写成h。这样的情况还有v和b，这两个字母在西班牙语中的发音可能是反的。

Part 2

场景介绍

介绍一家新开张的体育用品商店。主要介绍其地址、外观、销售的商品种类以及开张仪式。

本节必背词汇

custom	*n.* 经常光顾；〔总称〕(经常性的)顾客	competition	*n.* 竞争；比赛
		entrant	*n.* 参加者；参加竞赛者
preview	*n.* 试映，预演	fixture	*n.* (定期定点举行的)体育活动
ultimate	*n.* 终极；顶点		
retailing	*n.* 零售业	fitness	*n.* 健康
minimalist	*adj.* 极简抽象艺术的，极简抽象风格的	cardiac	*adj.* 心脏(病)的；(胃的)贲门的
autograph	*n.* 亲笔签名	muscle tone	【医】肌张力，肌肉紧张度

词汇拓展

wholesale	*n.* 批发，趸售 *adj.* 批发的；大批的；大规模的	warehouse	*n.* 仓库，货栈；批发商店；福利库
logistics	*n.* 物流	purchase	*n. & v.* 购买
cargo	*n.* (船或飞机装载的)货物；负荷，荷重	department sore	百货商店
		shopping mall	购物中心
container	*n.* 容器；箱，匣；集装箱，货柜	on-line shopping	网购

文本及疑难解析

1. ...and now on to what's new... 下面接下来我给大家介绍有什么新闻。本句的now on等于from now on"从现在开始"。

2. I was invited to a special preview and I can promise you, this is the ultimate in sports retailing. 我被邀请参加了一个特别的试营业，我可以向大家保证，这是体育用品零售业的巅峰之作。该句的难点是preview，这个单词有"预习，试映，预演；预告片；象征，预示"的意思。

3. The whole place has been given a new minimalist look with the company's signature colours of black and red. 整个地方装饰非常简约，主色调是该公司标志的黑和红两种颜色。本句的难点是minimalist，意思是"极简抽象艺术的，极简抽象风格的；最低必须限度的"。

4. The shop will be open from 9.00 am this Saturday and if you go along to the opening then you'll have the chance to meet the national 400 metres running champion Paul King, who's coming along to open the shop, and he will be staying around until about midday to chat to any fans who want to meet him and sign autographs. 商店将于周六上午9点开业。如果你去参加开业典礼，你就有机会见到400米全国冠军Paul King，他将来参加这个商店的开业典礼，并会一直待到中午，期间他会跟他的粉丝们聊天并给他们亲笔签名。这句话的特点就是太长了，如果不注意句子结构，没法理解它的含义。

5. One of the special opening offers is a fitness test—a complete review of your cardiac fitness and muscle tone, actually done in the shop by qualified staff. 其中开业特别提供的是一次体检——对心脏健康和肌肉紧张度的一次全面检查，实际上由商店内的专业人员进行。本句的难点是review，意思是"检查"，不是"复习"的意思。

第11~16题是提纲填空题。

11. 同义词：题干中的international＝原文中的Danish。

12. 注意不要重复题干中的the。题目要求是Write ONE WORD AND/OR A NUMBER，不能写两个单词，而且，重复题干中的任何信息都是不允许的。

13. 同义词：题干中的and＝原文中的as well as。虽然这个同义词不难，但是如果用后面的equipment定位的话，要注意信息前置，需要一定的短时记忆能力。

14. 同义词：题干中的within＝原文中的in。虽然这两个表达方式有些时候不能替换，但是在这里的意思差不多：in 10 days指10天之后；within 10 days指10天内。

15. 同义词：题干中的specialises＝原文中的particularly focus on。另外题干中的equipment在原文中出现在答案后面比较远的地方，对于定位会有一些影响。

16. 同义词：题干中的just＝原文中的devoted to。还要注意不要把答案写成sports bags，因为题目要求写一个单词。另外，答案bags尽量要写复数形式，因为这里不可能只卖一个包。

第17~18题是两个单选题。

17. 注意解释性的原文与选项A之间的同义关系：Saturday morning only＝staying around until about midday。

18. 注意迷惑信息B＝signed copy of Paul King's DVD，这是回答对20道题中的15道的顾客可以得到的礼物。而回答对全部20个问题的顾客可以得到这个体育馆的会员资格，即选项A。

第19~20题是多选题。原文先提到了at half price for this month only，对应选项E的内容：cheaper this month。而选项A中的reserve a place＝原文中的make a booking。

Part 3

📖 场景介绍

两个国际学生Spiros和Hiroko在介绍自己的学习经验。他们谈到了如何做开题报告、如何参加小组讨论，并指出提高英语水平的最主要方式就是阅读等等。对于母语不是英语的国际留学生，如果在国内没有过语言关，也就是雅思考试没有达到学校的要求，一般可以在目的国进行一段时间的语言学习，这对以后的学习是非常必要的。

🔤 本节必背词汇

seminar	n. 研讨班，讲习会；研讨小组；研讨会	positive	adj. 积极的；肯定的
		colloquialism	n. 俗话，白话，口语
presentation	n. 陈述；报告；介绍	journal	n. 定期刊物，期刊，杂志
marketing	n. 销售，经销，行销，商品销售业务；市场学	reference	n. 参考；参考书
		speed-reading	快速阅读
stressed	v. 强调(stress的过去式)；给…加压力(或应力)	frustrated	adj. 挫败的，失意的，泄气的

词汇拓展

general English	普通英语课程	extensive reading	泛读
academic English	学术英语	semantics	*n.* 语义学；词义学
advanced English	高级英语	phonetics	*n.* 语音学
intensive reading	精读	linguistics	*n.* 语言学

文本及疑难解析

1. I think that having to do a seminar presentation really helped me. 我以前被要求必须做研讨会报告，这对我的帮助很大。在that引导的从句中，having to do a seminar presentation是主语，Spiros认为这种方法很有帮助。

2. Also, I know I was well-prepared and I had practised my timing. 另外，我知道自己准备很充分，而且也练习了我的时间掌控能力。该句的难点是timing，指的是"对时间的掌握"。

3. In fact, I think that in relation to some of the other people in my group, I did quite a good job because my overall style was quite professional. 实际上，我认为跟我们组的其他人相比，我做得相当好，因为我整体的风格很专业。本句的难点是in relation to，这个词组有两个基本的意思："与……相关；与……相比"。在本句中是第二个意思。

4. I didn't feel positive about the experience at all. 我对这次经历感觉一点也不好。positive有很多意思，这里指的是"正面的，好的"。the experience指的是上文提到的presentations...read my notes too。如果在做研讨会报告时，只是在读写的提纲之类的，没有与听众之间的互动，那么就失去了做报告的意义了。

5. It's partly that, but it's mostly because I have had no confidence to speak out. 一部分是因为如此（其他学生说的太多了），但是最主要的原因是我没有足够的自信去说出自己的想法。该句的难点是前半部分中的that，它指代的是上文Hiroko提到的other students talk too much。

6. They use so many colloquialisms, they're not very polite and sometimes there seems to be no order in their discussion. 他们使用很多的俗语，而且他们不是很有礼貌，有时他们的讨论显得有点杂乱无章。因为他们之间都非常熟悉，所以说话的时候可能比较随意，所以Spiros感觉有点不是很适应。

7. This habit has helped me to follow the ideas in the lectures, and it's also given me some ideas to use in the tutorials. 这个习惯对我能听懂课很有帮助，而且还能为我提供一些可用于讨论的想法。"习惯"指的是上文提到的turn to the books and journals。课下做大量的阅读是留学生很快融入新的学习环境的一种有效途径。

8. There's not really anything because it's my problem. 实际上没有什么，因为这只是我的问题。老师问Spiros想让学校方面就其阅读问题在课程上作什么改进。Spiros的意思是不需要校方做什么，这只是他自己的问题。

题目解析

第21~30题全部都是单选题。

21. 原文中出现了三个选项中的相关内容，但是只有选项B是正确的。原文提到...I felt quite confident. Of course, I was still nervous...，由此可以排除A；原文提到...in relation to some of the other people in my group, I did quite a good job...，但是这并不等于说他是最好的，因此排除C；原文提到...my overall style was quite professional，由于professional是一个褒义词=good，所以选B。要注意同义词替换。

22. 首先要注意题干中的surprised对应的是原文中的Can you believe that? 其次选项A中的interesting在原文中出现了，但是Hiroko的意思是Spiros说的很有趣；选项B中有stressful（压力大的），但是原文的表述是...these things were...stressed to us，意思是这些要点在课上向我们强调过；只有选项C才是正确的，选项中的look at the audience对应原文中的eye contact with their audience。要注意同义变换。

23. 注意定位词After...presentation，原文中的表述为when I finished，难度不大。另外要注意派生词的问题，选项B中的dissatisfied与原文中的didn't feel any...sense of satisfaction是一回事。

24. 要注意定位词performance in tutorials，不要被选项B迷惑，因为原文说的是although I was pleased with my presentation；而I am not so pleased with my actual performance right now in the tutorials才是正确的，应该选A。

25. 注意解释性的原文they are very familiar with each other, so because they know each other's habits, they can let each other into the discussion，这等于选项C 的表述：they know each other well。而A和B两个选项都与原文相反。

26. 本题的选项B实际上是对于原文两句话的总结：I've been trying to speak up more and I just jump in, and I've noticed an interesting thing, I've noticed that if they thought my point was interesting or new, then the next time they actually asked for my opinion, and then it was much easier for me to be part of the discussion。大家也可以看到interesting在原文中出现了两次，不要被选项A所迷惑。

27. 原文中的books and journals=选项A中的reference materials。选项C中的notes在原文中出现两次，具有一定的迷惑性。

28. A, B两个选项乍一看好像意思差不多，像是上下句的感觉，但是原文清楚地说道：my reading speed is still quite slow，只不过I'm much better at dealing with vocabulary than I used to be。听清这句，就不会被选项A和C迷惑了。

29. 注意转折词，在原文中先提到了选项A和B，不过后面马上提到because I wanted to concentrate on my own field, but we didn't read anything about engineering可知答案为C。

30. 题干中的thinks=原文中的psychologically speaking；选项B中的own subject areas=原文中的own field。

Part 4

📖 场景介绍

本部分讲的是关于鲸鱼和海豚集体自杀的问题。自古以来，人类就注意到一种奇怪的现象：常有单独或成群的鲸鱼，冒险游到海边，然后在那里拼命地用尾巴拍打水面，同时发出绝望的嚎叫，最终在退潮时搁浅死亡。

据记载，远在1783年，曾有18条抹香鲸冲往欧洲易北河口，在那里待死。次年，在法国奥迪艾尼湾又有32条抹香鲸搁浅。18世纪，一些航海家在塔斯发现恐怖的鲸鱼坟场，一堆堆的腐尸和白骨散布在海滩上，呈现一片凄惨景象。

🔖 本节必背词汇

session	*n.* 开会，会议	infestation	*n.* 寄生
mass stranding	集体搁浅	toxin	*n.* 毒素；毒质
occurrence	*n.* 发生，出现；遭遇，事件	ingest	*v.* 咽下；吸收
parasite	*n.* 寄生物，寄生虫	humpback whale	座头鲸
infest	*v.* 在…上寄生，寄生于	saxitoxin	*n.* 【生化】蛤蚌毒素，贝类毒素
navigate	*v.* 导航		

prey	*n.* 被捕食的动物			准定位
squid	*n.* 乌贼，墨鱼；鱿鱼	mammal	*n.* 哺乳动物	
pinpoint	*v.* 确定，准确地指出；精	phenomenon	*n.* 现象，事件	

词汇拓展

salmon	*n.* 鲑鱼，大马哈鱼	shark	*n.* 鲨鱼
sardine	*n.* 沙丁鱼	shrimp	*n.* 虾
scallop	*n.* 扇贝；扇贝壳	prawn	*n.* 对虾，明虾，斑节虾
sea bream	海鲷	lobster	*n.* 龙虾
urchin	*n.* 海胆	mullet	*n.* 胭脂鱼；鲻鱼
seal	*n.* 海豹		

文本及疑难解析

1. Well, with some of you about to go out on field work it's timely that in this afternoon's session I'll be sharing some ideas about the reasons why groups of whales and dolphins sometimes swim ashore from the sea right onto the beach and, most often, die in what are known as 'mass strandings'. 因为你们中的一些人要出去进行实地考察了，今天下午的分享很及时。在今天下午的会上我要跟大家分享的是为什么成群的鲸鱼和海豚有时候会直接从海里面游到岸上，在大多数情况下，都会以我们称之为"集体搁浅"的形式死掉。这句话比较长。前半句是对来听课的学生说的，with...it's timely...的意思是"因为……很及时"。后半句说的是讲课的主题。in what are known as...作状语修饰前面的die。

2. Since marine animals rely heavily on their hearing to navigate, this type of infestation has the potential to be very harmful. 因为海洋动物非常依赖它们的听力进行导航，所以这种寄生对它们的影响非常有害。to navigate作定语修饰hearing，可以理解为"用来导航的听力"。

3. The whale ingests these toxins in its normal feeding behaviour but whether these poisons directly or indirectly lead to stranding and death, seems to depend upon the toxin involved. 鲸鱼在正常的进食行为中吞下那些毒素，但是那些毒素是否直接或者间接导致了它们的搁浅和死亡，这似乎取决于所含毒素的种类。首先，该句很长，考生听起来会比较吃力。其次，该句中有两个单词，大家不是很熟悉：ingest和toxin。

4. However, this idea does not seem to hold true for the majority of mass strandings because examination of the animals' stomach contents reveal that most had not been feeding as they stranded. 但是，这个想法好像是不对的，因为通过检查搁浅的鲸鱼胃部内容发现，它们在搁浅的时候，大部分鲸鱼并没有进食。考生应注意在英语中经常用事情作主语，该句中this idea是主语。考生可在理解的基础上，尽量学会使用这样的表达方式。

5. There are also some new theories which link strandings to humans. 还有一些新的理论，这些理论把鲸鱼的搁浅与人类联系起来。本句中的which指的是前面的theories。代词还原是听力和阅读中的难点，因为这需要考生具有较强的短时记忆力。

6. One of these, a mass stranding of whales in 2000 in the Bahamas coincided closely with experiments using a new submarine detection system. 其中一个，2000年发生在巴哈马群岛的一次鲸鱼的集体搁浅，发生时间与当时潜艇探测系统的实验的时间非常接近。本句的难点在于对句子结构的把握，using...这个部分是

对于experiments的补充说明。另外coincide这个单词有很多意思，在这里的意思是"同时发生"。

7. A final theory is related to group behaviour, and suggests that sea mammals cannot distinguish between sick and healthy leaders and will follow sick leaders, even to an inevitable death. 最后一个理论与集体行为有关。这个理论认为海洋哺乳动物不能区分病态的和健康的领导者，一般会跟随病态的领导者，甚至跟到不可避免的死亡也在所不惜。这句话最后部分的even to an inevitable death是修饰前面的动词follow，就是跟到死。

⚙ 题目解析

第31~40题都是提纲填空题。

31. 题干中的common=原文中的frequent；题干中的areas=原文中的locations；题干中的quickly=原文中的suddenly。总体来讲，这个题目的难度系数比较大，主要是因为同义词的变换比较多。同时，题干的句子结构实际上是对于原文一个有着30个单词的句子的总结，这也使得考生难以直接听出答案。

32. 题干中的marine animals'=原文中的their；题干中的depend on=原文中的rely...on；题干中的for navigation=原文中的to navigate。该题同样是同义词的问题。

33. 题干中的poisons=原文中的toxins；题干中的consumed=原文中的ingests。另外还要注意本题有不止一个答案，plants或者animals都可以作为答案。像这种情况，只需要写其中一个就可以了。还要注意两个答案尽量要用复数形式，因为在英语中，只要不是指某一个，一般都用复数形式。

34. 题干中的majority=原文中的most；题干中的when they stranded=原文中的as they stranded，但是总的来说，本题的同义词难度不大。另外，要注意本题的预测，本题缺的是表语，可以是形容词或者名词，还有可能是进行时态。通过对于句子结构的分析，考生不难发现后面有一个时间状语从句，前面很有可能缺的是一个进行时态的动词。

35. 注意信息前置，本题所缺失的信息在句首，定位只能用后面的单词往前定位，这需要考生在听到后面的定位词之后还记得前面的内容。另外题干中的military tests=原文中的military exercises；题干中的linked=原文中的concern。

36. 题干中的because=原文中的for；题干中的all，也在原文直接出现了同样的单词，所以比较容易定位。而且答案直接说出来all the stranded animals were healthy，不是太难。

37. 本题比较难。首先，本题的答案距离36题非常近，属于信息密集，这要求考生具备边听边写、边写边听的能力。另外，本题在定位的时候有一定的困难。

38. 题干是将原文的表述颠倒了说法，不过题干中的most在原文中没有任何变化，所以本题的难度不是很大。

39. 本题相对也比较容易定位答案，因为题干中有1994，这个年份比较容易听到。题干中的only=原文中的apart from。

40. 该题的难点在于，题干中的stranding=原文中的these；题干中的gives information=原文中的finding out more about。而且要注意答案networks是一个单词，而且还是复数形式，尽量不要写成两个单词。

Reading

Reading Passage 1

📇 篇章结构

体裁	说明文
主题	介绍合成染料的发明者William Henry Perkin
结构	第一段：年幼的Perkin对化学充满兴趣
	第二段：Perkin进入皇家化学学院的历程
	第三段：Perkin成为Hofmann最年轻的助手
	第四段：Perkin欲将导师的想法付诸实践
	第五段：1856年Perkin实验的意外收获
	第六段：过去的染料的缺点
	第七段：Perkin创造出了新染料
	第八段：染料命名及商业运营前期准备
	第九段：Perkin的染料大获成功
	第十段：Perkin染料的新用途

🌐 解题地图

难度系数：★★★

解题顺序：TRUE/FALSE/NOT GIVEN（1~7）→ SHORT ANSWER QUESTIONS（8~13）

友情提示：作为一篇讲人物生平、发明、发展史类文章，本文十分简单，既没有刁钻的词汇，也没有
古怪的考点设置，所有解题信息都显而易见。高分考生一定要将所有题目做到全对，为
后面的题目作铺垫；中低段考生要拼命在此题上捞分，以防后面的文章太难。至于解题
顺序，我们认为无论是先做TRUE/FALSE/NOT GIVEN，还是先完成SHORT ANSWER
QUESTIONS，都影响不大。

🔤 必背词汇

1. prompt *v.* 促进，激励；激起，唤起

   The accident *prompted* her to renew her insurance. 这一事故促使她为投保续期。

   Her question was *prompted* by worries about her future. 她提出那个问题是因为她对前途十分忧虑。

2. solidify *v.* 加强，使固化

   Her attitudes *solidified* through privilege and habit. 特权和习惯使然，她的看法难以改变。

   The thicker lava would have taken two weeks to *solidify*. 较厚的熔岩需要两周的时间才能凝固。

3. eminent *adj.* 著名的，知名的，杰出的

   He is *eminent* both as a sculptor and as a portrait painter. 他既是著名的雕刻家又是杰出的肖像画家。

   He is an *eminent* citizen of China. 他是一名杰出的中国公民。

4. fascinating *adj.* 有巨大吸引力的，迷人的

   The book is *fascinating*, despite its uninspiring title. 这本书很有意思，虽然书名比较平淡。

   I find it extremely *fascinating*. 我觉得这非常迷人。

5. fierce *adj.* 激烈的，猛烈的，凶猛的

   His plan met with *fierce* opposition. 他的计划遭到激烈反对。

   They look like the teeth of some *fierce* animal. 它们看上去像某种猛兽的牙齿。

6. flatter *v.* 使高兴，使荣幸；奉承，恭维

   I was very *flattered* by your invitation to talk at the conference. 承蒙您邀我在会上讲话，深感荣幸。

   If you *flatter* your mother a bit she might invite us all to dinner.
   你要是奉承你母亲几句，说不定她会把我们所有人都请去吃饭。

7. clamour *v.* 大声地要求

   The public are *clamouring* for a change of government. 公众大声疾呼要求撤换政府。

   The audience cheered, *clamouring* for more. 观众们欢呼，大声要求加演。

8. artificial *adj.* 人造的，人工的，虚假的

   Artificial heating hastens the growth of plants. 人工供暖能促进植物生长。

   The voice was patronizing and affected, the accent *artificial*. 这声音拿腔拿调，听上去矫揉造作。

认知词汇

stumble upon 偶然发现	unexpected *adj.* 意外的，想不到的
immerse *v.* 沉迷…中，陷入	textile *n.* 纺织品，织物
devotion *n.* 忠诚；热爱；奉献	dye *n.* 染料，颜色
perceive *v.* 意识到；发觉，察觉	excretion *n.* 排泄，排泄物
enrolment *n.* 入学；注册，登记	muddy *adj.* 模糊的，浑浊的
fortune *n.* 财富	hue *n.* 色彩，色调
derive from 由…起源，取自	fade *v.* 褪去，消逝
surpass *v.* 超越，超过	backdrop *n.* 背景
desirability *n.* 愿望，渴求	fabric *n.* 织物，布；质地
synthetic *adj.* 合成的，人造的	commercial *adj.* 商业的，贸易的
substitute *n.* 代替者，替补	boost *n.* 繁荣，提高，增加
mysterious *adj.* 神秘的；不可思议的	gown *n.* 长袍，长外衣
sludge *n.* 沉淀物	stain *v.* 给…染色，着色
substance *n.* 物质，材料	invisible *adj.* 看不见的，无形的
incorporate *v.* 使混合	bacteria *n.* 细菌（单数形式为bacterium）

佳句赏析

1. But it was a chance stumbling upon a run-down, yet functional, laboratory in his late grandfather's home that solidified the young man's enthusiasm for chemistry.

   • **参考译文**：但是一次偶然的机会，他发现已故祖父家有一个破旧但功能齐全的实验室，正是这个发现使得这位年轻人确定了他对化学的热情。

- 语言点：

（1）这是一个强调句型。强调句型由 It is/was...who/that...引导，当强调主语时，其后的谓语动词应和被强调的主语在人称和数上保持一致。

在这句话中，被强调的部分是a chance，其后的stumbling upon是现在分词作定语，修饰a chance。Chance实际上是that后面这句话的主语。

① 在强调句型中，若被强调的部分是指人的名词或代词，且在句中作主语或宾语时，用who，whom或that皆可；若被强调的部分是句子的其他成分，则只能用that而不能用when，where，why等。如：

It is the ability to do the job that matters, not where you come from or what you are.

重要的是做这项工作的能力，而不是你出身何处或者你是谁。

本句强调主语ability。

② It was only when I reread his poems recently that I began to appreciate their beauty.

只是最近重读了他的诗歌之后我才开始欣赏其中的美。

本句强调时间状语从句only when I reread his poems recently。

③ In Fosbury's case, it was the cushions that jumpers land on. 在Fosbury的例子中，这一元素正是运动员着陆的垫子。（*Cambridge IELTS 4*, Test 4, Reading Passage 1）

本句强调宾语the cushions。

（2）强调结构与主语从句（"It is/was...that-clause"）的区别：

强调结构与主语从句（"It is/was...that-clause"）十分相似，但在主语从句中It is/was 后通常用名词或形容词作表语，其中的"It is/was...that-clause"缺一不可。强调句型中It is/was后一定是对除谓语动词以外的任何一个句子成分（即主语、宾语或状语）进行强调，如果把强调句式"It is/was...that..."去掉，句子的语法结构仍然成立。例如：

① ...it was assumed without question that all the basic health needs of any community could be satisfied... ……人们认为毫无疑问地任何人群的所有基础卫生需求都能得到满足……（*Cambridge IELTS 4*, Test 4, Reading Passage 3）

画线部分为主语从句，去掉it was...that后不能独立成句。

② It was with the great difficulty that the boy gathered the strength to rise.

这个男孩费了很大的劲才攒足力量站了起来。

本句是强调句，强调句子的状语，如果去掉 It was...that... 后句子仍然成立，即With great difficulty the boy gathered strength to rise.

2. Indeed, the purple colour extracted from a snail was once so costly that in society at the time only the rich could afford it.

- 参考译文：事实上，从蜗牛身上提取出来的紫色染料曾经一度非常贵，在当时的社会只有富人才能买得起。

- 语言点：

（1）So...that...引导结果状语从句，在比较非正式的用法里，that往往可以省略。例如：

I knew him so well, I was not surprised by this news.

我太了解他了所以我听到这样的消息一点也不惊讶。

They were so surprised, they didn't try to stop him. 他们太意外了，以至于都没有试图阻止他。

这里的that被省略。

（2）so that 也可以引导结果状语从句，类似的用法还有such that，in such as way that等。例如：

The problem of how health-care resources should be allocated or apportioned, so that they are distributed in both the most just and most efficient way, is not a new one. 卫生保健资源应该如何分配或指定以保证它们能以最公平、最有效的方式发布，这个问题已经不算新了。（*Cambridge IELTS* 4, Test 4, Reading Passage 3）

3. Not to be outdone, England's Queen Victoria also appeared in public wearing a mauve gown, thus making it all the rage in England as well.
   - 参考译文：英国女王Victoria也不甘示弱，身着木槿紫礼服出现在公共场合，这使得木槿紫在英国也风靡一时。
   - 语言点：

     这句话里的not to be outdone是不定式作状语，表示原因，修饰后面的主句；wearing a mauve gown是现在分词作伴随状语，修饰Queen Victoria；making it all the rage in England as well是现在分词作结果状语。

     rage一词意思众多，句中的the rage指的是"风靡一时的事物；时尚"。例如：

     Black silk skirts seem to be quite the rage these days. 近来黑丝裙似乎风靡一时。

试题解析

Questions 1–7

- 题目类型：TRUE/FALSE/NOT GIVEN
- 题目解析：

1. Michael Faraday was the first person to recognise Perkin's ability as a student of chemistry.

参考译文	Michael Faraday是第一个发现Perkin化学天赋的人。
定位词	Michael Faraday
解题关键词	the first person
文中对应点	第二段： His talent and devotion to the subject were perceived by his teacher, Thomas Hall, who encouraged him to attend a series of lectures given by the eminent scientist Michael Faraday at the Royal Institution. 他的老师Thomas Hall发现了他在化学方面的天赋与热忱，鼓励其参加皇家学院著名科学家Michael Faraday的一系列讲座。 从这句话很容易看出，Thomas Hall是文中提到的第一个发现Perkin化学天赋的人，尽管文中没有用到the first person这样的确切说法，但是看完第二段就不难发现，这点的确是对的。因此，题中的说法与文中的事实相反。
答案	FALSE

2. Michael Faraday suggested Perkin should enrol in the Royal College of Chemistry.

参考译文	Michael Faraday建议Perkin去上皇家化学学院。
定位词	Michael Faraday, Royal College of Chemistry
解题关键词	suggested

文中对应点	第二段： Those speeches fired the young chemist's enthusiasm further, and he later went on to attend the Royal College of Chemistry, which he succeeded in entering in 1853, at the age of 15. Faraday的讲座进一步激发了这位年轻化学家的热情，在1853年，15岁的Perkin成功进入皇家化学学院学习。 这句话仅仅告诉我们，Perkin是在听了Faraday的讲座后，对化学的激情更加澎湃，进而考上了皇家化学学院，而并没有提到Faraday与Perkin进行直接接触或沟通，所以题目是对文章中出现的人和事的过分解读。
答案	NOT GIVEN

3. Perkin employed August Wilhelm Hofmann as his assistant.

参考译文	Perkin雇用了August Wilhelm Hofmann当他的助手。
定位词	August Wilhelm Hofmann
解题关键词	employed, assistant
文中对应点	第三段： At the time of Perkin's enrolment, the Royal College of Chemistry was headed by the noted German chemist August Wilhelm Hofmann. Perkin's scientific gifts soon caught Hofmann's attention and, within two years, he became Hofmann's youngest assistant. 在Perkin入学时，皇家化学学院的院长正是著名的德国化学家August Wilhelm Hofmann。Perkin的科学天赋很快引起了Hofmann的注意，不到两年他就成了Hofmann最年轻的助理。 从这两句话中可以清晰地看出Perkin和Hofmann之间的关系，前者是后者最年轻的助理，题目的说法和文中的陈述是直接抵触的。
答案	FALSE

4. Perkin was still young when he made the discovery that made him rich and famous.

参考译文	Perkin年纪轻轻就作出了令他名利双收的发现。
定位词	rich and famous
解题关键词	still young
文中对应点	第三段： Not long after that, Perkin made the scientific breakthrough that would bring him both fame and fortune. 不久之后，Perkin就取得了一项能为他带来名誉和财富的科学突破。 这里的"不久之后"，指的是Perkin成为Hofmann最年轻的助手之后，而成为助手是Perkin入学两年后的事情，第二段最后专门提到Perkin入学时只有15岁，所以可以推测出Perkin作出这项发现时也就十八九岁。经过这样的推断可知，题目的说法完全可以成立。
答案	TRUE

5. The trees from which quinine is derived grow only in South America.

参考译文	出产奎宁的树木只能生长在南美洲。
定位词	quinine, South America
解题关键词	only

文中对应点	第四段： At the time, quinine was the only viable medical treatment for malaria. The drug is derived from the bark of the cinchona tree, native to South America... 当时，奎宁是唯一可以治疗疟疾的药物。这种药物是从原产自南美洲的金鸡纳树的树皮中提炼出来的…… 如果考生误把第一句中的only和第二句话结合，就很容易得出和题目一样的错误结论。其实出题人的意图是说，当时只有奎宁可以治疗疟疾；而奎宁是从金鸡纳树的树皮里提炼出来的，金鸡纳树原产自南美洲。注意，这里出题人并没有说金鸡纳树只有南美洲才有。文中的说法不足以让考生得出如题目那样的结论。 TIPS: only一般是该题选FALSE的标志词，但是考生一定要注意only前后有没有人名和大写，如果有，则only失效。
答案	NOT GIVEN

6. Perkin hoped to manufacture a drug from a coal tar waste product.

参考译文	Perkin期望从煤焦油废料产品中生产出药品来。
定位词	a coal tar waste product
解题关键词	hoped to manufacture
文中对应点	第五段： He was attempting to manufacture quinine from aniline, an inexpensive and readily available coal tar waste product. Perkin试图利用苯胺这种廉价又易得的煤焦油废料来制造奎宁。 这句话很清晰地表明，Perkin的确希望用煤焦油废料产品苯胺来制造一种药物——奎宁。此题难度很低，连动词manufacture都没有进行任何替换。
答案	TRUE

7. Perkin was inspired by the discoveries of the famous scientist Louis Pasteur.

参考译文	Perkin受到著名科学家Louis Pasteur发明的启发。
定位词	Louis Pasteur
解题关键词	was inspired by
文中对应点	第五段： And, proving the truth of the famous scientist Louis Pasteur's words 'chance favours only the prepared mind', Perkin saw the potential of his unexpected find. 正如著名科学家Louis Pasteur所说，"机会总是垂青有准备的人"，Perkin意识到了他的意外发明拥有巨大的潜力。 出题人在这里引用Louis Pasteur的名言来证明Perkin的成功绝非偶然，是他不断发现、不断试验的结果，但并没有提到Perkin是受Louis Pasteur的发明激发才有了自己的发明。本题和第2题在出题方式上有异曲同工之妙，都是让Perkin和名人扯上了关系，而实际上这种关系文中并没有提到。
答案	NOT GIVEN

Questions 8–13

- 题目类型：SHORT ANSWER QUESTIONS
- 题目解析：

题号	定位词	答案位置	文中对应点
8	the colour purple	第六段	Indeed, the purple colour extracted from a snail was once so costly that in society at the time only the rich could afford it. 本题可以根据大题的位置进行定位，因为上一大题结束于第五段，故本题应该是从第六段开始。顺着第六段找，很容易看到the purple colour。The rich 正好可以对应题目中what group in society，并且没有超过只能填两个字的字数限制，故答案应为the rich。
9	new dye	第七段	But perhaps the most fascinating of all Perkin's reactions to his find was his nearly instant recognition that the new dye had commercial possibilities. 本题定位相对容易，只要考生坚持不懈地寻找题干中的关键字new dye，绕过沿途synthetic dye的陷阱，很快就能找到这句话，锁定答案是new dye的宾语commercial possibilities。
10	name, finally, first colour	第八段	Perkin originally named his dye Tyrian Purple, but it later became commonly known as mauve. 在此题中，考生需要注意题干中的关键副词finally，此题指的是Perkin的颜色最终被叫做什么，而不是起初被叫做什么。题干中的be referred to as 是雅思阅读中经常出现的用法，等同于be known as / be named as / be defined as，一般这样的表达出现时，文中都会有专有名词等待着各位考生。 故本题答案是mauve。
11	the name of the person, consulted, before setting up	第八段	He asked advice of Scottish dye works owner Robert Pullar, ... 第八段中部提到，Perkin在建立工厂之前，曾经征询苏格兰染料坊的老板Robert Pullar的意见，在得到Robert Pullar的建议之后，才开始建立自己的工厂。这里不要将Robert Pullar和Hofmann混淆，因为本段后半部分也提到了Perkin的恩师Hofmann。Hofmann是强烈反对Perkin这么做的。 故本题答案是 Robert Pullar。
12	what country, first	第九段	Utilising the cheap and plentiful coal tar that was an almost unlimited byproduct of London's gas street lighting, the dye works began producing the world's first synthetically dyed material in 1857. The company received a commercial boost from the Empress Eugénie of France, when she decided the new colour flattered her. 此句话明确指出在Perkin的工厂首度造出了第一支人工合成材料后，法国皇后Eugénie十分喜爱这种新颜色，于是Perkin的染料坊进入了它的商业繁荣期。故答案是France。
13	disease, now, synthetic dyes	第十段	And, in what would have been particularly pleasing to Perkin, their current use is in the search for a vaccine against malaria. 从上一个题目知道此题应该在最后一段，同时知道需要寻找关键词synthetic dye。个别考生可能会被沿途的microbes, bacteria, tuberculosis, cholera, anthrax所迷惑。但是要注意的是，在这些疾病旁边，都没有出现时间状语now。再继续向下寻找，考生就会发现today, current等字眼，这说明这里才是真正的考点所在。仔细读这个句子不难发现，malaria(疟疾)才是正确答案。

William Henry Perkin——合成染料的发明者

William Henry Perkin于1838年3月12日出生于英国伦敦。还是个小男孩儿的时候，Perkin的好奇心就早早激发了他对艺术、科学、摄影与工程的兴趣。但是一次偶然的机会，他发现已故祖父家有一个破旧但功能齐全的实验室，正是这个发现使得这位年轻人确定了他对化学的热情。

当Perkin就读于伦敦城市学院时，他开始沉浸于对化学的研究。他的老师Thomas Hall发现了他在化学方面的天赋与热忱，鼓励其参加皇家学院著名科学家Michael Faraday的一系列讲座。Faraday的讲座进一步激发了这位年轻化学家的热情，于是后来，在1853年，15岁的Perkin成功进入皇家化学学院学习。

在Perkin入学时，皇家化学学院的院长正是著名的德国化学家August Wilhelm Hofmann。Perkin的科学天赋很快引起了Hofmann的注意，不到两年他就成了Hofmann最年轻的助理。不久之后，Perkin就取得了一项能为他带来名誉和财富的科学突破。

当时，奎宁是唯一可以治疗疟疾的药物。这种药物是从原产自南美洲的金鸡纳树的树皮中提炼出来的，而在1856年奎宁经常供不应求。因此，当Hofmann随口提到想用合成药物来替代奎宁时，自然而然，他的得意门生Perkin马上承担起了这项重任。

1856年，Perkin整个假期都待在他家顶楼的实验室里。他试图利用苯胺这种廉价又易得的煤焦油废料来制造奎宁。虽然他尽了最大努力，他最终并没有制造出奎宁；但却制造出了一种神秘的黑色沉淀物。幸运的是，长期的科学训练与自身的天性使他对该沉淀物进行了深入的研究。在实验过程中的不同阶段，他把重铬酸钾和酒精加入苯胺中，最终他得到了一种深紫色的溶液。正如著名科学家Louis Pasteur所说，"机会总是垂青有准备的人"，Perkin意识到了他的意外发现拥有巨大的潜力。

历来，纺织染料都是由诸如植物与动物排泄物等的天然原料制成的，其中一些原料，比如蜗牛黏液，很难获得，而且价格极其昂贵。事实上，从蜗牛身上提取出来的紫色染料曾经一度非常贵，在当时的社会条件下，只有富人才能买得起。此外，天然染料的颜色偏浑浊而且很快就会褪色。Perkin的发明正是在这种大背景下诞生的。

Perkin很快想到这种紫色溶液可以用到织物的染色中，由此使其成为世界上第一种合成染料。意识到这项突破的重要性后，Perkin立即为其申请专利。但是在Perkin对自己发明的各种反应中，最有趣的也许是他几乎本能地想到这种新染料具有商业潜力。

起初Perkin把他发明的染料命名为泰尔紫（Tyrian Purple），但是后来人们通常称其为木槿紫（mauve，法语中制造蓝紫色染料的植物的名字）。Perkin向苏格兰染料坊的老板Robert Pullar寻求建议，Pullar向他保证，如果这种颜色不会褪色，那么加工这种染料将大有"钱途"，而且成本相对低廉。因此，尽管他的导师Hofmann极力反对，Perkin还是离开了皇家学院，去为现代化学工业的诞生而奋斗了。

在父亲与兄弟的帮助下，Perkin在离伦敦不远的地方建立了一家工厂。1857年，他的染料坊开始生产世界上第一种合成染料，所用原料是廉价而充足的煤焦油，这种煤焦油是伦敦煤气路灯所产生的几乎无穷无尽的副产品。当法国皇后Eugénie看好这种新颜色后，Perkin的染料坊迎来了它的商业繁荣期。不久，木槿紫就成了法国所有时尚女郎的必备品。英国女王Victoria也不甘示弱，身着木槿紫礼服出现在公共场合，这使得木槿紫在英国也风靡一时。这种染料颜色醒目、不易褪色，人们的需求越来越多，因此Perkin开始绘制新的蓝图。

虽然第一项发现使Perkin收获了名誉和财富，但是这位化学家仍然继续他的研究工作。他合成并给人们带来了众多其他颜色的染料，包括1859年合成的苯胺红、1863年合成的苯胺黑，以及19世纪60年代末期的帕金绿。值得注意的是，Perkin的合成染料的发明不仅为装饰领域作出了贡献，而且在医学研究的诸多方面也起到了至关重要的作用。比如合成染料预先被用于给肉眼看不见的微生物与细菌上色，这就使研究者能够辨别诸如肺结核、霍乱和炭疽之类的病菌。如今，人工合成染料还在继续发挥着至关重要的作用。而且，最应该让Perkin感到欣慰的是，合成染料目前正在被用于研究治疗疟疾的疫苗。

Reading Passage 2

体裁	说明文
主题	外星有生命存在吗?
结构	A段:搜寻其他星球生命形式的原因
	B段:搜寻其他星球生命形式的基本原则
	C段:其他星球存在生命的可能性
	D段:搜寻其他星球发送的电波信号
	E段:对其他星球发来的信号做出合适的回应

🌐 解题地图

难度系数:★★★★

解题顺序:LIST OF HEADINGS (14~17) → SHORT ANSWER QUESTIONS (18~20) → YES/NO/NOT GIVEN (21~26)

友情提示:本文文字比较密集,可能会对考生造成视觉冲击,但这并不代表本文就很难。对于这样一篇文章而言,由浅入深、由概括到具体是最佳的解题方式。所以,选择按照题目的本来顺序一步一步做下去是最明智的做法。LIST OF HEADINGS题目涵盖全篇内容,做完之后会对文章的内容有个基本了解,有助于其他题目的解答;SHORT ANSWER QUESTIONS占据文章某个部分,属于局部细节题;YES/NO/NOT GIVEN题目占据文章的其他部分,如果没有时间完成此题,可以采用概率法进行猜测。

🔤 必背词汇

1. foster *v.* 养育;培养;促进

   The captain did his best to *foster* a sense of unity among the new recruits.

   队长尽最大努力培养新成员之间的团结意识。

   He said that developed countries had a responsibility to *foster* global economic growth to help new democracies. 他说,发达国家有责任促进全球经济增长,以帮助新兴民主国家。

2. sufficient *adj.* 足够的,充足的;有能力胜任的

   One meter of fabric is *sufficient* to cover the exterior of an 18-in-diameter hatbox.

   一米布足以包裹住直径为18英寸的帽盒。

   Discipline is a necessary, but certainly not a *sufficient* condition for learning to take place.

   纪律是有必要的,但绝对不是保证学习成效的充分条件。

3. conservative *adj.* 保守的,传统的

   People tend to be more aggressive when they're young and more *conservative* as they get older.

   人们年轻的时候往往较为激进,而随着年龄的增长会变得保守起来。

   The girl was well dressed, as usual, though in a more *conservative* style.

这个女孩穿得一如往日那样讲究，只是风格比平日更为保守。

4. resemble *v.* 与…相像，类似于

   Some of the commercially produced venison *resembles* beef in flavuor.

   有些商业化养殖的鹿肉味道和牛肉很相似。

   She so *resembles* her mother. 她很像她母亲。

5. dramatically *adv.* 巨大地，引人注目地，戏剧性地

   At speeds above 50mph, serious injuries *dramatically* increase. 时速超过50英里，重伤率会大大增加。

   His tone changed *dramatically* when he saw the money. 当他看到钱时，说话语调发生了戏剧性的变化。

6. ethical *adj.* 民族的；伦理的，道德的

   Her behaviour is alien to our *ethical* values. 她的行为和我们的伦理标准格格不入。

   I have an *ethical* and a moral obligation to my client. 我对我的当事人负有道义上的责任。

7. address *v.* 处理，解决；演讲

   Mr. King sought to *address* those fears when he spoke at the meeting.

   金先生在会上讲话时试图消除那些恐惧。

   He is due to *address* a conference on human rights next week. 他下星期将在大会上发表关于人权的演说。

8. debate *n. & v.* 讨论，争论，辩论

   The United Nations Security Council will *debate* the issue today.

   联合国安理会今天将就这个问题展开讨论。

   It was a *debate* which aroused fervent ethical arguments. 那是一场引发强烈的伦理道德争论的辩论。

认知词汇

haunt	*v.* 困扰，时时萦绕心头	assumption	*n.* 假设，假定
humanity	*n.* 人类；人性；人道	radically	*adv.* 彻底地，完全地，根本地
poise	*n.* 泰然自若，自信；体态	recognise	*v.* 认出，识别，辨别
civilisation	*n.* 文明，文化；文明社会	restrictively	*adv.* 限制(性)地，约束(性)地
attempt	*n. & v.* 试图，尝试	carbon	*n.* 碳
curiosity	*n.* 好奇心；奇人，奇物	severely	*adv.* 严重地；严格地
cog	*n.* 齿轮	estimate	*v.* 估计，评价；预测
horizon	*n.* 视野，眼界；地平线	alien	*adj.* 外国的；相异的
wipe out	彻底摧毁，灭绝，了结	attenuate	*v.* 减弱，衰弱，变小
galaxy	*n.* 银河，银河系；星系	frequency	*n.* 频率；频繁性
threat	*n.* 威胁，恐吓；凶兆	telescope	*n.* 望远镜
nuclear	*adj.* 原子能的，原子核的	hardware	*n.* 硬件；武器装备
ignore	*v.* 忽视，不顾	sensitivity	*n.* 敏感；敏感性，感受性
evidence	*n.* 证据；迹象；明显	urgency	*n.* 紧迫，急迫；急事
emerge	*v.* 出现，浮现，暴露	draft	*v.* 起草，制定

佳句赏析

1. Second, we make a very conservative assumption that we are looking for a life form that is pretty well like us, since if it differs radically from us we may well not recognise it as a life form, quite apart from whether we are able to communicate with it.

   - 参考译文：第二，我们保守地假定我们正在搜寻的生命形式和人类非常相似，如果形式完全不同，

那么我们可能不会把它看作是一种生命形式，更不用说能否与它进行交流了。

- 语言点：

  （1）在这句话中第一个that引导同位语从句，修饰assumption；第二个that引导定语从句，修饰a life form。Since引导原因状语从句，修饰前面整个句子。If引导条件状语从句，修饰we may well not 这句话。

  （2）recognise sth. as sth. 认为…是…

  Apart from在这里引导介词结构，对原因状语从句中提到的we may well not recognise it as a life form进行补充说明，而whether we are able to communicate with it则是介词from的宾语。此处应将apart from译为"更不用说"。

  同样的用法还有：

  Apart from the fact that twenty-seven acts of Parliament govern the terms of advertising, no regular advertiser dare promote a product that fails to live up to the promise of his advertisements. 本句的主干是no regular advertiser dare promote a product，前面是一个apart from引导的介词结构，介词宾语the fact后面又有一个that引导的同位语从句。在主句中，a product后面是一个定语从句that fails to live up to the promise of his advertisements。

2. However, when we look at the 100 billion stars in our galaxy (the Milky Way), and 100 billion galaxies in the observable Universe, it seems inconceivable that at least one of these planets does not have a life form on it; in fact, the best educated guess we can make, using the little that we do know about the conditions for carbon-based life, leads us to estimate that perhaps one in 100,000 stars might have a life-bearing planet orbiting it.

   - 参考译文：然而，当我们观测银河系中的1,000亿颗恒星和可见宇宙中的1,000亿个星系的时候，很难相信这些星球中没有一个有生命存在。事实上，凭借我们仅有的一点对碳基生命的了解，我们所能做出的最有根据的推测是，或许每十万个恒星中的一个会有孕育着生命的行星围绕着它运转。

   - 语言点：

     分号将这个长句子一分为二：

     （1）前半部分，when引导时间状语从句，it则是形式主语，真正的主语是that引导的从句。At least one of these planets does not have a life form on it等同于none of these planets has a life form on it，与表语inconceivable形成双重否定表示肯定的句型结构，所以应翻译为"很难相信这些星球中没有一个有生命存在"。

     （2）分号后面的句子中，主语是the best educated guess，we can make是省略了关系代词that的定语从句，修饰guess，using the little that we do know about the conditions for carbon-based life是现在分词结构作方式状语，修饰 guess；在这个句子结构中，that we do know about the conditions for carbon-based life是定语从句，修饰前面的little，little在这里相当于little information，do则起强调作用。主句的谓语动词是leads us to estimate，后面的that引导宾语从句，宾语从句的主语是one in 100,000 stars，谓语动词是might have，宾语是a life-bearing planet，orbiting it是现在分词结构作定语，修饰a life-bearing planet，而这里的it则呼应one in 100,000 stars。

3. It's not important then, if there's a delay for a few years, or decades, while the human race debates the question of whether to reply, and perhaps carefully drafts a replay.

   - 参考译文：就这一点而言，当人类在争论是否要做出回应时，或者在精心起草回应内容的时候，再耽误个几年甚至几十年也没关系。

   - 语言点：

     （1）It是形式主语，真正的主语是if后面的整个句子，while在这里引导时间状语从句，debates和drafts并列。

（2）While可以引导让步状语从句、时间状语从句，也与分词搭配构成非限定小句或无动词小句。

注意：时间状语从句在一定语境下，可以表示条件、原因或理由。例如：

He became very lonely. He's always like that when he's away from home.

他感到很孤寂；当他离家在外时，他总有那种感觉。

这里的when he's away from home既可以被理解为他孤寂的原因，也可以理解为动作发生的时间。

🛠 试题解析

Questions 14–17

- 题目类型：LIST OF HEADINGS
- 题目解析：

i. 搜寻来自外星的电波信号　　　　　　v. 搜寻外星智慧生命的原因

ii. 对来自其他文明的信号做出合适的回应　vi. 人类对外星智慧生命形态的了解

iii. 离地球最近的邻居也远隔万里　　　　vii. 其他星球存在生命的可能性

iv. 搜寻外星智慧生命的基本原则

题号	定位词	文中对应点	题目解析
14	assumptions, underlying	B段首句： In discussing whether we are alone, most SETI scientists adopt two ground rules.	B段首句明确表明SETI科学家在搜寻外星人时遵循两个基本原则。Ground相当于题目中的underlying, rules相当于题目中的assumptions，接下来的文字叙述两个原则分别是什么。考生从首句可以很明确地判断出正确答案是iv。个别考生可能会看到second后面句子中的assumption一词，进而看到a life form，就认为答案是vi，这种选择显然是以偏概全的，是不正确的。段意必须能够涵盖一整段内容，而不是某个部分或者某句话的内容。 因此本题答案是iv。
15	likelihood of, lives, other planets	C段中部： in fact, the best educated guess we can make, using..., leads us to estimate that perhaps one in 100,000 stars might have a life-bearing planet orbiting it.	这一段是无法仅仅从首句就判断答案的，考生需要读举例的内容，甚至读完整段，然后再回味一下，从字里行间中体会出题人的意图。好在这意图还不难体会，出题人不断用guess, estimate, perhaps, might这样的词来印证题干中的likelihood一词。 因此答案为vii。
16	radio signals, from	D段前两句，特别是第二句： It turns out that, for a given amount of transmitted power, radio waves..., and so all searches to date have concentrated on looking for radio waves in this frequency range.	本段是文中首次正式提出搜寻外星生命的方法，radio waves一词不断被重复。Looking for相当于题目中的seeking, radio waves相当于radio signals, 所有剩余headings中只有i和ii谈到了radio signals, 从逻辑上推测不可能是ii，因为只有先搜寻外星信号，才可能谈到作回应的事情。 故此题答案是i。

题号	定位词	文中对应点	题目解析
17	appropriate responses	E段首句： There is considerate debate over how we should react if we detect a signal from an alien civilisation.	本段首句明确提出如果收到了外星文明信号，人类应该如何回应的问题。React相当于题目中的responses。而how暗指appropriate。 故答案是ii。 TIPS：当完成一道List of Headings题目后，考生可以将所有已经选出的答案串联起来读一遍，检查是否能够凑成一个完整的意群，如果可以，那么答案一般就是正确的。

Questions 18–20

- 题目类型：SHORT ANSWER QUESTIONS
- 题目解析：

题号	定位词	文中对应点	解析
18	life expectancy, Earth	A段中部	文中定位点： Since the lifetime of a planet like ours is several billion years. 本题是第一道细节题目，考生据此可推知，本题最可能对应文章第一段。所以应该先去A段寻找Earth。这个词出现在A段的第九行。顺着这个词再向下找到lifetime，显然这个词对应题目中的life expectancy（寿命）一词。此处考生一定要注意，life expectancy一词在雅思阅读文章中曾数次出现，属于必背词汇，一定要掌握。读完该句，发现答案应该是several billion years。 此处有个有趣的小问题提醒考生注意，极个别考生会无法解释地把several写成seven，一定要注意这样的笔误。
19	What kind of signals from other intelligent civilisations	D段首句	文中定位点： An alien civilisation could choose many different ways of sending information across the galaxy, but many of these either require too much energy, or else are severely attenuated while traversing the vast distances across the galaxy. It turns out that, for a given amount of transmitted power, radio waves in the frequency range 1000 to 3000 MHz travel the greatest distance... 本题定位点很跳跃，与上一题相隔较远。但是如果考生已经先完成了List of Headings题目，就不难发现只有D段是在具体讲外星文明会选择哪种输送信息的方式。题目问的是SETI科学家在搜寻从外星文明发来的哪一种信号，也就表明答案是个具体的信号形式，考生也就不难猜测答案是radio waves。注意，此处问的是信号的形式，而不是电波频率，因此填1000或者3000 MHz是不正确的。

题号	定位词	文中对应点	解析
20	How many, most powerful radio telescopes	D段后部	文中定位点： The project has two parts. One part is a targeted search using the world's largest radio telescopes, ... This part of the project is searching the nearest 1000 likely stars with... 通过阅读题目，考生发现要寻找的是恒星的数量。只要定位数字，就能迅速找到本题的位置。于是，考生找到1000这个数字，并且能迅速排除下方的1000到3000MHz。从1000这个数字向上看，考生可以看到world's largest radio telescopes，这就与题目中的most powerful radio telescopes有了一致性。 故本题答案是1000。

Questions 21–26

- 题目类型：YES/NO/NOT GIVEN
- 题目解析：

21. Alien civilisations may be able to help the human race to overcome serious problems.

参考译文	外星文明也许能够帮助人类解决严重的问题。
定位词	Alien civilisations / the human race
解题关键词	be able to help the human race to overcome serious problems
文中对应点	A段： It is even possible that the older civilisation may pass on the benefits of their experience in dealing with threats to survival such as nuclear war and global pollution, and other threats that we haven't yet discovered. 这些更古老的文明甚至有可能将其在应对生存威胁过程中积累下来的有益经验传授给我们，例如如何应对核战争与全球污染带来的威胁，以及如何应对其他我们尚未发现的潜在威胁。 作为YES/NO/NOT GIVEN类题目的第一道题，本题的定位举足轻重，直接关系到后面题目的位置。根据题干关键字alien civilisation以及List of Headings题目留下的线索，考生最终会发现A段的最后一句话能够对应本题。 May be able to help能够对应文中的it is even possible，serious problems对应文中的threats。本题基本上属于同义词替换型的YES题目。
答案	YES

22. SETI scientists are trying to find a life form that resembles humans in many ways.

参考译文	SETI科学家正努力搜寻一种与人类有很多相似之处的生命形态。
定位词	SETI
解题关键词	resembles

文中对应点	B段： Second, we make a very conservative assumption that we are looking for a life form that is pretty well like us. 第二，我们保守地假定我们正在搜寻的生命形式和人类非常相似。 本句的定位可以根据顺序原则推出，一般YES/NO/NOT GIVEN类题目都是按照顺序原则来出题的。We在这里指的就是SETI的科学家们，resemble humans指的是is pretty well like us。又是一道只要能顺利定位，就能够通过同义词转换解出来的简单题目。
答案	YES

23. The Americans and Australians have co-operated on joint research projects.

参考译文	美国人和澳大利亚人在联合研究项目中合作。
定位词	The Americans and Australians
解题关键词	Co-operated
文中对应点	D段： ..., including Australian searches using the radio telescope at Parkes, New South Wales... American-operated telescope... 本题属于很典型的形散神必散型的NOT GIVEN。文章的D段虽然先提到了澳大利亚的搜寻工作，接着又提到了美国航空航天局负责的美国太空望远镜的搜索工作，但是并没有明确指出在这方面澳大利亚人和美国人有没有cooperate，合作这个概念完全是出题人的杜撰，遇到这种情况，考生往往应该选择NOT GIVEN。
答案	NOT GIVEN

24. So far SETI scientists have picked up radio signals from several stars.

参考译文	迄今为止，SETI科学家已经收到来自数个恒星的点播信号。
定位词	SETI scientists
解题关键词	have picked up
文中对应点	D段； Until now there have not been any detections from the few hundred stars which have been searched. 直到现在，在已经搜寻过的几百个恒星中还没有任何发现。 此题定位处位于上一题定位词Australian的后方，比较好找。文中明确指出迄今为止，科学家们还一无所获，而不是题目中所说的已经发现了信号。 文中的have not been抵触题目中的have picked up，连时态都没有改变，是一道简单的同义词抵触型的NO。
答案	NO

25. The NASA project attracted criticism from some members of Congress.

参考译文	美国国家航空航天局的项目遭到了国会某些成员的批评。
定位词	NASA, Congress
解题关键词	criticism

文中对应点	D段: The scale of the search has been increased since 1992, when the US Congress voted NASA $40 million per year for ten years to conduct a thorough search for extra-terrestrial life. 1992年，美国国会计划在以后的十年里每年为美国国家航空航天局投资1,000万美元，用于对外星生命进行彻底的搜寻。从那时起，搜寻的规模便开始大幅增加。 文中仅仅说国会通过议案给NASA拨款来对外星人进行彻底的搜寻，并未涉及这个项目有没有遭到某些议员批评一说。出题人从文中的细节生发杜撰。 本题属于完全未提及型NOT GIVEN。
答案	NOT GIVEN

26. If a signal from outer space is received, it will be important to respond promptly.

参考译文	如果人类收到了来自外太空的信号，应该马上作出回应。
定位词	respond
解题关键词	respond promptly
文中对应点	E段: There is considerable debate over how we should react if we detect a signal from an alien civilisation. Everybody agrees that we should not reply immediately. 如果我们真的发现了来自外星文明的信号，我们应该如何回应呢？这是一个备受争议的问题。所有人都认为我们不应该立即作出回应。 文中这句话明确指出了对待外星人信号的态度，那就是不能立即回应，这与题目中提出的马上作出回应完全抵触。Immediately相当于promptly。
答案	NO

参考译文

外星有生命存在吗？
——搜寻外星文明计划

人类是否是宇宙中唯一存在的生命这个问题已经困扰我们几百年了，然而随着搜索来自其他智慧文明的无线电信号，现在我们或许离这个问题的答案已经不远了。这项也被称为SETI（search for extra-terrestrial intelligence，搜寻外星文明）的计划进行起来非常困难。虽然世界各地的团体已经断断续续地搜寻了三十多年，然而直到现在，我们所达到的技术水平才允许我们下定决心去尝试搜寻附近所有附近星球上的任何生命迹象。

A 人类之所以搜索无线电信号，主要是出于一种基本的好奇心，正是这种对大自然的好奇心推动了所有纯科学的发展。我们想知道人类是否是宇宙中唯一存在的生命。我们想知道在适宜的条件下，生命是否会自然形成。我们还想知道地球上是否存在某种特殊的物质，孕育了那些我们司空见惯的各种形式的生命体。只需监测一下无线电信号，这些最根本的问题就能够得到充分解答。从这种意义上来说，SETI是纯科学系统发展的又一个重要推动力，而纯科学正不断拓宽着人类的知识范围。然而，人类之所以对其他地方是否存在生命这件事感兴趣，还有其他原因。比如，我们地球上的文明历史只有寥寥数千年，而过去几十年的核战争与污染的威胁告诉人类，我们的生命也许很脆弱。我们还能再延续两千年吗？还是将自我灭绝呢？既然像地球这样的星球拥有数十亿年的寿命，我们可以猜想，如果银河系中确实还有其他文明存在，那么它们的历史可能从零到数十亿年不等。因此，如果我们收到其他文明的信号，那么它们的平均历史很有可能比人类历史长得多。只要这种文明存在，就说明生命是有可能长期存活的，同时也会带给我们一个保持乐观的理由。这些更古老的文明甚至有可能将其在应对生存威胁过程中积累下来的有益经验传授给我们，例如如何应对核战争与全球污染带来的威胁，以及如何应对其他我们尚未发现的潜在威胁。

B 在探讨我们是否是宇宙中唯一存在的生命时，大多数SETI的科学家遵循两个基本原则。第一，UFOs（不明飞行物）通常不在考虑范围内，因为大多数科学家认为UFO的存在缺乏确凿的证据，不做慎重考虑（尽管保持开放的思想也很重要，同时以防将来会出现令人信服的（关于UFO的）证据）。第二，我们保守地假定我们正在搜寻的生命形式和人类非常相似，如果完全不同，那么我们可能不会把它看作是一种生命形式，更不用说能否与它进行交流了。换句话说，我们正在搜寻的生命形式也许会有两个绿色的脑袋和七根手指，但是它们和人类一样，能与同伴进行交流、对宇宙充满兴趣、生活在一个围绕恒星公转的星球上，就像地球绕着太阳转一样。也许更严格地说，它们和我们一样，由基本的化学物质碳和水构成。

C 即使做出了这些假设，我们对其他生命形式的了解还是非常有限。比如，我们甚至不知道多少颗恒星有行星围绕，当然，我们也不知道在适宜的条件下，生命自然形成的可能性有多大。然而，当我们观测银河系中的1,000亿颗恒星和可见宇宙中的1,000亿个星系的时候，很难相信这些恒星中没有一个有生命存在。事实上，凭借我们仅有的一点对碳基生命的了解，我们所能做出的最有根据的推测是，或许每十万个恒星中的一个会有孕育着生命的行星围绕着它运转。这意味着我们最近的邻居离我们也许只有100光年，从天文学角度来讲，这几乎就相当于和隔壁邻居的距离了。

D 外星文明可以选择多种不同的方式在银河系中发送信息，但是许多方式要么需要消耗过多的能量，要么在银河系中长距离传播时严重衰减。事实证明，在发射功率一定的情况下，频率在1,000到3,000兆赫之间的无线电波传播的距离最远，所以到目前为止，我们主要在搜寻这个频率范围的无线电波。迄今为止，世界各地已经有许多不同的团体进行了多次搜寻，包括澳大利亚在新南威尔士的帕克斯用无线电天文望远镜进行的搜寻。直到现在，在已经搜寻过的几百个恒星中还没有任何发现。1992年，美国国会计划在以后的十年里每年为美国国家航空航天局投资1,000万美元，用于对外星生命进行彻底搜寻。从那时起，搜寻的规模便开始大幅增加。项目中的很多资金用于开发可以同时搜索多个频率的特殊硬件上。该项目分为两个部分，一部分是利用世界上最大的无线电天文望远镜进行有针对性的搜寻，分别通过位于波多黎各阿雷西沃港的、由美国操作的望远镜和位于法国南锡的、由法国操作的望远镜来完成。这部分项目在距离最近的有可能接收到信号的1,000颗活跃恒星中，对1,000到3,000兆赫的频率进行搜索。该项目的另一部分是利用美国国家航空航天局深空网的小天线进行不定向搜寻，监控所有不太活跃的宇宙空间。

E 如果我们真的发现了来自外星文明的信号，我们应该如何回应呢？这是一个备受争议的问题。所有人都认为我们不应该立即作出回应。且不说要马上向如此遥远的地方发出回应是多么不切实际，这还会引发一系列的民族问题，这些问题在回应被发出去之前必须由国际社会联合解决。如果面对一种更优越、更古老的文明，人类会不会面临着文化冲击呢？幸运的是，我们不需要立即作出回应，因为被搜寻的恒星离我们有数百光年之远，它们的信号到达我们这里需要数百年的时间，而我们作出的回应到达这些恒星又需要花上数百年。就这一点而言，当人类在争论是否要作出回应时，或者在精心起草回应内容的时候，再耽误个几年甚至几十年也没关系。

Reading Passage 3

📖 篇章结构

体裁	说明文
主题	乌龟的进化史
结构	第一段：远古时代动植物从海洋迁徙到陆地
	第二段：部分生物返回海洋
	第三段：利用化石判定乌龟的栖息地
	第四段：耶鲁大学关于海龟和陆龟的研究
	第五段：海龟和陆龟的分支
	第六段：最终结论：乌龟曾往返于水陆生活

🌐 解题地图

难度系数：★★★

解题顺序：选择一：按题目顺序解答

选择二：FLOW CHART（34~39）→ SHORT ANSWER QUESTIONS（27~30）→ MULTIPLE CHOICE（40）→ TRUE/FALSE/NOT GIVEN（31~33）

友情提示：本文十分简单，完全按照顺序出题，考点设置非常善意，没有故意刁难考生。如果考生完全按照出题顺序做下来也没什么问题，个别问答题如果暂时找不到答案，可以先放弃，建议希望分数在6.5~7分或以上的考生按此顺序做题。但是如果考生水平在4~5分之间，可能会对某些题型和某些专业词汇产生抵触，所以可以选着先做相对容易的FLOW CHART题，最后做TRUE/FALSE/NOT GIVEN题。

🔤 必背词汇

1. migration *n.* 迁移

   Swallows begin their *migration* South in autumn. 燕子在秋季开始向南方迁移。

   Change of climate must have had a powerful influence on *migration*.

   气候的变化对于迁移必曾有过极大的影响。

2. abandon *v.* 放弃，抛弃

   He claimed that his parents had *abandoned* him. 他声称父母遗弃了他。

   After careful deliberation, it was agreed to *abandon* the project. 经过慎重考虑，大家同意放弃这个项目。

3. intermediate *n.* 中间体，中间物；调解人

   What is the structure of this *intermediate*? 这个中间产物的结构是怎样的？

   We need him as the *intermediate* in the negotiation. 我们需要他做这次谈判的调解人。

4. revert *v.* 恢复；回到…上

   He *reverted* to smoking when under stress. 因受到压力，他又恢复了吸烟的习惯。

   They will *revert* to tilling the Earth in an old-fashioned way. 他们将回归到用老方法耕地。

剑桥雅思真题精讲 *9*

5. equivalent *adj.* 相等的，相当的，等价的

The gangsters offered him a sum *equivalent* to a whole year's earnings.

歹徒给了他一笔相当于他一年收入的钱。

You will receive the full *equivalent* of your money. 你将收到与你的款项价值完全同等的物品。

6. descend *v.* 遗传下来；来自；下来

The title *descends* to me from my father. 这个头衔是由我父亲传给我的。

Things are cooler and damper as we *descend* to the cellar. 当我们往下走去地窖时，四周越来越阴冷潮湿。

7. fragment *n.* 碎片；片段

She dropped the vase on the floor and it broke into *fragments*. 她把花瓶掉在地上，摔成了碎片。

The old man read everything, digesting every *fragment* of news.

老人什么都看，对新闻的每个片段都细细品味。

8. overlap *n.* 重叠部分；重叠，重合

There is no question of *overlap* between the two courses. 这两门课程之间不存在重叠的问题。

It is time for us to begin to find out *overlaps*. 我们要开始寻找交叉的部分了。

认知词汇

tortoise	*n.* 乌龟，陆龟
enterprising	*adj.* 大胆的，有魄力的
parched	*adj.* 炎热的，干旱的
desert	*n.* 沙漠，荒地
cellular	*adj.* 细胞的；由细胞组成的
fluid	*n.* 液体，流体
mammal	*n.* 哺乳动物
snail	*n.* 蜗牛
worm	*n.* 虫，蠕虫
invasion	*n.* 入侵，闯入
reproduction	*n.* 繁殖，生殖
cousin	*n.* 远亲
marine	*adj.* 海的，海中的
ancestor	*n.* 祖先
gill	*n.* 鳃
vertebrate	*adj.* 脊椎的

terrestrial	*adj.* 陆地的，陆生的
dinosaur	*n.* 恐龙
fossil	*n.* 化石
streamlined	*adj.* 流线型的
species	*n.* 物种，种类
triangular	*adj.* 三角形的；三方面的
graph	*n.* 图表，曲线图
plot	*v.* 标绘
cluster	*n.* 簇，组
apparently	*adv.* 显然地，显而易见地
branch	*n.* 分支
aquatic	*adj.* 水生的
constitute	*v.* 构成，组成
remarkable	*adj.* 值得注意的，引人注目的
remote	*adj.* （亲属关系）远的

佳句赏析

1. Moving from water to land involved a major redesign of every aspect of life, including breathing and reproduction.

- 参考译文：从水里转移到陆地上使这些生物在方方面面都发生了巨大变化，包括呼吸和繁殖方式。
- 语言点：

句型分析：此句中Moving from water to land是动名词作主语，这个语法现象在雅思阅读中十分普遍，考生一定要掌握。例如：

① Using data is a complex business. 数据资料的分析与应用十分复杂。(*Cambridge IELTS 6*, Test 1, Reading Passage 1)

Using data就是动名词作主语，注意谓语动词用第三人称单数。

② While the Inuit may not actually starve if hunting and trapping are curtailed by climate change, there has certainly been an impact on people's health. 即使气候变化阻碍了狩猎和诱捕，因纽特人或许也不会真的挨饿受冻，但气候变化的确影响了人们的健康。(*Cambridge IELTS 6*, Test 1, Reading Passage 3）

在此句中hunting和trapping都是动名词，是并列作为主语，故谓语动词使用are。

③ Maintaining a level of daily physical activity may help mental functioning, says Carl Cotman, a neuroscientist at the University of California at Irvine. 加利福尼亚大学欧文分校的神经学家Carl Cotman指出，维持一定数量的日常体育运动将有助于提高大脑功能的运作。(*Cambridge IELTS 6*, Test 2, Reading Passage 2）

该句前半部分是动名词作主语，但因为谓语动词是情态动词may，这样就巧妙地避开了主谓一致的陷阱。

2. Whales（including the small whales we call dolphins）and dugongs, with their close cousins the manatees, ceased to be land creatures altogether and reverted to the full marine habits of their remote ancestors. They don't even come ashore to breed. They do, however, still breathe air, having never developed anything equivalent to the gills of their earlier marine incarnation.

- **参考译文**：鲸鱼(包括我们称作海豚的小鲸鱼)和儒艮，与它们的同类动物海牛一样不再是陆地动物，而完全恢复了与老祖先一样的海洋生活习惯，它们甚至都不上岸繁殖。它们虽然仍呼吸空气，却没有进化出类似于鳃这样的早期海洋生物的器官。

- **语言点**：

（1）句型分析：最后一句中having never developed anything equivalent to the gills of their earlier marine incarnation是对现在分词完成时态的使用。例如：

Having survived there for centuries, they believe their wealth of traditional knowledge is vital to the task. And Western scientists are starting to draw on this wisdom, increasingly referred to as 'Inuit Qaujimajatuqangit', or IQ. 因纽特人在当地生活了几百年，他们相信传统知识的财富对于这项任务的完成至关重要。西方的科学家们也开始逐渐吸收借鉴传统知识。(*Cambridge IELTS 6*, Test 1, Reading Passage 3）

（2）cease to do sth. 停止做某事，多指长时间甚至永远停止做某事，例如：

The dying man soon ceased to breathe. 那垂死的人很快停止了呼吸。

cease doing sth. 停止某事，多指短时间停止做某事，以后还会接着做，例如：

cease talking 停止谈话

（3）revert to sth. 回复原状；恢复原来的做法，例如：

He felt as though he was reverting to his adolescence. 他感觉自己好像回到了青春期。

在生物学上，revert专指"回复突变；返祖遗传"。例如：

This creature has reverted permanently to the aquatic life of its ancestors.

这种生物经回复突变已像祖先那样永久生活在水里了。

3. They used a kind of triangular graph paper to plot the three measurements against one another.

- **参考译文**：他们用一种三角坐标纸分别标记了这三个方面的检测结果。

- **语言点**：plot一词的用法：

作名词时：

（1）小块地皮；小块土地：a cemetery plot 一小块墓地

（2）平面图；标绘图；曲线图：a plot of the ship's course 船舶航线的标绘图

（3）（小说戏剧等的）情节：How does the plot run? 情节如何发展?

（4）密谋；阴谋：a plot against the government 反政府的阴谋

作动词时：

（1）把土地划分成小块；规划：New residential areas are all plotted out. 新的住宅区已经被规划好了。

（2）绘制…的平面图：plot the three measurements 标记三个方面的检测结果

（3）用坐标定点；用图表进行计算：plot the figures on a graph 做出数据的曲线图

（4）为（作品）涉及情节：plot a novel 构思小说

对于一个单词的记忆，雅思考生应力求深度，plot一词在雅思阅读中曾不止一次以动词身份出现，如果不熟悉，势必在阅读过程中造成障碍。

试题解析

Questions 27–30

- 题目类型：SHORT ANSWER QUESTIONS
- 题目解析：

题号	定位词	答案位置	题目解析
27	before any animals could migrate	第一段：最后一句话	文中有这样的叙述：And we mustn't forget the plants, without whose prior invasion of the land none of the other migrations could have happened. 这句话指出，如果没有植物率先登陆，其他任何生物向陆地的迁徙都不可能完成。这吻合题目中的before any animals could migrate。 故答案应该是plants。
28	TWO processes, make big changes, moved onto land	第二段：第一句话	此题难点是对题目的翻译，因为题目中带有定语从句in which，考生需要理清关系。题目问的是：动物要想迁徙到陆地上，必须在哪两个方面作出巨大的改变？此题定位可以根据顺序原则锁定在第二段，而第二段第一句话就提到Moving from water to land involved a major redesign of every aspect of life, including breathing and reproduction. 这句话中的redesign对应题目中的changes。 故答案应该是breathing和reproduction。（并列答案顺序无关紧要）
29	physical feature, whales, lack	第二段：中部	先根据题目关键字定位到whale，然后通读whale所在的句子。 Whales (including the small whales we call dolphins) and dugongs, ... They do, however, still breathe air, having never developed anything equivalent to the gills of their earlier marine incarnation. 在这段叙述中，作者最后指出虽然鲸鱼仍呼吸空气，却没有进化出类似于鳃这样的早期海洋生物的器官。所以考生可以得出结论，鲸鱼缺乏的其实就是gills。 故答案应该是gills。

题号	定位词	答案位置	题目解析
30	ichthyosaurs, resemble	第三段：后部	首先利用ichthyosaurs找到本题的定位点。Ichthyosaurs were reptilian contemporaries of the dinosaurs, with fins and streamlined bodies. The fossils look like dolphins... 这句话中的contemporaries是理解重点，指的是"同时代的人，同时代的事物"，这里说明鱼龙年代久远，和恐龙是同时代的动物，但是并不说明鱼龙和恐龙相像（其实也不大可能嘛）。而后半句的look like，就完全呼应题目中的resemble，这才是真正答案所在。 故答案应该是dolphins。

Questions 31–33

- 题目类型：TRUE/FALSE/NOT GIVEN
- 题目解析：

31. Turtles were among the first group of animals to migrate back to the sea.

参考译文	乌龟是第一批重新回到海洋的生物。
定位词	Turtles
解题关键词	the first group
文中对应点	第二段： Turtles went back to the sea a very long time ago and, like all vertebrate returnees to the water, they breathe air. 海龟在很早以前就回到了水中，和其他返回水中的脊椎动物一样，它们也需要呼吸空气。 文中在第二段的后半部分第一次提到了乌龟，这就是本题的定位点。考生一定要坚定不移地寻找turtle一词，不要被沿途看到的各种动物词汇所迷惑。文中这句话仅仅告诉考生，很久以前，乌龟就重新返回海洋，但是并没有说明是不是第一批回海洋这个概念。实际上，整篇文章中都没有讨论到关于the first的问题，所以此题属于完全未提及型NOT GIVEN题。
答案	NOT GIVEN

32. It is always difficult to determine where an animal lived when its fossilised remains are incomplete.

参考译文	如果动物的化石残骸不完整，就无从判断该动物的栖息地了。
定位词	fossilised remains, incomplete
解题关键词	always difficult
文中对应点	第三段： You might wonder how we can tell whether fossil animals lived on land or in water, especially if only fragments are found. Sometimes it's obvious. 你可能会问，我们是如何通过动物化石来判断它们是生活在水中还是陆地上的，尤其当我们只找到一些化石碎片的时候。 这个问题的答案很明显，根据顺序原则，可以将本题锁定在第三段。在第三段中寻找fossilised一词，很快找到对应词fossil。接着读到fragments，可以对应题目中的incomplete，on land or in water对应题目中的where an animal lived。但题目中的叙述过于绝对，It is always difficult与文中Sometimes it's obvious明显相抵触。 TIPS：一般带有always/impossible等绝对词的题目都应该是FALSE。
答案	FALSE

33. The habitat of ichthyosaurs can be determined by the appearance of their fossilised remains.

参考译文	鱼龙的栖息地可以根据它们的化石残骸来判定。
定位词	ichthyosaurs
解题关键词	can be determined by, appearance
文中对应点	第三段： Ichthyosaurs were reptilian contemporaries of the dinosaurs, with fins and streamlined bodies. The fossils look like dolphins and they surely lived like dolphins, in the water. 鱼龙是与恐龙同时代的爬行动物，它有鱼鳍和流线型的身体。鱼龙化石看起来像海豚，它们确实和海豚一样曾经在水中生活。 此题的位置通过ichthyosaurs一词很好确定。文中提到鱼龙的化石看上去像海豚，因此鱼龙肯定生活在海里。这等于举个例子向我们说明只要从鱼龙化石的外表就能够判定它的栖息地，与题目的意思完全吻合。 TIPS：当一个大题中只有三道小题时，一般是一个选TURE，一个选FALSE，一个选NOT GIVEN。
答案	TRUE

Questions 34–39

- 题目类型：FLOW CHART
- 题目解析：
  （1）FLOW CHART题型一般都是按照顺序出题，只要在文章中按顺序寻找，就能找到答案。
  （2）与解答其他填空类题目一样，考生需要注意所填字数。
  （3）带有不定冠词a/an的空比较好寻找，可以先做。
  （4）带有标题的填空题，一般都可以先利用标题里的关键字确定题目的整体位置。

题号	定位词	文中对应点	题目解析
34	71, a total of	第四段： ...obtained three measurements in these particular bones of 71 species of living turtles and tortoises.	利用数字71，很快就可以将此题定位。但是考生要注意在该句中并没有提到题目中的forelimbs。该词出现于上一段的最后一句，在此句中则以these particular bones来指代，考生要多加注意。如果能够顺利突破这个小障碍，很快就能发现正确答案。 正确答案为three measurements。
35	data, a	第四段： They used a kind of triangular graph paper to plot the three measurements against one another.	顺着上一题的对应点找下来，可以顺利找到a kind of，这个词组可以等同于题目中的不定冠词a。因此可以初步判定a kind of后面的triangular graph paper可能就是要填写的答案。同时，考生也需要理解plot一词，这个词上一次出现是在*Cambridge IELTS 4*, Test 2, Reading Passage 3，意思是"用图表表示…"，对应题目中的record。题目要求NO MORE THAN TWO WORDS，而triangular graph paper有三个词，只好牺牲最无关紧要的paper。 正确答案为(triangular) graph。

题号	定位词	文中对应点	题目解析
36	Land tortoises, a dense, points	第四段： All the land tortoise species formed a tight cluster of points in the upper part of the triangle...	题目中需要填的词位于短语a dense _____ of points 中，只要定位到陆龟这个词，再顺着向下读到a tight cluster of points即可。这个词组的结构和题目中的词组一模一样，只是将dense和tight做了替换。 正确答案为cluster。
37	Sea turtles, living, added to	第四段： There was no overlap, except when they added some species that spend time both in water and on land. Sure enough, these amphibious species show up...	此题的定位可以根据上一题最后一句话中的sea turtles定位到第四段water turtle后面这句话。 从题目考生可以得知从某种物种搜集的数据被添加到了结果中去。add一词是解题的关键。读完这句话，考生很容易发现被添加的物种是既可以在陆上生活，也可以在水中生存的两栖物种。 正确答案为amphibious。
38	up the triangle between	第四段： Sure enough, these amphibious species show up on the triangular graph approximately half way between the...	此题十分简单，找到两栖物种之后寻找between，between前面的half way，就是本题所要的答案。 正确答案为half way。
39	*P. quenstedti*, *P. talampayensis*, The position of the points, both	第四段： Both these fossils were dry-land tortoises.	用两个专有名词可以顺利找到第四段结尾处。然后利用题目中的The position of the points锁定在Their points on the graph are right in the thick of the dry cluster. 答案就是之后的那句。 正确答案为dry-land tortoises。

Question 40

- 题目类型：MULTIPLE CHOICE
- 题目解析：一般最后一道题目是单项选择题时有三种考点设置方法：
  （1）询问本文主题
  （2）询问作者写作本文的目的
  （3）询问最后一段的细节

题号	定位词	题目解析
40	the most significant thing, tortoises	题目：作者认为关于乌龟最重要的一件事情是 **A** 它们能够适应极其干燥的环境。 **B** 它们生命的最初形态是某种原始细菌。 **C** 它们与海龟十分相似。 **D** 它们不止一次从海洋迁徙到陆地。 本题显然属于上述三种出题方式中的第三种，直接对应文中最后一段的细节。最后一段首句就表明Tortoises therefore represent a remarkable double return，含义为"因此很明显，乌龟曾往返于水中和陆地上生存。"选项A中所说的干燥环境，选项B中所说的原始细菌，以及选项C中提到的海龟，在最后一段中悉数登场，但是没有一个是题目论述的核心。题目的真正意图就是想告诉考生乌龟finally returned yet again to the land as tortoises。 故答案应该选D。

乌龟的进化史

如果追溯到远古时代，那时一切生物都生活在水里。在进化史的不同时期，各个动物种群中都有一些胆大的开始向陆地迁徙，有的甚至跑到了非常干旱的沙漠里，这些生物的血液与细胞液里还储存着曾经所生活海域里的海水。除了我们周围随处可见的爬行动物、鸟类、哺乳动物和昆虫以外，其他成功登陆的生物还包括蝎子、蜗牛和潮虫、陆蟹、千足虫、蜈蚣等甲壳类动物，还有蜘蛛及各种虫子。当然还有植物，如果没有它们率先登陆，其他任何生物都不可能在陆地上生存。

从水里转移到陆地上使这些生物在方方面面都发生了巨大变化，包括呼吸和繁殖方式。然而，一大批动物彻底在陆地上安家后，却忽然回心转意，放弃了来之不易的陆上新生活，又重新回到了水中。海豹只恢复了部分水中生活的特征，向我们展示了演变过程中半成品的模样，而成品则是如鲸鱼和儒艮这样纯粹的海洋生物。鲸鱼(包括我们称作海豚的小鲸鱼)和儒艮，与它们的同类动物海牛一样不再是陆地动物，而是完全恢复了与老祖先一样的海洋生活习惯，它们甚至都不上岸繁殖。它们虽然仍呼吸空气，却没有进化出类似于鳃这样的早期海洋生物的器官。海龟在很早以前就回到了水中，和其他返回水中的脊椎动物一样，它们也需要呼吸空气，但是却没有像鲸鱼和儒艮那样完全返回水中，这体现在一个方面——海龟仍然在海滩上产卵。

有证据表明，所有现代海龟的祖先都曾经生活在陆地上，比大多数恐龙在陆地上出现的时间还要早。有两种可以追溯到恐龙时代早期的重要化石，分别是*Proganochelys quenstedti*（原颚龟化石）和*Palaeochersis talampayensis*(古老的陆地龟化石)，它们与所有现代海龟和乌龟的祖先最为接近。你可能会问，我们是如何通过动物化石来判断它们是生活在水中还是陆地上的，尤其当我们只找到一些化石碎片的时候。有时候这个问题的答案很明显。鱼龙是与恐龙同时代的爬行动物，它有鱼鳍和流线型的身体。鱼龙化石看起来像海豚，它们确实和海豚一样曾经在水中生活。海龟在这一点上则没有这么明显。判断动物水生还是陆生的方法之一就是对它们前肢的骨骼进行检测。

耶鲁大学的*Walter Joyce*和*Jacques Gauthier*从三个方面对71种活的海龟和乌龟的特有骨骼进行了检测。他们用一种三角坐标纸分别标记了这三个方面的检测结果。所有陆栖乌龟的数据在三角坐标的上半部分形成了一簇密集的点，而所有水栖海龟的数据集中于下半部分。两部分数据没有重叠，除非在其中增加一些水陆两栖乌龟的检测结果。当然，这些数据出现在接近三角坐标中间的位置，位于水栖海龟与陆栖乌龟的坐标点之间。下一步就是确定具体的位置。毫无疑问，*P. quenstedti*与*P. talampayensis*的坐标点正好位于陆栖乌龟的坐标点最密集的地方。这两种化石都是陆栖乌龟化石，而且都生存在海龟返回水里之前的时代。

也许你会认为，现代的陆栖乌龟可能自从早期有陆地生物以来就一直生活在陆地上，就像除了少数哺乳动物返回水中以外，大多数哺乳动物还在陆地上生活一样。但事实显然不是这样的。如果你画出所有现代海龟与乌龟的家谱图，会发现几乎所有的龟类分支都属于水栖动物。而现代的陆栖乌龟单独形成一个分支，穿插在水栖海龟的分支中。这说明自*P. quenstedti*和*P. talampayensis*的时代以来，现代的陆栖乌龟并没有一直在陆地上生活。更确切地说，它们的祖先曾经返回水中，只是在(相对)较近的年代又回到了陆地上。

因此很明显，乌龟曾往返于水中和陆地上生存。与所有的哺乳动物、爬行动物和鸟类一样，乌龟的老祖先是海洋中的鱼类。再向前追溯，它们也是海洋中类似蠕虫生物的原始细菌。后来，乌龟的祖先来到陆地上并持续生活了相当长的年代，但后来又回到了水中，成为了水栖海龟。直到最后，它们再一次回到陆地上，成为陆龟，其中有一些现在甚至生活在干旱的沙漠中。

Writing

Task 1

题目要求

（见"剑9"P30）

审题

题目翻译：下面的两幅地图显示了一个岛屿在进行一些旅游设施建造前后的情形。选取并汇报主要特征，总结信息，并在相关处进行对比。

非数据图一般分为两种：一种是流程图，另一种是地图。本图属于地图题，描述的关键在于旅游设施建造完成后，哪些原来有的消失了，哪些原来没有的出现了，哪些保持原样不变。

消失：本图没有拆毁岛上的原有部分。

新增：岛屿西部和中部有两处供住宿（accommodation）的度假屋群，分别呈环绕状，由一些人行道（footpath）连接在一起，岛屿西部的度假屋群有人行道通往可以游泳（swimming）的海滩（beach）。这两处度假屋群之间由北向南坐落着餐馆（restaurant）和接待处（reception），并有行车道（vehicle track）延伸到岛屿南面的码头（pier），码头附近有帆船。

保持不变：岛屿东部基本保持不变，还是一些树林。

写作思路

本题由两幅地图组成，写作时可以分为四段。第一段可以通过改写题目的说明性文字交代两幅地图的主要内容。第二段和第三段分别描写旅游设施建造之前和之后的情形。第四段总结两幅地图的主要区别。

考生作文

（见"剑9"P162）

参考译文

这两幅图显示的是同一座岛屿。图一和图二分别显示了该岛在旅游业建设之前和之后的情形。

首先看建设之前的这张图，我们可以看到一个巨大的岛屿，西面有海滩。岛的总长度大约为250米。

现在来看第二幅图，我们可以看到岛上有很多建筑物。有两个住宿区。一个在靠近海滩的西部，另一个在岛屿中部。在两个住宿区之间，北部是家餐厅，中央是机动车道围绕着的接待处。车道还一直通往码头，人们可以在岛屿南面的海中扬帆航行。此外，游客可以在西面的海滩附近游泳。一条连接着西部住宿群的人行道也通往海滩。

总之，比较两幅图可以发现这次开发后有较大变化。不仅岛上建造了很多设施，而且海洋也被用于活动。新岛屿已经成了旅游的好地方。

☕考官点评

（见"剑9"P162）

⟲参考译文

这篇文章清晰呈现了图中的关键特征，虽然第一幅图描述简略，但对这道题而言可以接受。描述准确，虽然有一些方面可以描写得更充分，例如关于住宿的部分。结尾段有效总结了要点。信息的组织有逻辑性，整篇文章读起来很清晰。包括指代和替换在内的衔接手段运用得体，偶尔有些不准确的地方。恰当使用了一些不太常用的词汇和搭配，例如central reception block（中央接待区）和western accommodation units（西部居住单元），而且文中没有拼写错误。语法结构多样，许多句子没有任何不准确的表达。即便有错误，这些错误也不影响理解。

✿分析

本文得分7分。

接下来我们从雅思图表作文的四个评分方面（任务的完成情况、连贯与衔接、词汇、语法）进行详细分析。

任务完成情况

任务的完成情况主要看图表中的核心信息有没有清晰有效地呈现。8分要求文章充分涵盖题目的所有要求，而且能够清晰而又得体地呈现并说明核心信息。7分则是涵盖题目要求，清晰呈现并说明核心信息，但可以进行更加充分的扩展。这篇文章内容方面符合7分要求，和8分的差距主要在于文中对于住宿点的描述扩展不够。

第一段话介绍了图表的基本信息，对题目中的描述性内容稍加改写。

第二段话简单描述图一，指出岛屿西部的沙滩和岛屿的总长度。基本信息已经具备，如果要更详细一些的话，可以指出岛屿东西长、南北短，西部和东部有一些小树林。

第三段话是描述的重点，涉及旅游设施建设后的情形。新增的主要是两个住宿区、餐厅、接待处、码头等。介绍比较全面，但对于住宿区的描述可以更加具体，比如可以指出岛屿中部的住宿群（accommodation units）由九座围绕着人行道（footpath）的圆形独立小屋（detached huts）组成。

第四段话是结尾。首先指出旅游业建设前后的岛屿发生了重大变化，然后具体指出变化不仅在岛内，而且延伸到海上。

连贯与衔接

连贯与衔接指的是信息的连接、连贯性和衔接手段的运用等。本篇文章信息的组织有逻辑性，指代和替换等衔接手段运用得体，但偶尔有些错误，符合7分的标准。

连接词：while, and, also, furthermore, overall, not only...but also...

指代（reference）和替换（substitution）的使用及不够准确之处：

第一段：the same, first one, the second one（first one应为the first one）

第二段：the one before construction

第三段：the second map, one...the other one, them, which, this track, where

第四段：this development

用词

合理使用了一些不太常用的词汇和搭配，例如"中央接待区"（central reception block）和"西部居住单元"（western accommodation units），和8分的差距主要在这样的表达不够多。

用词不当示例：文中用了两次lots of（lots of buildings; lots of facilities）。lots of属于非正式（informal）表达，在图表作文中最好避免，这里可以换用many。

语法

语法结构多样，大部分句子表达准确，符合7分要求，和8分的差于在于句子结构的广泛性。7分要求a variety of structures，8分要求a wide range of structures。

多样化的结构：

分词结构：第二段第一句(Looking...)和第三段第一句(Moving...)

状语从句：第三段第三句(while)

定语从句：第三段第四句(which)，第五句(where)。

错误之处与修改：

第一段：The two maps show the same island while first one is before and the second one is after the construction for tourism. While表示对比关系。本句应改为The two maps show the same island and while the first one is before, the second one is after the construction for tourism.

第三段：the south sea of the island应改为the south sea to the island。

第四段：Not only lots of facilities are built on the island, but also the sea is used for activities. 注意，以关联连词not only开头的句子，往往引起局部倒装。本句应改为：Not only are many facilities built on the island, but also the sea is used for activities.

Task 2

📓 题目要求

（见"剑9"P31）

🖋 审题

题目翻译：一些专家认为孩子最好从小学而不是中学开始学外语。这样做的好处是不是大于坏处？

本题在题材上属于教育类话题，题型为利弊分析类。本题曾经是2007年10月20日雅思考题。

💡 写作思路

本题为利弊分析类题目。利弊分析类文章的基本架构和Discuss讨论类文章比较相似，通常在文章开头交代一下问题的背景，然后在主体段落针对利弊进行分析，最后在结尾比较利弊，表明立场。在主体段落分析利弊的时候，可以有两种思路，一种是分别论证从小学就开始学外语的好处与坏处，另一种是论证小学开始学外语的利弊和中学开始学外语的利弊。值得指出的是，文章的结尾段一定要对利与弊进行比较，明确表明自己的立场，而不只是泛泛陈述有利有弊而已。

☕ 考官范文

（见"剑9"P163）

参考译文

　　孩子传统上从中学开始学习外语，但一些教育家建议可以更早开始学习。这一政策已经被一些教育当局或一些学校采用，结果有利有弊。

　　支持这一政策的显而易见的论据是小孩子学语言与青少年相比容易得多。他们的大脑依然习惯于获取他们的母语，这有助于学习另一门语言，而且他们不像青少年，没有被自我意识约束。

　　小学课程表的更大弹性允许上课时间更频繁、更短暂，而且学习方法以游戏为中心，因此可以保持学习者的热情和进步。他们以后的人生中对语言的掌握会受益于这一对语言的早期接触，而随后对其他语言的学习会变得更加容易。他们也可能会对其他文化有更好的理解。

　　但也有一些不利之处。小学老师是通才，他们自己不一定具备所需的语言技能。如果需要引进专才来讲授这些课程，上述的灵活性就会削弱。如果小学语言教学没有实现标准化，那么中学可能会面临入学新生掌握不同语言且水平各不相同的情况，会导致以前的收获都白费的课堂体验。如果充满热情的小学生一升学就失去动力的话，那就没有任何好处了。不过这些问题可以在所采纳的政策中得到战略性解决。

　　任何鼓励语言学习的做法都有益于社会，无论是在文化层面，还是在经济层面，而提早接触语言学习有助于实现这一点。应该利用小孩子的先天能力来使得这些好处更加易于实现。

分析

文章架构

　　本文开头段指出从小学就开始学习外语的做法有利有弊。

　　第二段和第三段论述从小学开始学习外语的好处：从先天条件上讲小孩子学外语更容易，而且小学的课程安排与学习方法有助于外语学习。

　　第四段论述从小学开始学习外语的不利之处：小学老师不一定能教外语，而且如果升上中学的小学生外语水平参差不齐的话会不利于中学的外语学习。但最后一句指出这些弊病可以得到解决。

　　结尾段明确表明立场，指出应该利用小孩子的先天能力，从小学就开始学习外语，这样对社会发展有利。

开头段分析

　　首段起到的作用是交代背景。但值得注意的是，不应该照抄题目原文，而应该进行改写。

　　学习外语，题目是begin learning a foreign language，范文改成了have begun studying foreign languages。中学开始学，同样都是at secondary school，但原文的从小学开始学at primary school改成了introducing them earlier（更早的时候开始学习）。题目中的experts（专家）范文中改为educationalists（教育家，教育工作者＝educationists）。利弊，题目用的是advantages和disadvantages，范文中用了positive and negative outcomes。

主体段分析

　　文章的第二段和第三段分别从先天和后天两个方面论述从小学就开始学外语的好处。第二段主要从先天层面分析。孩子年幼的时候，大脑特别适合学习语言，无论是母语还是外语，而随着年龄的增加，语言学习会受到自我意识的约束。第三段从后天层面分析，指出小学弹性化的课程设置和游戏式的学习方式有助于语言学习。

　　文章第四段论述从小学开始学外语的不利之处。首先外语的教授需要专门化的人才，一般的小学老师不一定能胜任。其次，小学外语教学需要实现标准化，否则会导致小学毕业生外语水平参差不齐，而且学的外语五花八门。这样一来，到他们升入中学的时候，中学课堂很难实现有效的外语教学，而他们小学时候获得的外语能力也会因此受损，并可能影响他们进一步学习外语的动力。不过文章指出这些问题可以通过小学外语教学的设计来解决，比如标准化教学的实施。

结尾段分析

在主体段落充分论证了从小学开始学外语的利与弊之后，文章结尾应该明确表明态度。上一段末尾已经指出，从小学开始学外语虽然有一些弊病，但这些弊病完全可以通过制度设计来解决。本段进一步指出，尽早学习语言不仅对孩子有好处，而且对于社会的文化和经济发展也有利。

连贯与衔接

一篇优秀雅思作文的连贯与衔接是通过段落之间的逻辑性和段落内部的连贯性达成的。

段落之间的逻辑性主要通过分段和段首逻辑词实现。这篇文章的结构非常清晰。第二、三段分析利，第四段分析弊。在分析好处开始的第二段开头用了The obvious argument in its favour is that... 这样的表达，而在开始分析弊病的第四段开头则表述为：There are, however, some disadvantages。

段落内部的连贯性主要靠衔接词和指代词。这篇文章用到的连接词有but, and, thus, while, also, however, if等，指代词有this, its, their, these等。

指代关系的使用：

第一段：第一句中的代词them指代foreign languages；第二句中的This policy指代第一句的introducing them earlier。

第二段：第一句中的代词its指代第一段第二句中的This policy；第二句中的their和they指代young children。

第三段：第二句中的代词their和them指代第一句中的learners。

第四段：第三句的these sessions指的是上一段中的语言学习的more frequent, shorter sessions；最后一句的these issues指的是本段中提到的诸多问题。

第五段：第一句的this指的是逗号前的分句，即语言学习对于社会文化方面和经济方面的好处。

难词

educationalist	n. 教育家，教育工作者	generalist	n. 通才
facilitate	v. 促进，帮助	specialist	n. 专才
adolescent	n. 青少年	diminish	v. 减小，削弱
inhibit	v. 抑制，约束	standardise	v. 使…标准化
self-consciousness	n. 自我意识	intake	n. 新生
flexibility	n. 弹性	undo	v. 取消，废除，破坏
session	n. 一日内的连续授课时间	demotivate	v. 使失去动力，使变得消极
exposure	n. 曝光，接触	innate	adj. 内在的，先天的
subsequently	adv. 随后地	harness	v. 控制，利用

复杂句的使用

现在分词结构作主语：第一段第一句，第三段第二句

让步状语从句：第二段第二句（while引导）

条件状语从句：第四段第三、四句（if引导）

定语从句：第二段第二句（which引导），第五段第一句（which引导）

难句分析

1. The obvious argument in its favour is that young children pick up languages much more easily than teenagers.

   翻译：支持这一政策的显而易见的论据是小孩子学语言与青少年相比容易得多。

   分析：本句用了pick up这个词，而没有用一般的study, learn, acquire等，体现了小孩子学语言的相对容易。pick up指to get information or gain a skill by chance, without making a deliberate effort。

2. Their brains are still programmed to acquire their mother tongue, which facilitates learning another language, and unlike adolescents, they are not inhibited by self-consciousness.

翻译：他们的大脑依然习惯于获取他们的母语，这有助于学习另一门语言，而且他们不像青少年，没有被自我意识约束。

分析：本句的programme为动词，意思是to predetermine the thinking, behaviour, or operations of as if by computer programming，即像是电脑编程一样"预先确定、训练、培养，形成条件反射"，类似于condition。本句中的which引导非限定性定语从句，修饰上一句话。本句表达的意思是，小孩子在学习母语的时候，大脑的工作原理和设计特别适合学习语言，无论是母语还是外语，而到了青少年时期，由于自我意识的逐渐加强，语言学习会受到抑制。

3. There is no advantage if enthusiastic primary pupils become demotivated as soon as they change schools.

翻译：如果充满热情的小学生一升学就失去动力的话，那就没有任何好处了。

分析：change school字面意思是换学校，这里指的是从小学换到中学，即升学。

Notes

Speaking

Part 1

在第一部分,考官会介绍自己并确认考生身份,然后打开录音机/笔,报出考试名称、时间、地点等考试信息。考官接下来会围绕考生的学习、工作、住宿或其他相关话题展开提问。

🔍 话题举例

Games

1. **What games are popular in your country?** [Why?]

   Children enjoy playing games, but not all adults do. I've seen kids *playing marbles*. *Tug of war* is also popular, which is a game that directly puts two teams against each other in a test of strength. Back to my childhood, *hopscotch*, was my favorite game.

playing marbles 玩弹珠	tug of war 拔河比赛
hopscotch 跳房子游戏	

2. **Do you play any games?** [Why/Why not?]

   I like playing *competitive* games because the winner feels like they have achieved something. Real life is a competitive experience, and it's not right to *pull the wool over* children's *eyes* and make them think that they'll never have to compete with anyone. They think the idea that '*everyone's a winner*' is rather naive.

competitive 竞技的,竞争的	pull the wool over one's eyes 瞒过某人
Everyone's a winner. 每一个人都是赢家。	

3. **How do people learn to play games in your country?**

   Games were quite simple a few *decades ago*. One huge difference in modern times is that we now have thousands of complicated computer games to choose from. It's pretty easy to find breakthroughs on the Internet for players.

decades ago 数十年前

4. **Do you think it's important for people to play games?** [Why/Why not?]

   Games and sports are very important. We can relieve the stress and exercise the body. We can learn about good *sportsmanship* and improve *hand-eye coordination* through *physical sports*.

sportsmanship 运动员精神,运动道德	hand-eye coordination 手眼协调能力
physical sports 体育运动	

Part 2

考官给考生一张话题卡（Cue Card）。考生有1分钟准备时间，并可以做笔记（考官会给考生笔和纸）。之后考生要作1~2分钟的陈述。考生讲完后，考官会就考生的阐述内容提一两个相关问题，由考生作简要回答。

CUE CARD

Describe an open-air or street market which you enjoyed visiting.

You should say:

where the market is

what the market sells

how big the market is

and explain why you enjoyed visiting this market.

➡️ 话题卡说明

Describe an open-air or street market which you enjoyed visiting是典型的地点题，考官主要考查考生是否能准确描述不同的地点。类似的话题卡还有Describe a hotel，Describe a shopping place等。

地理位置	A £2 *bus ride* from the city center hotel will *drop* you *to* this street market. It is so *tucked away* and so well hidden that despite its very *central location* I sometimes even forget it exists.
销售商品	If you are looking for clothes or *accessories*, then this might be *your place*. Don't take your wallet unless you are prepared to buy something, as you will surely *get tempted*! *It would be criminal not to* give this place 5 stars. All the different little *stalls specialising in* everything you can think of.
市场大小	This place is much bigger than it seems from the front. It is also really big, so it might be good to *wander around a bit* and look at the choices before you *settle on* what you want to buy. The *massive range of snack bars*, cafes and stalls will *keep you occupied* for hours.
喜爱缘由	When I first *ventured into* this market, I wandered around *with my jaw hanging open*. It's a shopper's heaven. I go there every Wednesday. That's when they have their 10% discount. I can get some very famous *designer suits*, shirts, sweaters, and *pants*. It makes me look very *stylish*, but it's *on the cheap*. This place has such a *charm*—less crowded, and it's a *gem* in the centre of London.

🔤 重点词句

bus ride 车程
central location 中心位置
get tempted 经不住诱惑
specialise in 专攻
massive range of 大量的
venture into 贸然进入，闯入
pants 短裤，裤子
charm 魔力

drop...to 把…送到
accessory 饰品
It would be criminal not to... 不…就像是在犯罪
wander around a bit 闲逛一会儿
snack bar 小吃店
with one's jaw hanging open 瞠目结舌的
stylish 时髦的
gem 宝石

tucked away 隐蔽的
your place 宝地
stall 货摊
settle on 决定
keep one occupied 使…繁忙
designer suit 品牌西服
on the cheap 便宜的

Part 3

第三部分：双向讨论(4~5分钟)。考官与考生围绕由第二部分引申出来的一些比较抽象的话题进行讨论。第三部分的话题是对第二部分话题卡内容的深化和拓展。

🔍话题举例

Shopping at markets

1. **Do people in your country enjoy going to open-air markets that sell things like food or clothes or old objects? Which type of market is more popular? Why?**

   I think most Chinese people enjoy shopping there. Young people like to *wander around side-street stalls* and open-air *flea markets*. Clothes are *competitively priced* and *fashionable*. It *caters for* the needs of young people, they can *bargain at ease*. Although there are modern supermarkets in China, old people prefer to buy the freshest meat and vegetables at the open-air *wet markets*. Unlike in the big food chains, shoppers develop a certain relation with the *vendors*, and they can learn how the vegetables have been grown, and who produced them. This creates *a sense of security* over *the origin of the food*.

wander around 闲逛	side-street stalls 路边摊
flea market 跳蚤市场	competitively priced 价格优惠的
fashionable 时髦的	cater for 迎合
bargain 砍价	at ease 自由自在
wet market 农贸市场	vendor 摊贩
a sense of security 安全感	the origin of the food 食品来源

2. **Do you think markets are more suitable places for selling certain types of things? Which ones? Why do you think this is?**

   In my humble opinion, markets *are supposed to* be like *giant yard sales* with *a wide range of* old, interesting items and *knick knacks*. You can see *troll dolls* living next to *antique typewriters*; you may find *wall clock* you've always been *longing for*. During the weekend, I always look for *antiques* or *vintage clothes and jewelries*. I think an *antique flea market* is a very fascinating place. I prefer to *browse for* antiques and *collectibles*. It has been *part and parcel of* my life.

in my humble opinion 依我拙见	be supposed to 应该，被期待
giant yard sale 大型旧货销售	a wide range of 大量的
knick knacks 小玩意	troll doll 印第安毛娃
antique typewriter 古董打字机	wall clock 挂钟
long for 渴望	antique 古玩
vintage clothes and jewelries 老式的衣服和首饰	antique flea market 古玩跳蚤市场
browse for 浏览	collectible 收藏品
part and parcel of 不可或缺的部分	

3. **Do you think young people feel the same about shopping at markets as older people? Why is that?**

   I don't think so. Current markets *are occupied by* lots of *branded* and cheap goods. We should *pay considerable and mandatory attention* that young generation *gets fascinated towards* these cheap brands. Pocket money or salary from part-time jobs has made shopping a favourite *pastime* for present *youths*. While older people think and feel differently, they just visit vegetable markets for the freshest vegetables and fruits. And they are more likely to buy clothes in *brand stores* in order to *guarantee the quality*.

be occupied by 充斥着	branded 有品牌的
pay considerable and mandatory attention 给予大量必要的关注	get fascinated towards 被…迷住
pastime 消遣	youth 年轻人
brand store 品牌专卖店	guarantee the quality 保证质量

Shopping in general

1. **What do you think are the advantages of buying things from shops rather than markets?**
    First and foremost, the customer service in those shops was better than that in markets. There are sales people *absolutely* everywhere you looked and they are very polite. I have never been so impressed with the staff at *upscale designer boutiques* in my life. They are not *snooty* and even encouraged me to *try things on*. Besides, shops offer the convenience of shopping hours, which *extend far* into the evening or even 24 hours a day. So there's less *stress* to make it to the shops *on time*. *Last but not least*, in big shops, children can be left in a play area whilst the parents do their shopping. So parents are less stressed and *pestered* into buying unnecessary items. However, markets are *somewhat* inconvenient in these respects.

first and foremost 首要的是	absolutely 绝对地
upscale designer boutiques 高档时装店	snooty 高傲的
try...on 试穿	extend far 延伸
stress 压力	on time 按时
last but not least 最后但同样重要的是	be pestered 被纠缠
somewhat 有些	

2. **How does advertising influence what people choose to buy? Is this true for everyone?**
    While you may be *taking* advertising *for granted*, it does *seek to* influence what everyone spends his money on. Many people don't believe that they're *susceptible to* being influenced, *let alone manipulated* by advertising. However, it wouldn't be so *omnipresent* if it didn't work. Advertising is informing people of the *existence* of products which they might be interested in buying. People are more willing to *go with* what's familiar with than what's not. In media, people are usually influenced by what's "hot" in the products that they see in TV shows, movies or *commercials*. Generally that type of advertising just *sits in people's minds* until they actually see the product at a store. It *entices* people to buy *sooner or later*.

take...for granted 认为…理所应当	seek to 企图
be susceptible to 易于	let alone 更不用说
manipulate 操控	omnipresent 无所不在的
existence 存在	go with 买，赶时髦
commercial 广告	sit in one's mind 深印心中
entice 诱惑	sooner or later 迟早

3. **Do you think that any recent changes in the way people live have affected general shopping habits? Why is this?**

   With today's busy lifestyle there's a growing trend towards shopping online, *e-commerce* has ***been around*** for a long time and it is ***breaking into*** traditional markets more than ever before. Not just books, CDs and holiday trips can be bought online, but ***all sort of*** other products and services that were ***unimaginable*** in the past. Besides, the supermarkets and ***convenience stores*** stayed open for longer and longer hours to meet the needs of ***white-collar***.

e-commerce 电子商务	be around 出现
break into 闯入	all sort of 各种各样的
unimaginable 难以想象的	convenience store 便利店
white-collar 白领	

话题相关材料

为了满足人们的购物需求，购物中心、超市变得越来越多，街边小店、市场越来越少。大超市为人民带来了便利，但也存在一些弊端，下面就是对大超市利弊的分析。

Supermarkets vs. local shops

To many, supermarkets have been an integral part of modern-life, but should their expansion be at the cost of local stores?

For

Time savers: Let's be honest, life without supermarkets would be total hell. Gone are the days of trawling the high street all day long, and now we can fit shopping into our busy schedules. We're not even restricted by opening hours, with many supermarkets now open 24 hours.

Choice: Supermarkets now offer the choice of up to 40,000 lines—everything from economy to niche products at competitive prices; they provide free car-parking, home deliveries and Internet shopping. And you can get supposed seasonal vegetables all year round.

Transport links: There are bus schemes; a number of outlets offer taxi services; and some are investigating outlets on estates, although high crime is putting them off.

Affordable: Supermarkets have reduced the cost of some grocery shopping and made one-time luxuries into basics, which means many of us whose outgoings often exceed their incomings on payday do not starve.

Against

Overkill: Supermarket competitiveness can harm local food economies that sustain our market towns and villages, the food producers who supply them, and the people who depend on them. Their monopoly position in the market allows them to dictate how much they pay farmers, while at the same time seeking out cheaper food from abroad.

Exclusive: Not all consumers are in easy reach of a supermarket. Hard as it may be to believe, there are those who have no car, no Internet, and whose shopping budgets are too small to qualify for home deliveries.

Unsociable: The glazed expression of a supermarket check-out girl does not offer the social contact and conversation that can be found in a

local shop, for some this is their only brush with other people they get each day.

Local shops: When superstores open, small shops close. Not always, but it does happen, especially when ridiculously over-sized stores open on the local shop's doorstep.

Freshness: Local markets and shops tend to stock fresher local produce rather than the standardised symmetrical blander vegetables you will find in supermarkets.

Notes

Listening

Part 1

📖 场景介绍

　　住宿场景是雅思听力考试中常见的场景。学生被录取之后一般会要求学校安排住处。本节讲的是这个印度女生想住在学校的宿舍里面。主要内容涉及学生的基本信息，包括名字、国籍、出生日期、爱好，以及学生对于住宿条件的各种要求。

🔤 本节必背词汇

accommodation	n. 住处	red meat	红肉(牛肉，猪肉等)
hall of residence	学生宿舍	bedsit	n. 起居兼卧室两用房间
preference	n. 偏爱，倾向	badminton	n. 羽毛球；羽毛球运动
so forth	等等	priority	n. 优先；优先考虑的事
catering	n. 提供饮食及服务	vacancy	n. 空缺；空白；空位
full board	全膳；包膳宿	socialise	v. 参加社交活动，发生社交往来
opt	v. 选择，挑选		

🔤 词汇拓展

youth hostel	青年旅馆	triple room	三人间
motel	n. 汽车旅馆	deposit	n. 储蓄；保证金；寄存
hotel	n. 旅馆		v. 储蓄；寄存；付保证金
homestay	n. (在国外的访问者)在当地居民家居住的时期	bed-linen	n. 床上用品
		towel	n. 毛巾，手巾；纸巾
single room	单人间	blanket	n. 毛毯，毯子
double room	双人间	carpet	n. 地毯，桌毯
twin room	双人间	sheet	n. 被单

⚙️ 文本及疑难解析

1. Yes. I've just been accepted on a course at the university and I'd like to try and arrange accommodation in the hall of residence. 是的，我被这个大学的一个专业录取了，我想安排住在学校的宿舍里面。be accepted on a course指"被某个专业录取"；accommodation指"食宿"；hall of residence指的是"学校的宿舍"。

2. Well, it'll take three years but I'd only like to stay in hall for two. 我的学习要三年时间，但是我只想在宿舍里住两年。一般英联邦大学要上三年。这个学生想两年后出去住。

3. And what did you have in mind for catering? 关于饮食，你有什么要求? catering指"给养；提供饮食及服务"；have in mind一般用来指有什么要求或者想法。

4. You can just have evening meal provided, which is half board. 你可以要求只提供晚餐，也就是半膳。have sth. done 意为"让 / 叫 / 使 / 请别人做某事"。过去分词provided作宾语补足语，说明evening meal与其表示的动作之间是被动关系。full board指的是"全膳"，那么half board就是指提供一半饮食。

5. You can have a single study bedroom or you can have a shared one. 你可以一个人住一间宿舍，也可以跟别人合住一间。study bedroom指学校提供的宿舍。

6. Well, actually my grant is quite generous and I think the bedsit sounds the best option. 嗯，实际上我的奖学金不少，我想开间听上去是最好的选择。grant指奖学金，generous表示数量不少。bedsit指的是起居室和卧室在一起、没有隔断的房间，这是英式英语，美语一般说studio apartment，意思是一样的。

7. Now, what we finish with on the form is really a list from you of what your priorities are in choosing a hall and we'll do our best to take these into account. 现在，我们刚填好的这个表格实际上是一个详单，列出了你在选择宿舍时的优先考虑，我们会尽最大努力把这些因素都考虑进去。本句的难点在于对句子结构的把握。整体来讲，这是一个并列句，用and连接。前半句是一个主系表结构，主语是what引导的从句，of what your priorities...a hall补充说明前面的list。

8. That's actually very good for you because we tend to have more vacancies in out-of-town halls. 那对你来说确实很好，因为我们打算在城外的宿舍多加一些空房间。that指的是上文提到的I'd prefer to be out of town。

题目解析

第1~7题是个人信息表格题。

1. 本题缺失的是名字中的姓氏部分。原文中有拼写，但是要注意最后的两个t读的是double-t。

2. 本题缺失的是Bhatt的出生日期，但是要注意题目要求是ONE WORD AND/OR A NUMBER，所以只能写日期和月份，不能写年份，否则会超过字数要求。另外要注意AND/OR的意思是可以写一个单词加一个数字，或者是只写一个数字。

3. 注意用问答定位。老师问what will you be studying，Bhatt马上回答I'm doing a course in nursing，所以不难，但是要注意答案的形式，不能写成nurse。

4. 本题缺失的是一个数字性的信息，用years...hall去定位即可。但是答案千万不能写成2 years，因为题目要求写的是"Number"，答案只能写2或者two。

5. 缺失的是一个被否定的信息。可以用special dietary requirement去定位，也可以用问答定位。老师问do you have any special diet，Bhatt回答I don't take red meat。那么答案只能写meat，因为题干后面给出了（red）。不能重复这个信息。

6. 本题的难点在于对bedsit这个单词的认知。这个单词等于美语中的studio apartment，意思是"卧室与起居室在一起的开间"；另外，题干中的preferred room type=原文中的best option。

7. 本题缺失的是与badminton并列的信息，是她的interests之一。用interest去定位比较容易，但是如果用badminton定位的话，会产生信息前置的问题。

8. 本题在题干中缺失的是表语，而原文中说的却是定语I'd prefer a hall where there are other mature students，这会导致题目的难度增加，因为考生需要短期记忆，否则会忘记前面的信息。答案应该是mature或同义词older，不能写other mature，因为字数有限制。

9. 本题缺失一个名词，要用outside去定位。原文直接出现了out of town，而且后面还提到了out-of-town hall。这是重复信息，所以不难。

10. 本题缺失的是area的定语，但是定语可以是形容词，也可以是名词。原文说的是I would like somewhere with a shared area...It's a good way to socialise。答案应该是shared。另外还要注意信息前置，因为答案出现在定位词area之前。

Part 2

场景介绍

　　本部分是雅思考试中常见的旅游度假场景，讲的是关于一个公共用地Halland Common的基本信息以及所举行活动的介绍。前半部分讲的是它的历史、现状以及开放时间。后半部分主要介绍的是该公园将要举行的活动，包括学习植物、给公园种植树篱、清扫公园等等。

本节必背词汇

creature	*n.* 生物，动物	herb	*n.* 草，草本植物；药草
common	*n.* 公共用地	dye	*n.* 染料，染色
accessible	*adj.* 易接近的	ranger	*n.* 护林者
willow	*n.* 柳树；柳木制品	hedge	*n.* 树篱
commercially	*adv.* 商业上，通商上	litter	*n.* 杂物，垃圾
ancient craft	古老的工艺	slide	*n.* 幻灯片
reintroduce	*v.* 再引入，再提出	hide	（观看野生动物的）隐蔽处
replica	*n.* 复制品		
bear...in mind	记住…	refreshment	*n.* 点心，茶点

词汇拓展

elm	*n.* 榆树，榆木	aspen	*n.* 山杨
Chinese scholar tree	中国槐；槐树	sycamore	*n.* 西克莫槭；西克莫无花果
pagoda tree	*n.* 塔状树；国槐	ginkgo	*n.* 银杏树
locust tree	刺槐，洋槐；槐树	eucalyptus	*n.* 桉树；桉属植物
poplar	*n.* 杨树；杨木		
firmiana	*n.* 梧桐属		

文本及疑难解析

1. I think you'll be surprised at the variety we have here, even though we're not far from London. 我想，你们会为我们拥有的动植物种类的多样性所惊讶，尽管我们距离伦敦很近。本句的难点在于对variety的理解，这里指的是各种不同种类的plants and creatures。后半句的言外之意：伦敦是个大都市，附近应该不会有很多种类的动物和植物。

2. This has been public land for hundreds of years, and what you'll find interesting is that the River Ouse, which flows into the sea eighty kilometres away, has its source in the common. 这里几百年以来一直是公共用地，另外你会发现有趣的是，流向80公里以外的大海的乌斯河的发源地就在这片公共用地里面。and后面是与前面并列的部分；which引导的从句作为非限制性定语从句修饰River Ouse。 interesting指的不是这条河，而是指它的发源地在这里这件事情很有趣。

3. In the past willows were grown here commercially for basket-making, and this ancient craft has recently been reintroduced. 过去，这里的人们为了编篮子而商业种植柳树，这一传统的工艺最近刚刚恢复。注意ancient craft指的是basket-making而不是柳树的种植。

4. Longfield Park has a programme of activities throughout the year, and to give you a sample, this is what's happening in the next few days. Longfield公园全年有各种活动，下面举个例子，这是后面几天将要进行的活动。what's happening指的不是正在发生的事情，而是将要发生的。比如：I'm coming. 这句话的意思不是"我正在来"，而是"我马上来，将要来"。

5. Then on Wednesday you can join local experts to discover the variety of insects and birds that appear in the evening. 然后，到周三，你可以跟着当地的专家发现各种各样的在晚上出没的昆虫和鸟类。to discover这个不定式短语作目的状语修饰前面的join local experts。

6. You'll have a choice of all sorts of activities, from planting hedges to picking up litter, so you'll be able to change from one to another when you feel like it. 你可以在各种不同的活动中作选择，可以去种植树篱，或者去捡拾垃圾，所以你可以根据自己的喜好从一种换成另外一种。one...another...这两个代词指的是前面提到的activities。

7. Fairly close to where refreshments are available, there's a dog-walking area in the southern part of the park, leading off from the path. 在距离可以吃小点心很近的地方，有一块可以遛狗的区域，这块区域在公园的南部，离小路不远。本句的难点是leading off，指的是距离小路很近。

题目解析

第11~13题是表格题。

11. 本题缺失一个名词性的信息，用Holt Island大体定位，用different具体定位。前者在原文中直接出现，后者在原文中说的是同义词great range of。

12. 在预测的时候，考生可以猜到本题是两个表示时间的概念，但是受到表格上下信息的影响和误导，也许很多考生会想到这是两个表示具体时间点的答案。另外这两个空，只要错一个，就没分了。

13. 本题缺失一个名词性的信息，用2000-year-old具体定位，原文直接出现了。本题题干中的reconstruction=原文中的modern replica，这使得本题稍难。

第14~16题是单选题。

14. 本题可以用Monday定位，而且选项C中的dye...herbs都是原词重现。选项A中的herbs与选项B中的herbalist都有一定的迷惑性。另外，下文提到了expert...insect，使得选项B有更强的迷惑性。

15. 本题可以用Wednesday定位，原文直接出现了这个单词。选项B中的in advance=原文中的ahead；book=原文中的phone the park ranger。选项A中的group在原文出现了，有一定的迷惑性；选项C在原文中被否定了，原文中说There is a small charge...you should pay when you turn up。

16. 本题可以用Saturday定位，原文也直接出现了本单词。选项A中的suitable clothing在原文中是解释性的：make sure you're wearing something that you don't mind getting dirty or torn。选项B中的stay for the whole day与在原文中the rangers will be hard at work all day有相似的部分，所以有一定的迷惑性；选项C中的后半部分event what they wish to do是对的，但是前半部分tell the ranger是错误的，而是自己凭兴趣去选择change from one to another when you feel like it。

第17~20题是地图题。这四个答案的距离比较近，所以有一定难度。

17. 本题要用地图中的已知信息lake去定位，而且地图的右下角给出了指向标。由原文可知bird hide在lake的西边，地图上lake西边只有A。

18. 本题要用地图中的已知信息refreshments去定位，原文说fairly close to where refreshments are available, there's a dog-walking area...；另外，原文中的southern part也是定位的重要信息，因此答案是I。

19. 本题在原文中说的是that's the circular area...surrounded by paths，"被小路环绕的圆形区域"在地图中有充分的显示，F就是答案。

20. 本题在原文中描述的也很清楚：western section of the park, between two paths，在地图的左边，两条小路中间的E就是答案。

Part 3

📔 场景介绍

　　本部分是关于一所大学的自学中心的改进的介绍。前半部分讲的是学生应该如何使用自学中心，是否需要把中心换一个地点，老师如何监管的问题。后半部分主要讨论的是关于自学中心的设施以及需要给学生提供什么样的学习资料的问题。

🔤 本节必背词汇

self-access centre 自学中心			间表（或课程表）
variation	*n.* 变化，变动	install	*v.* 安装；安置
routine	*n.* 惯例，常规；日常工作	cramped	*adj.* 狭窄的
component	*n.* 要素，组成部分	multiple	*adj.* 多个的
relocate	*v.* 迁移；重新安置	laminate	*v.* （将薄片合在一起）制成（材料）
incorporate	*v.* 包含		
timetable	*v.* 〈英〉为…编（或制定）时	supervise	*v.* 监督；管理；指导

🔤 词汇拓展

administration building	行政楼	canteen	*n.* 小卖部；食堂
student counseling service	学生咨询服务	cafeteria	*n.* 自助餐厅
		admission office	招生办公
tutorial	*n.* 教程，辅导材料	international student office	国际留学生办公室
lecture room	阶梯教室		
refectory	*n.* （修道院、学院等的）食堂，餐厅	accommodation officer	负责给留学生找住处的办公室工作人员

⚙ 文本及疑难解析

1. We have to decide what we want to do about this very important resource for our English language students. 我们要决定对于英语语言学生来说无比重要的这一学习资源，该如何处理。what引导的从句是decide的宾语；for...这个词组修饰前面的resource。

2. The majority of students say that they enjoy using it because it provides a variation on the classroom routine and they see it as a pretty major component of their course, but we would like to see some improvements to

the equipment, particularly the computers; there aren't enough for one each at the moment and we always have to share. 大多数学生说他们喜欢用用这个自学中心，因为它除了在教室的固定学习形式之外，又提供了一种新的形式，另外他们还把在这里的学习当成他们课程学习的一个相当重要的组成部分。不过，我们想改进一下这里的设施，尤其是电脑。目前，不够每人一台，大家经常要共用。本句的难点在于句子很长，而且结构也比较复杂。总体来讲，这是一个并列复合句，用but连接。前半句主语是"学生"，而且也有并列：that they enjoy...和that they see...是两个并列的宾语从句。后半句中，主语是we即"老师"，后面there引导的句子主要是说明需要改进的原因。

3. Some of us also think that we could benefit a lot more by relocating the Self-Access Centre to the main University library building. 我们中还有一些人认为，如果把自学中心搬到学校的图书馆主楼，益处会更大。本句的难点在于对relocating的理解，它的意思就是"迁移；重新安置"。

4. Yes, but I think the students would be much happier keeping the existing set-up; they really like going to the Self-Access Centre with their teacher and staying together as a group to do activities. 是的，但是我认为学生们会更愿意保留目前的设置，他们真的很喜欢和老师一起去自学中心，然后在那里一起开展小组活动。existing指的是"现在的，现存的"。后面的staying...与前面的going to...是并列关系。

5. It is a bit cramped in there at times. 这里有时候真的太狭窄了。it指的是自学中心；at times指的是"有时候，间或"。前文提到，旧的电脑很占地方，如果换成新电脑的话，就可以腾出空间放置书籍之类的。

6. In fact I think we should review all of the study resources as some of them are looking a bit out-of-date. 实际上，我想我们应该把所有的学习资源过一遍，因为有些看起来有点过时。them指的是前面resources；a bit指的是"有一点儿"。

7. I think we should get some of the ones that go with our latest course books and also make multiple copies. 我想我们应该买一些与我们最新的教材配套的CD，另外还要制作多种拷贝。ones指的是上文提到的CD。

8. I'll have to talk to the teachers and make sure we can all reach some agreement on a timetable to supervise the centre after class. 我需要和老师们沟通一下，确认我们能够在课后监管中心的时间安排上达成一些共识。on a timetable用来修饰前面的agreement。

🔧 题目解析

第21~24题是单选题。

21. 本题的目标信息是一个原因，修饰的是keep the Self-Access Centre。可以根据Jun说的we would like to keep it定位答案。选项C 的important part of their studies对应原文中说的they see it as a pretty major component of their course，其中有两个同义词替换：important part=major component；studies=course。选项A中的variety与原文中的variation差不多，但是原文说的是不同的学习方式，而选项A说的是各种不同的设备。

22. 本题的目标信息是teachers...prefer to，原文中老师Pam说Some of us also think that we could benefit a lot more by relocating the Self-Access Centre to...，意思与选项B一致。选项A与原文相反，原文说we don't want to stop you students using it...

23. 本题的目标信息是关于学生使用图书馆的问题，原文中Jun说Our main worry would be not being able to go to a teacher for advice，与选项B一致。而且该选项中的difficulty与原文中的worry有相近的关系。选项A和C基本没有什么迷惑性。

24. 本题需要定位Director of Studies关心什么。原文中老师说it's the problem of timetabling a teacher to be in there outside class hours。实际上，这句话对于考生作出选择有点难，可以根据后面的we really need to make sure that everything is looked after properly进一步锁定答案为选项C。选项A在原文中被否定了：It's not so much the expense that I'm worried about；选项B同样被否定了：we've certainly got room to do it。

第25~30题是提纲填空题。

25. 本题缺失的是一个定语，用来修饰后面的materials，可能是形容词，也可能是一个名词。在原文中，答案出现的位置比较隐蔽：they find it difficult to find materials that are appropriate for their level, especially reading resources。实际上，如果抓住该句的前半句的结构，另外知道resources=materials，就能抓住答案了。所以，对于题干结构的把握以及对于同义词的理解是本题的关键。

26. 本题缺失的也是一个定语，修饰collection，可能是形容词或名词。另外，本题可以用前面的update定位。原文中说The CD section especially needs to be more current，其中section=题干中的collection，to be more current= update。所以本题主要注意同义词的转换和定位的问题。

27. 本题缺失的是一个名词性的信息，作buy的宾语。原文说的是the idea of introducing some workbooks? If we break them up into separate pages and laminate them, they'd be a great resource. 要注意题干中的buy= 原文中的introduce，后面的divide them up=原文中的break them up into separate pages。本题要注意同义词的问题。

28. 本题缺失一个名词性的信息，作organise的宾语。原文说的是talk to the teachers and make sure we can all reach some agreement on a timetable to supervise the centre after class. 题目中的organise=原文中的reach some agreement on，要注意同义词的问题。不过本题干中前面的speak to the teachers和后面的supervise the centre原文中都有比较直接的表述，所以本题难度不大。

29. 本题缺失一个名词性的信息，作install的宾语。原文说的是put in an alarm，这与install有同义词关系。而且本题的答案距离上面的28题很近，属于信息密集，考查考生一边听一边写、一边写一边听的能力。

30. 本题缺失一个名词性的信息，作介词of的宾语。原文说limit the access to email，其中limit=题干中的restrict。另外本题的难点在于，答案距离上面的29题很近，属于信息密集。

Part 4

📖 场景介绍

本部分是关于公司文化的介绍，里面涉及的内容比较专业，主要包括不同企业文化对于雇员不同的要求，以及不同性格特点的人适合在哪些种类的公司工作。

📖 本节必背词汇

refer to	提到，涉及	expertise	*n.* 专门知识或技能
memo	*n.* 备忘录；内部通知	life-span	*n.* 寿命
priority	*n.* 优先，优先权	delegate	*v.* 委任，授权
finance	*n.* 财政；金融；财源；资金	allocate	*v.* 分配，分派
maintenance	*n.* 维持，保持	flexible	*adj.* 灵活的
overhead	*n.* 间接成本；一般管理费		

📖 词汇拓展

out-going	*adj.* 外向的，好交往的	optimistic	*adj.* 乐观的；乐观主义的
introversive	*adj.* 内向的	pessimistic	*adj.* 悲观的，厌世的；悲观主义的
confident	*adj.* 确信的；有信心的		

persistent	*adj.* 持续的；坚持不懈的	sentimental	*adj.* 伤感的；多愁善感的；
sociable	*adj.* 随和的，好交际的，友善的		感情用事的
		cheerful	*adj.* 欢乐的，高兴的；使人感到愉快的
amiable	*adj.* 和蔼可亲的；温和的		

🌸 文本及疑难解析

1. Now whether you're going to university to study business or some other subject, many of you will eventually end up working for a company of some kind. 不管你在大学里面要学习商业还是其他科目，你们中的很多人最终都要在某一类公司工作。now相当于语气词，没有什么确切的含义。eventually和end up的意思类似，有强调的意图。

2. It's the type of culture that needs a central source of power to be effective, and because control is in the hands of just one or two people there aren't many rules or procedures. 这种公司文化需要一个中心权力集中进行管理，而且由于只有一两个人控制公司，所以也没有太多的规章制度，办事的程序也不是很复杂。the type指的是前面提到的Power Culture。这样的公司一般也是小公司。

3. Now one of the benefits of this culture is that the organisation has the ability to act quickly, so it responds well to threat, or danger on the one hand, and opportunity on the other. 这种公司文化的一个好处就是，这个组织有快速反应的能力，所以它能一方面很好地应对威胁或危险，另外一方面也可以抓住机会。本句中的now也没有什么含义，是一个语气词。respond to与后面的threat, danger以及opportunity都是对应的，但是汉语在说的时候会有所不同，应该翻译成"应对"和"抓住"。

4. And the kind of person who does well in this type of business culture is one who is happy to take risks, and for whom job security is a low priority. 能够在这样的公司文化中干得好的人，应该是喜欢冒风险的人，他们一般不会把工作保障放在首要地位。this type of business指的还是前面提到的Power Culture。后面的whom指的是前面的person。

5. The next type is known as Role Culture—that's R-O-L-E, not R-O-double L, by the way, and this type is usually found in large companies, which have lots of different levels in them. 下一种是角色文化——顺便提一下是"Role"而不是"Roll"，另外，这种类型一般存在于大公司中，这些大公司都有很多不同的层级。句中this指的是Role Culture；which指的是large companies。

6. Well firstly, because it's found in large organisations, its fixed costs, or overheads as they're known, are low in relation to its output, or what it produces. 首先，由于存在于大公司中，它的固定成本，也叫管理费，与它的产出相比，不算高；或者与他们所生产的（产值）相比，也不算高。第一个it指的是前面的Role Culture，第二个it的指代也相同。第二个or把后面的what it produces与前面的output并列。

7. On the other hand, this culture is often very slow to recognise the need for change, and even slower to react. 另外一方面，这一公司文化会导致公司对需要进行的变化不敏感，在反应上会更慢。this culture还是指的前面的Role Culture。前面说的是这种公司文化的好处，本句说的是这种文化的弊端。

🌸 题目解析

第31~40题是提纲填空题。

31. 本题缺失的是与上面的small以及下面的few rules and procedures呈并列信息中的定语部分，可以是形容词或者名词。原文中说It's the type of culture that needs a central source of power to be effective，所以本题的难点在于结构的变化，central source of power=central power source。对于结构的把握来自于阅读时候对结构把握的能力，所以快速阅读是听力中抓住句子结构的基础。

32. 本题缺失的是介词by的宾语，与communication相关。原文说的是Another characteristic is that communication usually takes the form of conversations rather than...formal meetings or written memos. communication在原文重现，但是后边没有出现by，而 takes the form of conversations= by conversation（s）。另外要注意formal meetings or written memos是被否定的信息，不要被迷惑。

33. 本题缺失的是might not act的状语，应该是一个副词或者介词词组，而题目要求 ONE WORD ONLY，所以是副词的可能性更大。原文说的是But on the negative side, this type of organisation doesn't always act effectively...题干中的否定出现了，而且act也原词重现，答案就是后边的effectively。

34. 本题缺失的是介词of的宾语，而且与not afraid相关。原文中说的是the kind of person who does well in this type of business culture is one who is happy to take risks. not afraid of "不怕"=原文中的happy to take "喜欢"，答案是risk（s）。

35. 本题缺失的是many修饰的一个名词，而且这部分信息与前面的large是并列关系。原文说的是this type is usually found in large companies, which have lots of different levels in them。题目中的many=原文中的lots of，这是同义词的问题。另外要注意答案不要写成different levels，因为答案只能写一个单词。还要注意原文中的them指的是前面提到的companies，这是代词还原的问题。

36. 本题缺失的是job修饰的一个名词性信息，与后面的rules for discipline是并列关系；但是从属于前面的rules and procedures，是举的例子。原文说的是rules and procedures—for example, there are specific job descriptions, rules for discipline, and so on. 相对来说，本题的定位比较简单，因为题干中所有的信息在原文中都直接出现，没有任何变化。

37. 本题缺失的是ability的定语，而且是一个时间状语从句中的信息，这需要用前面的successful去原文大体定位。原文中说的是it is particularly successful in business markets where technical expertise is important. 因此，该题的难点在于词汇的问题，就是对expertise这个单词的理解，它的意思是"专门的知识或技能"=ability。

38. 本题缺失的是时间状语从句中的主语部分，所以要用前面的动词slow to see定位，而且与下面的slow to react有并列关系。原文说的是this culture is often very slow to recognise the need for change, and even slower to react. 本题要注意题干中的状语从句是被动语态，但是原文说的是the need for change，而且原文也没有出现预期的时间状语从句。幸运的是，后面的slower to react反而更容易帮考生往前定位答案change。这需要考生具备短期记忆能力。同时需要注意的是，本题的答案距离前面37题的答案非常近，需要边写边听。

39. 本题缺失的是doesn't want的宾语，应该是一个名词性的单词。原文中说的是who don't particularly want to have responsibility，因此本题的难度不大。

40. 本题缺失的是Task culture的 advantage，可以是名词，也可以是形容词。原文说的是one of the major benefits of this culture is that it's flexible。 flexible就是本题的答案，难度不大。

Reading

Reading Passage 1

📤 篇章结构

体裁	说明文
主题	帮助新西兰听觉障碍儿童
结构	A段：新西兰听觉障碍儿童现状
	B段：教室噪音危害大
	C段：听觉障碍对儿童学业的影响
	D段：听觉功能缺陷带来的其他问题
	E段：听觉障碍与自闭症
	F段：听觉障碍与注意力缺乏症
	G段：当心"隐形"听觉障碍儿童
	H段：新西兰政府出台新政策
	I段：制定标准需考虑听觉障碍儿童的需求

🌐 解题地图

难度系数：★★★

解题顺序：SHORT ANSWER QUESTIONS（7~10）→ MULTIPLE CHOICE（11~12）→ MATCHING（1~6）→MULTIPLE CHOICE（13）

友情提示：对于水平比较好的同学，先做段落信息配对题也可以；但是对于对文章缺乏整体把握，且阅读速度较慢、词汇量不大的同学，先做更细节的题目是上选。

🔤 必背词汇

1. detrimental *adj.* 有害的，不利的

   Lack of sleep is *detrimental* to one's health. 缺乏睡眠有害健康。

   The government's policy of high interest rates is having a *detrimental* effect on industry. 政府的高利率政策正对工业产生不利影响。

2. vulnerable *adj.* 易受伤的，脆弱的

   She is very young and *vulnerable* to temptation/fraud. 她很年轻，易受诱惑/易上当受骗。

   Cyclists are more *vulnerable* than motorists. 骑自行车的人比开汽车的人更容易受伤。

3. persistence *n.* 坚持

   You may not like him, but you have got to admire his *persistence*.

你也许不喜欢他，但你不得不佩服他那种坚韧不拔的精神。

Although he's less talented, he won by sheer dogged *persistence*.

虽然天赋不高，但他凭借坚韧的毅力赢得了胜利。

4. penetrate *v.* 透（渗）入；刺入，刺穿

   The heavy rain had *penetrated* right through her coat. 大雨湿透了她的大衣。

   The cat's sharp claws *penetrated* my skin. 猫的尖爪刺进了我的皮层。

5. optimum *adj.* 最佳的，最适宜的，最有利的

   The market offers *optimum* condition for sale. 市场为销售提供了最佳条件。

   Try to do physical activity three times a week for *optimum* health.

   为了达到最佳的健康状况，要力争每周进行3次身体锻炼。

6. embark *v.* 开始或从事（尤指新的或难的事），乘船

   He *embarked* on a new career. 他开始从事一项新事业。

   Passengers with babies must *embark* first. 带孩子的乘客必须先上船。

7. consultation *n.* 请教，咨询，磋商

   He mastered these words through the arduous *consultation* of the dictionary.

   通过不断查字典，他掌握了这些单词。

   The standard charge for *consultation* should be $50. 正常的咨询费为50美元。

8. barrier *n.* 障碍，妨碍

   The lorry shaved the *barrier*, scraping its side. 卡车掠过路障，刮坏了车身。

   Poor health may be a *barrier* to success. 健康欠佳会成为取得成功的障碍。

🆎 认知词汇

impairment	*n.* 缺陷，损伤	sensory	*adj.* 感觉的，感官的
auditory	*adj.* 听觉的，听觉器官的	distressing	*adj.* 使人痛苦的，令人苦恼的
preliminary	*adj.* 初步的，初级的	quantify	*v.* 量化，确定…的数量
collaborative	*adj.* 合作的，协作的	stimulus	*n.* 刺激，刺激物，促进因素（复数形式为stimuli）
interaction	*n.* 互动，互相影响		
comprehend	*v.* 理解，领会	intrusive	*adj.* 打扰的，侵入的
deficit	*n.* 缺陷	adversely	*adv.* 不利地，有害地
maximum	*adj.* 最大的，最大极限的	sustaining	*adj.* 持续的
generate	*v.* 造成，引起	screen out	筛选出
reverberation	*n.* 回声，回响	exacerbate	*v.* 使恶化，使加重
disability	*n.* 残疾，无能	undiagnosed	*adj.* 未确诊的，尚未找到原因的
verbal	*adj.* 言语的，口头的	vitally	*adv.* 重要地，极其
autistic	*adj.* 患自闭症的，患孤僻症的	formulate	*v.* 制定，规划
disorder	*n.* 失调，混乱	imperative	*adj.* 必要的，势在必行的
discrepancy	*n.* 矛盾，不符合（之处）	promulgate	*v.* 颁布，公布

⚙️ 佳句赏析

1. Hearing impairment or other auditory function deficit in young children can have a major impact on their development of speech and communication, resulting in a detrimental effect on their ability to learn at school.

   • **参考译文**：儿童的听觉障碍或其他听觉功能的缺陷会对他们的言语与交流能力的发展产生重大的影响，导致他们在学校的学习能力也受到不利影响。

- 语言点：

  句型分析：Hearing impairment or other auditory function deficit in young children是主语，have a major impact on是谓语，their development of speech and communication是宾语，resulting in a detrimental effect on their ability to learn at school是由现在分词resulting引导的结果状语从句。这种用法在以往的剑桥真题中颇为常见，考生应该掌握，并且可以尝试将这种句型用在作文中。

  例句：

  These misconceptions do not remain isolated but become incorporated into a multifaceted, but organised, conceptual framework, making it and the component ideas, some of which are erroneous, more robust but also accessible to modification. 这些误解不是孤立存在的，而是组成了一个尽管多层面却十分有条理的概念体系，这使得该体系本身及其所有的组成观点更加难以攻破，而有些观点本身就是错误的，但是也正是这样，它们反而更容易被改动。(*Cambridge IELTS* 4, Test 1, Reading Passage 1)

  While two fifths of the students provided the information that the rainforests provide oxygen, in some cases this response also embraced the misconception that rainforest destruction would reduce atmospheric oxygen, making the atmosphere incompatible with human life on Earth. 百分之四十的学生认为热带雨林为人们提供了氧气，在某种程度上，这样的答案也包含着一个误解，那就是认为热带雨林的消失会减少大气中氧气的含量，最终导致地球上的大气不再适合人类呼吸。(*Cambridge IELTS* 4, Test 1, Reading Passage 1)

  这两个例句中都包含现在分词making引导的结果状语从句，making可以改为which makes，相当于一个前因后果的非限制性定语从句。另外具有这种用法的常见动词还有lead（to / up to）/ trigger / contribute（to）。

2. While the detrimental effects of noise in classroom situations are not limited to children experiencing disability, those with a disability that affects their processing of speech and verbal communication could be extremely vulnerable.

   - **参考译文**：虽然教室噪音不只会给残疾孩子带来不利影响，但是那些在语言沟通方面有障碍的孩子们显然是更大的受害者。
   - 语言点：

     句型分析：此句是由while引导的让步状语从句。让步状语从句是雅思阅读最常考查的语法结构之一，考生务必要熟练掌握。引导让步状语从句的主要连词有although, though, as, even though / if. when和while也可引导让步状语从句，意为"虽然"。

     例句：Although tourism inevitably affects the region in which it takes place, the costs to these fragile environments and their local cultures can be minimized. 虽然旅游业不可避免地影响着旅游地，这些脆弱的环境和当地文化所付出的代价可以降到最低。(*Cambridge IELTS* 5, Test 4, Reading Passage 1) although在这里引导的是让步状语从句。

3. These levels come from outside activities that penetrate the classroom structure, from teaching activities, and other noise generated inside, which can be exacerbated by room reverberation.

   - **参考译文**：这些噪音有的是传入教室中的室外活动的声音，也有的是教学活动的声音以及教室内产生的其他噪音，而且教室中的反射使这些噪音增大。
   - 语言点：

     句型分析：本句中有两个定语从句。

     一个是限制性定语从句that penetrate the classroom structure，修饰前面的先行词outside activities；

     另一个是非限制性定语从句which can be exacerbated by room reverberation，修饰前面整个句子。

     英文中有两种定语从句：

限定性定语从句与非限定性定语从句。

限定性定语从句在形式上与主句的关系很紧密,对其先行词起限定、修饰的作用。如果将其去掉,会影响句子意思的完整性;有时甚至会引起费解、误解。

非限定性定语从句在形式上与主句的关系很松散,表现为与主句之间用一个逗号",隔开;它对其先行词没有限定、修饰的作用,只起补充、说明的作用。有时也用它来对全句进行补充、说明。即使将其去掉,也不会影响句子意思。

⚙️ 试题解析

Questions 1–6

- 题目类型: MATCHING
- 题目解析:

1. an account of a national policy initiative

参考译文	对于一场全国性的政策运动的描述
定位词	national policy
文中对应点	H段: The New Zealand Government has developed a New Zealand Disability Strategy and has embarked on a wide-ranging consultation process. 这一段的首句就以一种叙事口吻向考生交代了新西兰全国上下正在开展的一场为残疾人服务的战略,该句含义为"新西兰政府已经制定出一项'新西兰残疾人事业发展战略',并开始进入广泛咨询意见的阶段。"此外,在该段其他语句中也提到the strategy recognises...,Objective 3...is to provide...等信息,非常符合题干中account一词的含义。

2. a description of a global team effort

参考译文	对于国际团队合作的描述
定位词	global team
文中对应点	C段: 此题需要在文章中寻找与定位词意思相近的词,对应C段中The International Institute of Noise Control Engineering (I-INCE), on the advice of the World Health Organization, has established an international working party, which... 含义为"在世界卫生组织的建议下,国际噪声控制工程学会(I-INCE)成立了一个国际工作小组来……",这句话中的international可以对应题干中的global,而working party可以对应team。这是对应关系非常明显的一道题目。

3. a hypothesis as to one reason behind the growth in classroom noise

参考译文	关于教室噪音增长原因的一项假说
定位词	hypothesis, reason, growth in classroom noise
文中对应点	B段: 在该段首句中就出现了classroom noise这个词,因此该段有可能就是本题的对应段落。在接下来的叙述Nelson and Soil have also suggested...中,suggest一词可以对应题干中的hypothesis。后一句中的This all amounts to heightened activity and noise levels,与题干中的one reason相对应。

4. a demand for suitable worldwide regulations

参考译文	对于全球通用标准的需求
定位词	worldwide regulations
文中对应点	I段： It is imperative that the needs of these children are taken into account in the setting of appropriate international standards to be promulgated in future. 全文只有此句中提及国际标准，含义为"今后在制定和颁布国际标准时，必须把这些孩子的需求考虑进去。"句中的international对应题干中的worldwide，standards对应题干中的regulations。这道题属于考点明晰、词语替换幅度也不大的简单题型。

5. a list of medical conditions which place some children more at risk from noise than others

参考译文	哪些身体状况会使一部分孩子比其他孩子更容易受到噪音影响
定位词	medical conditions, more at risk
文中对应点	D段： 该段第一句话就明确说出了题干中的意思。While引导让步状语从句，不必细看，直接跳到主句，those with a disability that affects their processing of speech and verbal communication could be extremely vulnerable，含义为"那些在语言沟通方面有障碍的孩子们显然是噪音的更大受害者"。disability that affects their processing of speech and verbal communication对应题干中的medical conditions，extremely vulnerable对应题干中的more at risk。此外，下文罗列出的hearing impairment, autistic spectrum disorders and attention deficit disorders可与a list of medical conditions相对应。

6. the estimated proportion of children in New Zealand with auditory problems

参考译文	新西兰听力障碍患儿的大致比例
定位词	proportion, with auditory problems
文中对应点	A段： 此题相对来说比较简单，看到题干中proportion"比例"一词，马上扫描文章，寻找带有百分比的段落。显然，只有A段最后一句带有明显的百分比。接着需要验证百分比所在的句子是否在讲新西兰听力残障患儿的比例，然后确认选择就可以了。该句中affected by hearing loss与题干中的with auditory problems相对应。 TIPS：一般题干中若带有proportion / rate / ratio / percentage等词，都对应文中带有百分比的段落，有时候百分比以阿拉伯数字形式呈现，有时则是英文字母，考生应该加以注意。

Questions 7–10

- 题目类型：SHORT ANSWER QUESTIONS
- 题目解析：注意题目要求NO MORE THAN TWO WORDS AND/OR A NUMBER，即用不超过两个单词和/或一个数字回答问题。

题号	定位词	答案位置	题目解析
7	For what period of time, been studied	A段最后一句话	The New Zealand Ministry of Health has found from research carried out over two decades that... 在这句话中,有的考生会认为答案是over two decades,他们会把over翻译成"超过"。实际上,在雅思阅读中,over大多数情况下是during的意思,表示"在某段时间内"。况且此处若填over two decades,也不符合题目要求。 故正确答案为two decades。(注意不要把decades误写成decade)
8	machinery noise, autism	E段倒数第三句(42页上方段落第三行)	此题的难度就是对应点和上一题离得太远,不太好找。但是考生如果能循着autism(自闭症)这个词,同时再留意一下它的变形,如autistic,就能快速定位到E段首句Autism这个词,然后再在42页上方第三行找到such as和the noise generated by machinery。这样就不难猜测正确答案就是和the noise generated by machinery并列的crowd noise。 故正确答案为crowd(noise)。
9	term, schoolchildren which have not been diagnosed	G段倒数第二行	此题按照顺序原则较易定位,考生可以判断出此题应该在E段以后的段落出现,而term一词是"术语"的意思,一般对应文中特殊字体或加引号的词。按这个思路找下去,考生很快可以找到G段倒数第二行的引号。接下来只需判断一下在引号周围的内容是否是在谈which have not been diagnosed。文中提到...many undiagnosed children exist in the education system with 'invisible' disabilities,undiagnosed一词即使不认识也可以根据构词法利用前缀un猜测为"未经……的",完全可以与题目have not been diagnosed对应。 故正确答案为invisible(disabilities/disability)。
10	What part, New Zealand Disability Strategy, equal opportunity	H段第四至六行	首先利用大写New Zealand Disability Strategy定位到H段,然后开始寻找equal opportunity,很快将目标锁定在第六行末尾处。读完这个词所在的整句话,不难发现是这个战略中的Objective 3专门针对平等机会问题。 故正确答案为Objective 3。(有的考生可能会纠结要不要把Objective 3写成Objective Three,这种纠结完全没有必要,按照文中写即可)

Questions 11–12

- 题目类型:MULTIPLE CHOICE
- 题目解析:本题属于选择题中的多选题,一般题目说明中会指定要选几个答案。

    考生应该先读题目,理解问题。本题题目要求是:

    The list below includes factors contributing to classroom noise. Which TWO are mentioned by the writer of the passage? 下列导致教室噪音的因素中,哪两个是作者在文中提到的?

    此题定位不难,需要返回文章中B段明确提到contribute to和classroom noise的地方,并且考生要注意词语替换。

选项	题目翻译	试题解析
A	当今教学方式	B段第二行出现的Modern teaching practices以及第五行出现的...recent trends in learning...都可以对应该选项。故选项A正确。
B	走廊回音	没有提到，不要因为B段第三行提到poor classroom acoustics就联想是这个选项，这只是指教室中的音响效果差。
C	制冷系统	B段第三行中提到...mechanical means of ventilation such as air-conditioning，指空调通风口产生的噪音。故选项C正确。
D	班级学生数量太多	完全未提及。
E	老师声音洪亮	文中只是提到老师，但是没有说老师声音洪亮。
F	操场游戏	完全没有提到。

Question 13

- 题目类型：MULTIPLE CHOICE
- 题目解析：这是一道总结型题目，基本可以对应文中最后一段。

题号	定位词	题目解析
13	overall purpose	题目：作者写本文的主要目的是什么？ A 比较应对听觉障碍的不同措施 B 为过分嘈杂的学习环境提供解决方法 C 提高对听觉障碍儿童现状的关注 D 把新西兰作为其他国家学习的榜样 首先排除D，因为I段前两句话表明新西兰实际上要效仿其他国家，而不是被其他国家效仿，这个选项与文中信息矛盾。接着I段提到：Only limited attention appears to have been given to those students experiencing the other disabilities involving auditory function deficit. It is imperative that the needs of these children are taken into account...这句话明确表示本文的目的是让更多人关注听觉障碍儿童的现状。故正确答案是C。

参考译文

────────────── 帮助新西兰听觉障碍儿童 ──────────────

A 儿童的听觉障碍或其他听觉功能的缺陷会对他们的言语与交流能力的发展产生重大的影响，导致他们在学校的学习能力也受到不利影响。这对个人甚至全体人民来讲都很可能会产生重大后果。新西兰卫生部从一项进行了20多年的研究中发现该国有6%到10%的孩子有听觉障碍。

B 新西兰的一项初步研究显示，教室噪音是老师和学生关注的一大问题。现代教学实践活动、教室中课桌的布局、糟糕的音响效果以及空调通风口产生的噪音，都使许多孩子无法听清老师所讲的内容。教育研究者Nelson与Soli也表明，现代学习方式中多种思想与方法协作交互获取信息与个人获取信息同等重要。而这一切都意味着活动量与噪音级别的增加，这对患有听觉功能障碍的孩子产生的潜在影响尤为严重。教室噪音只会加重他们在与同学进行语言沟通时的误解，并且使他们无法很好地理解教师的指示。

C 教室噪音使患有听觉缺陷的孩子在学习中不能发挥他们的最大潜能。在典型的课堂环境中，噪音对孩子们高效学习能力的影响越来越受到人们的关注。在世界卫生组织的建议下，国际噪声控制工程学会(I-INCE)成立了一个国际工作小组来评估学校教室噪音与回声控制，新西兰也是小组成员之一。

D 虽然教室噪音不只会给残疾孩子带来不利影响，但是那些在语言沟通方面有障碍的孩子们显然是更大的受害者。所谓的听觉功能缺陷包括听觉障碍、自闭症谱系障碍（ASD）和注意力缺陷障碍（ADD/ADHD，也称"注意力缺乏症"）。

E 自闭症被认为是一种由神经系统与遗产基因紊乱引起的终生疾病，患者在处理信息时会产生偏差。这种疾病的特点是社会想象力、社会交往与社会互动之间出现了问题。根据Janzen的说法，这种疾病影响了人们的多种能力：比如以正常方式理解并与他人相处的能力、了解事件及其周遭事物的能力，以及理解或回应感官刺激的能力。自闭症患者不能像正常发展的孩子那样学习或思考。自闭症谱系障碍往往使患者在理解口头信息与语言处理方面遇到极大的困难。患者也往往会觉得喧闹的噪音以及机器发出的声音让自己感到痛苦与压抑。这很难进行科学量化，因为这种额外的感官刺激因患者的不同而有很大的差异。但是当一个孩子觉得在教室里或学习的地方中的任何声音都让自己闹心的话，那么他处理信息的能力很可能也会受到不利影响。

F 注意力缺乏症表现为神经与基因障碍。这种障碍的特点是患者很难持续关注某事、很难长时间努力与坚持、缺乏组织能力并且无法抑制解除。患有注意力缺乏症的孩子很难筛选出不重要的信息，他们会关注所处环境中所有的事物而非仅仅一个活动。教室里的背景噪音成为分散孩子们注意力的一个主要原因。

G 面对较高级别的背景噪音，患有听觉功能障碍的孩子经常很难分辨与处理言语和交流。这些噪音有的是传入教室中的室外活动的声音，也有的是教学活动的声音以及教室内产生的其他噪音，而且教室中的反射使这些噪音增大。因此，需要采取措施来获得最佳的课堂建设，也许还需要改变课堂文化与教学方法，特别要彻底检查吵闹的课堂与活动给患有听觉功能障碍的孩子带来的影响。也许很多未确诊的孩子带着"无形"的残疾接受教育，他们的需求不像已确诊的孩子的需求那样容易被人察觉。

H 新西兰政府已经制定出一项"新西兰残疾人事业发展战略"，并开始进入广泛咨询意见的阶段。该战略认同残疾人在世俗观念、教育机会、就业机会以及所享服务方面，均很难享有高质量的生活。"新西兰残疾人事业发展战略"的第三个目标是通过改善教育，"为残疾人提供最好的教育"，这样所有的孩子、青年学生以及成年学者将会在他们当地已有的学校里享有平等的学习与发展机会。对于成功的教育而言，学习环境是非常重要的。因此，任何改善学习环境的努力都会造福所有孩子，尤其是那些患有听觉功能障碍的孩子们。

I 一些国家已经开始制定自己的标准来控制与减少教室噪音，新西兰很可能会以此为例（来制定自己的标准）。迄今为止，文献中关于学校教室噪音的描述一般集中于噪音对学生、老师以及听觉缺陷者的影响上，而很少注意到噪音对患有其他疾病的学生的影响，包括对患有听觉功能障碍的学生的影响。今后在制定和颁布国际标准时，必须把这些孩子的需求考虑进去。

Reading Passage 2

篇章结构

体裁	说明文
主题	金星凌日
结构	A段：2004年的金星凌日现象
	B段：水星凌日对天文测量的影响
	C段：提出观测金星凌日的设想
	D段：受各种条件制约众多观测都没有成功
	E段：黑滴效应和晕环效应
	F段：根据金星凌日成功测出天文单位的数值
	G段：金星凌日的天文学意义

解题地图

难度系数： ★★★★

解题顺序： MATCHING (18~21) → MATCHING (14~17) → TRUE/FALSE/NOT GIVEN (22~26)

友情提示： 本文难度不大，尽管有诸多天文学术语，但是考点设置并不刁钻，考生应该注意解题时间，先完成比较容易的人名观点配对题，再完成更为宏观的段落信息配对题。

必背词汇

1. allege *v.* 宣称，断言，辩称

   So that is how they *alleged*, but do they have any proof? 他们是这样宣称的，但他们有证据吗？

   The prisoner *alleges* that he was at home on the night of the crime. 囚犯辩称案发当晚他在家中。

2. extraordinary *adj.* 非凡的，不寻常的

   Her talents are quite *extraordinary*. 她才华出众。

   She wears the most *extraordinary* skirt. 她穿着最不寻常的裙子。

3. calculate *v.* 计算，估计

   The computer has been programmed to *calculate* the gross profit margin on all sales.

   计算机已输入了程序指令以计算各项销售的毛利率。

   I *calculate* that we will reach London at about 3 p.m. 估计我们大约在下午3点到达伦敦。

4. fundamental *adj.* 基础的；重要的

   There are *fundamental* differences between your religious beliefs and mine. 我们的宗教信仰根本不同。

   The knowledge of economics is *fundamental* to any understanding of this problem.

   经济学知识对于理解这个问题是至关重要的。

5. precise *adj.* 精确的，清晰的

   I am not clear about the *precise* bearing of the word in this passage.

   我说不准这个词在这段文章里的确切含义是什么。

   I can remember the *precise* moment when my daughter came to see me and her new baby brother in hospital. 我能清楚地回想起我女儿来医院看我和她刚出生的弟弟的那一刻。

6. extend *v.* 扩展，延伸

   Can you *extend* your visit a few days longer? 你能多停留几天吗？

   The caves *extend* for some 18 kilometers. 那些洞穴深约18公里。

7. spectacle *n.* 奇观，壮观，景象

   The sunrise seen from high in the mountains was a tremendous *spectacle*.

   从山上居高远望，日出景象蔚为奇观。

   The celebrations provided a magnificent *spectacle*. 庆祝活动呈现出一派宏伟的景象。

8. pave *v.* 为…铺平道路，铺设

   This agreement will *pave* the way for a lasting peace. 这个协议将为持久和平铺平道路。

   The road was *paved* with cobblestones. 那条路是用鹅卵石铺成的。

认知词汇

transit	*n.* 凌日	outperform	*v.* 胜过，做得比…更好
astronomical	*adj.* 天文学的	accuracy	*n.* 精确(性)，准确(性)
astronomer	*n.* 天文学家，天文学者	innermost	*adj.* 最深处的，最里面的

Test 2 · Reading

63

desolate	*adj.* 荒凉的，无人的	equator	*n.* 赤道
parallax	*n.* 视差	smear	*v.* 将…弄模糊，弄脏
orbital	*adj.* 轨道的	circular	*adj.* 圆的
inspire	*v.* 鼓舞，激励，启迪	diffraction	*n.* 衍射，反射
pin down	使明确说明，确定	exhibit	*v.* 表现，呈现
scale	*n.* 规模，比例	refract	*v.* 使(光线)折射
solar	*adj.* 太阳的，日光的	radar	*n.* 雷达
deserve	*v.* 值得，应得	cosmic	*adj.* 宇宙的
sympathy	*n.* 同情(心)，慰问	vital	*adj.* 至关重要的，生死攸关的
thwart	*v.* 阻挠，挫败	breakthrough	*n.* 突破，重要的新发现
besiege	*v.* 包围	detect	*v.* 探测
flee	*v.* 逃跑，逃掉		

佳句赏析

1. But there was a problem: transits of Venus, unlike those of Mercury, are rare, occurring in pairs roughly eight years apart every hundred or so years.

   - 参考译文：但是有一个问题，与水星凌日不同，金星凌日现象很罕见，而且总是以两次为一组，每组中的两次大约间隔8年，而两组之间的间隔却有100多年。

   - 语言点：

   句型分析：occurring in pairs... 是现在分词作原因状语的用法，正是由于金星凌日现象总是两次接连出现，中间大约间隔8年，而再下一次则要间隔100多年，所以才说这种现象很罕见。

   例句：

   Working to a deadline, he had to draw on the best of all previous dictionaries, and to make his work one of heroic synthesis. 由于有最后期限，他不得不吸收先前所有字典的精华之处，这就使他的工作变成一项规模宏大的整合工作。(*Cambridge IELTS 5*, Test 1, Reading Passage 1)

   这句话中Working to a deadline是现在分词作原因状语，原句可以改成Because he worked to a deadline。

2. Fleeing on a French warship crossing the Indian Ocean, Le Gentil saw a wonderful transit — but the ship's pitching and rolling ruled out any attempt at making accurate observations.

   - 参考译文：在乘坐一艘法国军舰穿越印度洋逃亡的时候，他看到了一次凌日的壮观景象，但是船的颠簸摇晃使他完全没有机会进行精确观测。

   - 语言点：

   句型分析：Fleeing on a French warship crossing the Indian Ocean是由现在分词fleeing引导的时间状语从句，此处也可以在前面加上when，而crossing则是现在分词作定语，限定前面的French warship。现在分词作为定语，常放在限定成分的后面。

   现在分词在雅思阅读中经常出现，作状语时，相当于一个状语从句。现在分词作时间状语时，前面可以加上while, when, on, before, after等词，来表示时间的先后顺序。比如：

   On arriving in Beijing, he managed to get in touch with her. 一到北京，他就设法与她取得了联系。

   例句：

   But Byers points out that the benefits of increased exercise disappear rapidly after training stops, so any improvement in endurance resulting from juvenile play would be lost by adulthood. 但是Byers指出，训练一结束，由增强训练所带来的好处就随之迅速消失了，所以，任何通过小时候的玩耍增强的耐

力到了成年阶段就会消失殆尽了。（resulting from juvenile play即为现在分词作定语，修饰前面的 endurance）（*Cambridge IELTS* 4, Test 2, Reading Passage 3）

Comparing measurements for fifteen orders of mammal, he and his team found larger brains (for a given body size) are linked to greater playfulness. 在比较了15种哺乳动物的测量数据后，他(Sergio) 和他的研究小组发现，更多的玩耍会造就大一些的脑子(与身体大小比较而言)。（该句前半部分是 现在分词引导的时间状语从句，前面可以加上 after）（*Cambridge IELTS* 4, Test 2, Reading Passage 3）

3. Undaunted, he remained south of the equator, keeping himself busy by studying the islands of Mauritius and Madagascar before setting off to observe the next transit in the Philippines.

- 参考译文：他并没有灰心，而是留在了南半球，先是忙于研究毛里求斯岛和马达加斯加岛的情况， 接着前往菲律宾准备观测下一次凌日现象。

- 语言点：

  句型分析：在此句中，开头的Undaunted是过去分词作伴随状语，表明主句中人物的状态，翻译的 时候注意添加主语。keeping himself busy则是现在分词作伴随状语，before setting off则是现在分词 作时间状语。现在分词做状语时要注意分词的逻辑主语必须是句子的主语。

  例句：

  The children run out of the classroom, laughing and talking merrily.

  孩子们有说有笑地跑出了教室。（laughing and talking是现在分词作伴随状语）

  He walked along the street, lost in thought.

  他漫步街头，沉浸在思索之中。（lost是过去分词作伴随状语）

 试题解析

Questions 14–17

- 题目类型：MATCHING
- 题目解析：

14. examples of different ways in which the parallax principle has been applied

参考译文	通过不同方法应用视差原理的例子
定位词	examples of different ways, parallax principle, applied
文中对应点	F段： The parallax principle can be extended to measure the distances to the stars. 这句话含义为"视差原理可以延伸应用到恒星之间距离的测量中。"句中的be extended to 就可以理解为视差原理之前是用在别的地方，现在又被延伸应用到恒星间距离的测量，可以与题干中applied相对应。考生如果阅读得足够仔细的话，就会发现在前文中提到了利用视差原理测出了天文单位，即相当于地球到太阳的距离。所以此题难度不在语句，关键在于寻找。作为本文第一大题中的第一小题，学生很容易没有耐心，在看到F段之前就作出判断。比如有的考生可能会在B段倒数第四行看到parallax angle，就简单判断该段是此题的答案；还有的考生可能在C段也见到了parallax一词，也就顺着作出错误判断。因此，解答这种类型题目时候一定要有足够的耐心。故答案选F。

15. a description of an event which prevented a transit observation

参考译文	对于一起阻碍观测金星凌日的事件的描述
定位词	prevented, transit observation
文中对应点	D段： 该段叙述了倒霉的法国人Le Gentil两次不成功的观测经历。一次是在乘坐一艘法国军舰穿越印度洋逃亡的时候，他看到了一次凌日现象，但是船的颠簸摇晃使他完全没有机会进行精确观测。第二次是在跋涉了将近五万公里之后到达菲律宾准备观测，但是他的视野居然被一片乌云给遮住了。 由于这段文字叙述故事性较强，所以比较容易选择。该段中像ruled out, clouded out这样的词组，都能够对应题干中的prevent。最后的dispiriting experience"令人沮丧的经历"也可以体现观测受阻后的遗憾。故答案选D。

16. a statement about potential future discoveries leading on from transit observations

参考译文	对凌日观测可能带来的新发现的陈述
定位词	potential future discoveries
文中对应点	G段： 如果在段落信息配对题中出现future一词，则该信息点一般都出现在文章的最后一段。本文最后一段中用pave the way for这样的词组表明transit observation的确为宇宙终极探索——寻找类地行星提供了可能性。故答案选G。

17. a description of physical states connected with Venus which early astronomical instruments failed to overcome

参考译文	对早期因受天文研究器材限制而无法探测的金星现象的描述
定位词	astronomical instruments, failed
文中对应点	E段： While the early transit timings were as precise as instruments would allow, the measurements were dogged by the 'black drop' effect. 该句中出现的instruments和dogged与题干中的定位词分别对应。句子含义为"虽然早期对凌日时间的观测就当时所用的器材而言已足够精确，但是其测量结果却受到"黑滴"效应的困扰。"词组be dogged by表示"为……所困扰"。 这一段的确是在讲早期金星凌日观测中的不尽如人意的方面，故答案选E。

Questions 18–21

- 题目类型：MATCHING
- 题目解析：先用人名定位，再通读观点，找出解题关键词，最后回到文章中，找出对应句子，进行改写。
  注意本题题目要求中没有特别指示，也就意味着一个选项只能用一次。

题号	解题关键词	题目解析
18	distance of the Sun from the Earth, a fair degree of accuracy	**翻译**：此人通过观测金星，相当精确地测出了太阳到地球的距离。 显然对应文章F段出现的数字，通过阅读F段前五行，可以找出reasonably accurate对应a fair degree of accuracy, a value for the AU "天文单位的数值"，即太阳到地球的距离，对应distance of the Sun from the Earth。 所以此题应选D。

题号	解题关键词	题目解析
19	comparing observations of a transit	**翻译**: 此人发现通过观测凌日现象可以计算出太阳到地球的距离。 文中B段Halley第一次提出通过观测凌日现象可以计算出视差角度。视差角度是指天体的位置由于观测者的位置不同而产生的明显差异。计算视差角度让天文学家得以实现当时最终目标——算出地球与太阳之间的距离，这个距离就是所谓的"天文单位"。 找到Halley名字所在的地方，再顺着向下阅读，很容易找到答案。 所以此题应选A。
20	time, go round the Sun, distance	**翻译**: 此人发现行星与太阳的距离决定了其绕太阳运行的时间。 文章中C段第二句提到了Johannes Kepler，他提出the distances of the planets from the Sun governed their orbital speeds，其中orbital speed就等同于题中的the time taken by a planet to go round the Sun。 所以此题应选B。
21	witnessed, unable to make any calculations	**翻译**: 此人观测到了金星凌日现象，但却不能进行计算。 这道题答案当然是考生们印象非常深刻的，倒霉的法国人Le Gentil。在出现他姓名的D段，明确提到Le Gentil saw a wonderful transit — but the ship's pitching and rolling ruled out any attempt at making accurate observations，其中ruled out any attempt at making accurate observations与题目中的unable to make any calculations相对应。 所以此题应选C。

Questions 22–26

- 题目类型: TRUE/FALSE/NOT GIVEN
- 题目解析:

22. Halley observed one transit of the planet Venus.

参考译文	Halley观测到了一次金星凌日现象。
定位词	Halley
解题关键词	observed
文中对应点	C段： Nevertheless, he accurately predicted that Venus would cross the face of the Sun in both 1761 and 1769 — though he didn't survive to see either. 该句含义为"尽管如此，Halley还是准确预测出金星会在1761年与1769年两次穿过太阳表面，只可惜他有生之年一次也没看到。"此题考点明显，比较好定位，考生在阅读过程中对Halley印象深刻，因此很容易看到C段最后的这句话。
答案	FALSE

23. Le Gentil managed to observe a second Venus transit.

参考译文	Le Gentil设法观测到了第二次金星凌日现象。
定位词	Le Gentil
解题关键词	managed to observe, second Venus transit

文中对应点	D段： Ironically after travelling nearly 50,000 kilometres, his view was clouded out at the last moment, a very dispiriting experience. 这一段上文提到在逃亡的船上，Le Gentil的第一次观测没能成功；接着他去了菲律宾，准备第二次观测，但是对应句表明在最后一刻，天空多云，他又没成功，正好和题目中的说法相反。
答案	FALSE

24. The shape of Venus appears distorted when it starts to pass in front of the Sun.

参考译文	当金星开始越过太阳表面时，它的形状看上去有些变形。
定位词	Venus, starts to pass in front of the Sun
解题关键词	appears distorted
文中对应点	E段： When Venus begins to cross the Sun's disc, it looks smeared not circular — which makes it difficult to establish timings. 根据句中begins to cross the Sun's disc和题目中的starts to pass in front of the Sun相对应找到此题定位处，此时考生会发现对应句中的looks和题目中的appears可以完全对应，另外可以根据句中的not circular来推测前面的smear的意思，not表示转折，所以smear意思应与circular相反，不是圆的。如果考生不认识circular，则可以通过cir这个词根来联想circle，进而猜测。 TIPS: 当然了，考生也可以最后用全TRUE法解决此题。
答案	TRUE

25. Early astronomers suspected that the atmosphere on Venus was toxic.

参考译文	早期天文学家怀疑金星上的大气有毒。
定位词	atmosphere, Venus, toxic
解题关键词	toxic
文中对应点	E段： 根据TRUE/FALSE/NOT GIVEN题型顺序出题原则，此题考点应在24题之后。顺着找下去，很快发现在E段倒数第二行提到了Venus was surrounded by a thick layer of gases，但是这里仅仅是说金星被厚厚的大气层所围绕，并未提到这个大气层是否是toxic（有毒的）。
答案	NOT GIVEN

26. The parallax principle allows astronomers to work out how far away distant stars are from the Earth.

参考译文	天文学家能够根据视差原理判断出遥远的恒星到地球的距离。
定位词	parallax principle, distant stars
解题关键词	allows...to work out...
文中对应点	F段： The parallax principle can be extended to measure the distances to the stars. 视差原理可以延伸应用到恒星之间距离的测量中。 利用parallax principle和顺序法则很容易定位此题，而且此题考点与第14题相似，不管先做哪个题目，另外一题都会很容易得出正确答案。
答案	TRUE

参考译文

金星凌日

2004年6月金星再次越过太阳表面，构成了久违122年的天文奇观，也就是所谓的"凌日"现象。正如Heather Cooper和Nigel Henbest所解释的那样，金星凌日现象影响了我们对整个宇宙的认识

A 2004年6月8日，全世界一半以上的人都有幸见证了这起罕见的天文现象——经过六个多小时，金星缓缓滑过了太阳表面。这是自1882年12月6日以来的第一次金星凌日现象。彼时，美国天文学家Simon Newcomb教授带领着一队人去南非观测这一天文现象。他们的观测点设在一所女子学校里，据说这所学校里的三位女教师合力观测出的结果比这组专业人士的还要精确。

B 数百年来，金星凌日现象引起了全球各地的探险家与天文学家的关注，而这一切都要归功于非凡的博学家Edmond Halley。1677年11月，Halley在位于南太平洋的荒无人烟的圣赫勒拿岛上，观测到了内行星水星的凌日现象。他发现，水星滑过太阳盘面的轨迹因观测纬度不同而有差异。通过计算行星在两个相距甚远的地方之间的运行时间，天文学家小组可以计算出视差角度。视差角度是指天体的位置由于观测者的位置不同而产生的明显差异。计算视差角度让天文学家得以实现当时的最终目标——算出地球与太阳之间的距离，这个距离就是所谓的"天文单位（AU）"。

C Halley知道，天文单位是天文学中测量距离的基本单位之一。在17世纪早期，Johannes Kepler就认为行星与太阳之间的距离控制着行星的轨道速度，这个很容易就能测量到，但是还没有人能找到一种方法来计算行星与地球之间的精确距离。目标是先测量出天文单位，然后了解其他所有行星绕太阳运行的轨道速度，最后就能水到渠成，测出太阳系的规模。然而，Halley意识到水星距离地球太远了以致很难确定其视差角度，而金星则距离地球较近，它的视差角度也较大。他发现如果利用金星来计算太阳的距离，其误差很可能只有五百分之一。但是有一个问题，与水星凌日不同，金星凌日现象很罕见，而且总是以两次为一组，每组中的两次大约间隔8年，而两组之间的间隔却有100多年。尽管如此，Halley还是准确预测出金星会在1761年与1769年两次穿过太阳表面，只可惜他有生之年一次也没看到。

D 在Halley提出的测量太阳系方法的鼓舞下，英国和法国的天文学家组成小组，踏上去往各地的征途，这些地方甚至包括印度与西伯利亚。但是由于那时候英法两国在交战，所以这些观测并没有奏效。最值得同情的是法国天文学家Guillaume Le Gentil。英军包围了他在印度本地治里（Pondicherry）的观测台，这使他备受打击。在乘坐一艘法国军舰穿越印度洋逃亡的时候，他看到了一次凌日的壮观景象，但是船的颠簸摇晃使他完全没有机会进行精确观测。他并没有灰心，而是留在了南半球，先是忙于研究毛里求斯岛和马达加斯加岛的情况，接着前往菲律宾准备观测下一次凌日现象。然而，具有讽刺意味的是，在跋涉了将近五万公里之后，他的视线居然被一片乌云给遮住了，真是一次令人沮丧的经历。

E 虽然早期对凌日时间的观测就当时所用的器材而言已足够精确，但是其测量结果却受到"黑滴"效应（"black drop" effect）的困扰。金星入凌时，看起来有点模糊而不完全是圆的，因此很难计算时间。这种现象是由光的衍射造成的。另一个问题是，金星出凌时，它的周围会产生晕环。虽然天文学家可以获知金星是被一层厚厚的、可折射阳光的气体所包围，但是黑滴效应和晕环效应都使得他们无法获得金星凌日的准确时间。

F 但是天文学家依然努力分析这些观测结果，以便用来观测金星凌日现象。柏林天文台台长Johann Franz Encke根据所有这些视差测量最终确定了天文单位的值为153,340,000千米。这个数值在当时已经相当精确了，也与现在用雷达测到的149,597,870千米非常接近。当然，现在雷达因其精准度已经取代了凌日测量与其他方法。天文单位是一个宇宙测量杆，也是现在我们测量宇宙的基础。视差原理可以延伸应用到恒星之间距离的测量中。一月，当地球处于其轨道的某个点时，我们观测一颗恒星，那么六个月后这颗恒星的位置与当时观测的位置看起来是不同的。了解了地球轨道的宽度后，天文学家就可以利用视差移位计算出这个距离。

G 2004年6月的金星凌日现象不只是一项重大的科学事件，更是一次天文奇观。而这种凌日现象为宇宙中最重大的突破之一铺平了道路，即对围绕其他恒星运行的类地行星进行探测。

Reading Passage 3

📑 篇章结构

体裁	议论说明文
主题	神经科学家解密创新思考
结构	第一段：神经经济学与传统叛逆者
	第二段：传统叛逆者的大脑在三方面与众不同
	第三段：普通人的大脑为何青睐常规思维
	第四段：传统叛逆者与众不同的认知力
	第五段：传统叛逆者乐于接受新鲜事物
	第六段：传统叛逆者善于战胜恐惧
	第七段：传统叛逆者的社交能力
	第八段：对传统叛逆者的评价

🌐 解题地图

难度系数：★★★★

解题顺序：按出题顺序解题即可

友情提示：此篇文章文字上难度不大，但是个别考点设置比较刁钻，建议考生要及时放下那些左思右想也解不出来的题目，尤其是YES/NO/NOT GIVEN，先完成MULTIPLE CHOICE和MATCHING。

🔤 必背词汇

1. distinct *adj.* 不同的，有区别的

   These are two entirely *distinct* languages. 这是两种截然不同的语言。

   Although they look similar, these plants are actually quite *distinct*.

   尽管这些植物看起来很相似，实际上却属于完全不同的种类。

2. evolve *v.* (使)进化，(使)演变，(使)逐步形成

   Many Victorians were shocked by the notion that man had *evolved* from lower forms of life.

   在维多利亚时代，许多人对于人类是由低级生物进化而来的观点大为震惊。

   He has *evolved* a new theory after many years of research. 经过多年研究，他逐渐总结出了新的理论。

3. embrace *v.* 欣然接受或采取；包括，包含

   He immediately *embraced* the offer. 他立刻接受了这个提议。

   The term "mankind" *embraces* men, women and children. "人类"一词包括男人、女人和儿童。

4. trigger *v.* 触发，引发，激发

   The smoke *triggered* off the alarm. 这些烟把警报器触响了。

   The riots were *triggered* off by a series of police arrests. 警方一连串的逮捕行动激发了暴乱。

5. variant *n.* 变体

   As the global language of the modern world, English now has lots of local *variants*.

现在，英语作为全球性的语言，已经有了大量的地域性变体。

The story has many *variants*. 这个故事有多种说法。

6. intertwine *v.* 缠结在一起，缠绕

Trees, undergrowth and creepers *intertwined*, blocking our way.

树木、灌木丛与藤蔓植物盘根错节，挡住了我们的去路。

Their destinies are *intertwined*. 他们的命运交织在一起。

7. alienation *n.* 疏远，疏离感，脱离

Alcoholism often leads to the *alienation* of family and friends. 酗酒常常导致家庭和朋友间的疏远。

Her sense of *alienation* from the world disappeared. 她与世界脱节的感觉消失了。

8. asset *n.* 有价值的或游泳的人；财富

He's an enormous *asset* to the team. 他是队里的骨干。

Good health is a great *asset*. 健康是莫大的财富。

认知词汇

neuroscientist	*n.* 神经科学家	curse	*n.* 诅咒，咒骂
innovation	*n.* 创新，改革	stimulus	*n.* 刺激，刺激物（复数为stimuli）
iconoclastic	*adj.* 打破旧习的	statistical	*adj.* 统计的，统计学的
perception	*n.* 认知能力，感悟能力	likelihood	*n.* 可能性
utilize	*v.* 利用，使用	bombard	*v.* 轰炸，炮轰
constraint	*n.* 限制，约束	novelty	*n.* 新奇事物
drumbeat	*n.* 鼓声	expose	*v.* 暴露
budget	*n.* 预算	tend to	趋向，朝某方向
bulb	*n.* 灯泡	inhibit	*v.* 妨碍，抑制
impede	*v.* 阻碍，阻止	trivial	*adj.* 不重要的，琐碎的
confront	*v.* 面对，碰到	empathy	*n.* 共鸣，同感
interpret	*v.* 解释	cognition	*n.* 认知，认知力
shortcut	*n.* 捷径，近路	enthusiasm	*n.* 热情，热忱
photon	*n.* 光子，光量子	artistic	*adj.* 艺术的
pitfall	*n.* 陷阱，圈套		

佳句赏析

1. These discoveries have led to the field known as neuroeconomics, which studies the brain's secrets to success in an economic environment that demands innovation and being able to do things differently from competitors.

- 参考译文：这些发现导致了神经经济学的出现，神经经济学研究的是经济环境下大脑成功的秘诀，而这就需要创新，需要不走竞争者走过的寻常路。
- 语言点：
  句型分析：本句中有两个定语从句。
  第一个是which引导的非限制性定语从句，修饰先行词neuroeconomics，起补充说明的作用；第二个是that引导的限制性定语从句，先行词是an economic environment。在这个从句中，innovation和后面being引导的动名词结构共同构成并列宾语。像这样从句套从句的复杂句子，在以前的雅思考试中也曾经出现过，考生可以通过分析这样的句子来锻炼精读能力。

例句：Pupils did not volunteer ideas that suggested that they appreciated the complexity of causes of rainforest destruction. In other words, they gave no indication of an appreciation of either the range of ways in which rainforests are important or the complex social, economic and political factors which drive the activities which are destroying the rainforests. 学生们给出的答案并不能够表明他们了解热带雨林遭受破坏的原因的复杂性。换言之，没有任何迹象表明他们了解热带雨林对人类来讲到底如何重要以及那些破坏行为背后所潜藏的复杂社会、经济及政治因素。（*Cambridge IELTS 4, Test 1, Reading Passage 1*）

考生可以试着分析上面的句子中有几个定语从句。

2. But the field of neuroeconomics was born out of the realization that the physical workings of the brain place limitations on the way we make decisions.

- **参考译文**：但是，神经经济学的诞生正是基于这样一个新的发现，那就是大脑的生理功能实际上会制约我们的判断力。
- **语言点**：

句型分析：在这句话中，that引导的是同位语从句，而非定语从句。同位语从句和定语从句的主要区分方法如下：

① 从先行词的词性来看，同位语从句的先行词大多为抽象名词，而定语从句的先行词可以是名词，也可以是代词。

② 从语法角度来看，引导同位语从句的that是连词，只起语法作用，用来连接从句，不充当任何成分；而引导定语从句的that(有时可用which)是关系代词，它除了起引导从句的语法作用之外，还要在从句中充当句子成分，主要是作主语或宾语。

③ 从可否省略来看，同位语从句中的that一般不可以省略；但是定语从句中的关系代词如果在从句中充当宾语，在非正式用语中常常可以将关系代词that省略。这可以作为考生辨别同位语和定语从句的方法。例如：

We have proof that the man committed crime. 我们有证据证明那个人犯了罪。

这句话是同位语从句，将连词that去掉后，从句是不缺少成分的。

We have the evidence that can send the man into prison. 我们有证据可以把那个人送进监狱。

这句话是定语从句，去掉that后，后面的从句就变成can send the man into prison，缺少主语成分。

3. In technical terms, these conjectures have their basis in the statistical likelihood of one interpretation over another and are heavily influenced by past experience and, importantly for potential iconoclasts, what other people say.

- **参考译文**：从技术层次而言，这些解读是有统计学依据的，因为统计学数据说明一种解释优于另一种解释，与此同时，这些解读又受过往经验以及他人观点的严重影响，最后这点对于潜在的传统叛逆者来讲尤为致命。
- **语言点**：

句型分析：其实在此句中并没有十分复杂的语法结构，但是考生会感觉到还是很难理解这样的句子，主要原因是作者在用词以及与上下文连贯度方面设置的障碍。

句中conjecture一词是"猜测"的意思，该词前面用了指示代词these，证明这个概念上文已经提到过。追溯上文，很容易发现these conjectures指的是multiple interpretations。statistical likelihood指的是"统计学上的可能性"，其实可以被延伸解读为"概率问题"。these conjectures have their basis in the statistical likelihood of one interpretation over another的意思是这些推测是立得住的，是有统计学上可能性依据的，也就是说，统计学的数据支持说明一种解释优于另一种解释。而且这种反应还会受到过去的经验以及他人看法的进一步影响，对于潜在传统叛逆者而言，这些尤其要警惕。
importantly为副词，修饰for potential iconoclasts，因为要修饰状语结构（for...），所以必须用副词。
iconoclasts指的是"传统叛逆者，打破旧习的人"，他们的观点常与传统说法相悖，所以在很大程度
上（importantly）会受到其他人所说的话（也即所谓的传统说法）的很大影响。

⚙️ 试题解析

Questions 27–31

- 题目类型：MULTIPLE CHOICE
- 题目解析：

题号	定位词	题目解析
27	Neuroeconomics	题目：神经经济学作为一个研究领域，旨在 **A** 改变科学家对脑化学的解读。 **B** 了解大脑如何做出正确决定。 **C** 了解在激烈的竞争中大脑与成功的关系。 **D** 追踪大脑不同部分中神经元的具体放电模式。 利用定位词可以将此题定位至文章第一段的第三句，然后和四个选项进行比较。句中的success可以对应题中的achievement，competitors可以对应题中的competitive。句中which引导的非限制性定语从句对先行词neuroeconomics起了解释说明的作用。故答案应该选择C。选项D在第一段虽然被提及，但并非是神经经济学研究目的之所在，故排除。选项B根本未被提及，也可以排除。选项A貌似有道理，但实际上是对第一段某些词语的过度解读。 因此正确答案是C。
28	iconoclasts, distinctive	题目：作者认为传统叛逆者与众不同是因为 **A** 他们的大脑回路与众不同。 **B** 他们的大脑功能与众不同。 **C** 他们的性格与众不同。 **D** 他们能很快做出决定。 此题定位点在文章第二段第一句，这句话明确说明传统叛逆者之所以与众不同，主要是因为他们的大脑在三方面与众不同：认知力、恐惧反应力以及社交能力。由此可知选项B正确。同时，很容易就可以发现选项A和B实际上是一对相似选项，在单选题中，相似选项中一般存在正确选项。A和B相比，过于具体，仅仅将与众不同理解为回路不同，与文中说的三方面不同相悖，故可以排除。选项D的解释过于简单，可以直接排除。至于选项C中出现的personalities一词则出现在第二段的倒数第四行，此信息已经于本题无关。 因此正确答案是B。

题号	定位词	题目解析
29	brain, efficiently	题目：作者认为大脑可以高效工作，这是因为 **A** 大脑迅速利用眼睛。 **B** 大脑对信息的解读逻辑性强。 **C** 大脑产生能量，自给自足。 **D** 大脑依赖过往事件。 根据定位词efficiently可以快速将此题定位至文章中第三段第二句，然后根据该段内容对各个选项进行判断。首先可以排除选项A，这一段只是提到面对眼前源源不断输入的信息，大脑会快速解读，而不是说大脑利用眼睛干什么。选项B中提到的逻辑，文中也并未涉及。而选项C说大脑可以自己给自己提供能源，一定是对第二句中It has a fixed energy budget的误读。这样排除掉前三个选项之后，正确答案应该就是选项D，previous event可以对应该段第五行中的past experience。 因此正确答案是D。
30	perception	题目：作者认为认知是 **A** 光子与声波的结合。 **B** 感官信号的可靠产物。 **C** 大脑处理的结果。 **D** 一个我们通常能意识到的过程。 这道题目横跨的篇幅比较长，文中对应点在第三段和第四段。首先，在第三段倒数第二行Perception is not simply a product of what your eyes or ears transmit to your brain. 从这句话就可以知道，选项B是不对的；接着，利用最后一句话More than the physical reality of photons or sound waves, perception is a product of the brain. 可以排除选项A，同时引出选项C有可能正确。最后在第四段第四行后半句中提到Perception is not something that is hardwired into the brain. It is a learned process... 正好能够和选项C中的a result of brain processes对应。 因此正确答案是C。
31	iconoclastic thinker	题目：作者认为传统叛逆者 **A** 将认知思考集中于大脑一个区域。 **B** 会避开认知陷阱。 **C** 拥有天生就适合学习的大脑。 **D** 会拥有比常人更多机会。 此题定位在第四段。该段第二句和第三句提到Iconoclasts see things differently to other people. Their brains do not fall into efficiency pitfalls as much as the average person's brain. 这句话实际上对应的就是选项B。但是有些粗心的同学会因为average person这个词组选择D。在单选题中，见到自己认识的词能够对应就匆忙下笔选择，是错误的做法。考生一定要读清楚所有选项，弄明白选项与文中原句的关系，再进行选择。选项D不仅不正确，反而可以根据其中不存在的比较关系直接排除。选项A中的central一词，估计是发源于第四段第一句话Perception is central to iconoclasm. 应该直接被排除掉。至于选项C中出现的hardwired，在第四段第四行中Perception is not something that is hardwired into the brain. 就已经被否定了。 因此正确答案是B。

Questions 32-37

- 题目类型：YES/NO/NOT GIVEN
- 题目解析：

32. Exposure to different events forces the brain to think differently.

参考译文	接触新鲜事物会迫使大脑进行创新思考。
定位词	brain, think differently
解题关键词	Exposure, forces, think differently
文中对应点	第五段： The best way to see things differently to other people is to bombard the brain with things it has never encountered before. 要想思维方式与众不同，最佳做法就是往大脑里塞其闻所未闻的东西。 这道题目实际上需要利用上一大题来确定其大致位置是在第五段，这里考生一定要注意每个大题之间的衔接，雅思考试中大多数题目都是按顺序出的。 在确定大致位置之后，再用定位词确定该题的确切位置是在第一句。bombard 一词是"轰炸"的意思，此处有强迫大脑接收信息的含义，对应题目中的forces；encounter可以对应题目中的exposure。
答案	YES

33. Iconoclasts are unusually receptive to new experiences.

参考译文	传统叛逆者特别愿意体验新鲜事物。
定位词	Iconoclasts, new experiences
解题关键词	unusually receptive
文中对应点	第五段： Successful iconoclasts have an extraordinary willingness to be exposed to what is fresh and different. 成功的传统叛逆者非常乐意接受新鲜事物。 此题定位十分简单，只要根据上一题的位置在第五段顺着找就可以。 文中的have an extraordinary willingness to be exposed to与题目中的are unusually receptive to相对应，what is fresh and different与题目中的new experiences相对应。这基本属于一道同义词替换型的YES题，对于同义词量比较小的同学也许会造成障碍，但是只要根据上下文稍微推测一下就会发现，传统叛逆者肯定是乐于接受新鲜事物的。
答案	YES

34. Most people are too shy to try different things.

参考译文	大多数人都太害羞了，以至于不愿意尝试新鲜事物。
定位词	shy
解题关键词	shy
文中对应点	此题是一道完全没有提及型的NOT GIVEN题目。接着上一题的定位句往下找，无法找到题干中所叙述的shy这个概念，而且全文也没有提及。只在第六段中提到阻止人们创新思维的是两种恐惧：对不确定性的恐惧以及对沦为笑柄的担忧。
答案	NOT GIVEN

35. If you think in an iconoclastic way, you can easily overcome fear.

参考译文	如果你以一种反传统的方式思考，便能轻松克服恐惧。
定位词	fear
解题关键词	overcome fear
文中对应点	第六段： Fear is a major impediment to thinking like an iconoclast and stops the average person in his tracks. 恐惧是阻止人们像传统叛逆者那样思考的主要障碍，它使普通人在创新思考的道路上踌躇不前。 此题出题思路有点绕，对应句的意思是说恐惧阻止了普通人像传统叛逆者那样进行思考。而且整个第六段都是在讲恐惧，尤其是对公开演讲的恐惧，是如此常见，甚至被认为是人性之一，显然，传统叛逆者也对公开演讲有恐惧，只是他们不会让这种恐惧在公开演讲时对自己产生阻碍。并不是像本题所叙述那样，传统叛逆者可以克服恐惧。
答案	NO

36. When concern about embarrassment matters less, other fears become irrelevant.

参考译文	当人们不再担心尴尬局面时，其他恐惧也就无关紧要了。
定位词	embarrassment, fears
解题关键词	embarrassment
文中对应点	此题也是一道完全没有提及型的NOT GIVEN题。如果考生可以顺利完成上一道题，就能知道这道题应该顺着上一题向下找，但是直到找到第37题的考点，也没有出现embarrassment一词。
答案	NOT GIVEN

37. Fear of public speaking is a psychological illness.

参考译文	对公开演讲的恐惧是一种心理疾病。
定位词	public speaking
解题关键词	psychological illness
文中对应点	第六段： But fear of public speaking, which everyone must do from time to time, afflicts one-third of the population. This makes it too common to be considered a mental disorder. 但是，对公开演讲的恐惧则折磨着超过三分之一的人。因为人时不时就要讲一讲，所以这种恐惧太常见了，很难被视作一种精神疾病。 这句话明确指出，对于公开演讲的恐惧由于涉及人群广、十分常见，所以很难被视作一种精神疾病。这就和题干的陈述直接抵触。 在这里考生一定要能够理解too...to...."太……以至于不能……"这个结构。
答案	NO

Questions 38–40

- 题目类型：MATCHING
- 题目解析：本题属于句首句尾型配对题。解题时需要的是镇定和务实的精神。

  镇定：不要被诸多选项吓倒。

  务实：老老实实地阅读给出的题干，寻找定位词，不要跳段，严格依照题号顺序查找。

题号	定位词	题目解析
38	successful iconoclast	第七段： 从段首Finally, to be successful iconoclasts, individuals must sell their ideas to other people. This is where social intelligence comes in. 可以看出要成为 successful iconoclasts，social intelligence 必不可少。段末最后一句话Understanding how perception becomes intertwined with social decision making shows why successful iconoclasts are so rare. 表明如果要成为成功的传统叛逆者，就必须知道认知和社会决策之间千丝万缕的联系。 所以总结一下，a successful iconoclast既需要social intelligence，也需要perception。 故此题应选A。
39	social brain	第七段： In the last decade there has been an explosion of knowledge about the social brain and how the brain works when groups coordinate decision making. 根据定位词可以迅速定位到第七段第四句，该句含义为"在过去的十年里，人们对社会型大脑的认知突飞猛进，对这种大脑在团队协作共同决策时所起的作用也了如指掌。" 这句话提到的groups coordinate decision making，正好与选项B当中提到的how groups decide on an action相对应。 故此题应选B。
40	an asset	第八段： 第八段整个一段都是对iconoclasts的评价。在第一句中就提到了iconoclasts是跨领域的人才，纵横艺术、技术、商业领域。正是他们的创造力和革新能力使得他们成为a major asset to any organization。只有选项C中提到in many fields, both artistic and scientific。 故此题应选C。

参考译文

────────── 神经科学家解密创新思考 ──────────

在过去十年里，科学家对大脑的认识方式发生了一场变革。现在我们知道人们所做的决定源自大脑特定部分的神经元的放电模式。这些发现导致了神经经济学的出现，神经经济学研究的是经济环境下大脑成功的秘诀，而这就需要创新，需要不走竞争者走过的寻常路。能做到这些的人可以谓之传统叛逆者。简而言之，传统叛逆者做的是别人认为不可为而他却能有所作为的事情。

该定义说明传统叛逆者与众不同，更确切地说，是他们的大脑异于常人，表现在以下三个方面：认知力、恐惧反应力以及社交能力。这三个功能在大脑中各有一条不同的回路。反对者可能会认为大脑与此无关，他们觉得原创性及革命性的思维方式与其说是大脑的功能，还不如说是一种个性的体现。但是，神经经济学的诞生正是基于这样一个新的发现，那就是大脑的生理功能实际上会制约我们的判断力。通过理解这些制约条件，我们就会明白为什么有些人爱唱反调。

首先要明白的一点是，大脑受制于有限的资源。它有固定的能量预算值，相当于一个40瓦灯泡的能量，因此大脑就进化出了一种尽可能高效的工作方式，这也就是大多数人之所以不爱唱反调的原因。比如，面对眼前源源不断输入的信息时，大脑会尽可能以最便捷的方式解读这些信息。为此，大脑会借鉴过往经验以及其他任何信息来源，比如别人说的话，来解读眼睛所看到的信息。这种过程无处不在。大脑如此善于走捷径以至于我们对此毫不知情。我们以为我们对世界的感知是真实的，但其实这种感知只不过是身体和电流对我们撒的小谎。认知不只是我们的眼睛与耳朵传给大脑的信息。认知是大脑的产物，而不只是物理现实中光子或声波的产物。

认知是反传统论的核心。传统叛逆者与别人看问题的方法大相径庭，他们的大脑不像普通人的大脑那样容易掉进高效思维的陷阱。要么天生如此，要么后天习得，总之传统叛逆者总有方法绕过那些困扰大多数人的认知捷径。认知不是天生的。认知是个学习过程，是个既让人受尽折磨的毒咒，又让人洗心革面的良机。大脑面临着一个基本问题，那就是如何解读从感官传来的物理刺激。大脑所见、所闻、所感，皆可以有多重解读，而最终获选的解释只不过是大脑自认为的最佳理论。从技术层次而言，这些解读是有统计学依据的，因为统计学数据说明一种解释优于另一种解释，与此同时，这些解读又受过往经验以及他人观点的严重影响，最后这点对于潜在的传统叛逆者来讲尤为致命。

要想思维方式与众不同，最佳做法就是往大脑里塞其闻所未闻的东西。新鲜事物使认知过程摆脱了过往经历的束缚，同时强迫大脑作出新的判断。成功的传统叛逆者非常乐意接受新鲜事物。观察表明，传统叛逆者对新鲜事物持欣然接受的态度，而大多数普通人则唯恐避之不及。

然而，新鲜事物的缺点是它会触发大脑的恐惧系统。恐惧是阻止人们像传统叛逆者那样思考的主要障碍，它使普通人在创新思考的道路上踌躇不前。恐惧有很多种，但是有两种恐惧阻止了创新思维，而且让大多数人颇感棘手，那就是对不确定性的恐惧以及对沦为笑柄的担忧。这两种恐惧看似都无关紧要，但是，对公开演讲的恐惧则折磨着超过三分之一的人。因为人时不时就要讲一讲，所以这种恐惧太常见了，很难被视为一种精神疾病。这往往被看做一种精神障碍。它只不过是人性反复无常的一种体现而已，传统叛逆者们带着这种恐惧也会在众人面前发表观点。

最后一点，想要成功变成传统叛逆者，必须把自己的想法推销给别人，这就该社交能力登场了。社交能力是在商业环境中了解与管理人的能力。在过去的十年里，人们对社会型大脑的认知突飞猛进，对这种大脑在团队协作共同决策时所起的作用也了如指掌。神经科学已经揭示出是哪些大脑回路在帮我们洞悉他人想法、与他人产生共鸣、做到公平公正以及辨别社会身份。在说服别人采纳己见方面，这些大脑回路可谓功不可没。感知在社会认知中也举足轻重。对一个人的热情或名誉的认知是生意成功与否的关键。若能了解认知与社会决策千丝万缕的联系，便能明白为何成功的传统叛逆者稀世难求。

传统叛逆者纵横艺术舞台、技术尖端及商业高峰，在每个领域都创造崭新机会。他们贡献出的创造力和革命力，一队人也望尘莫及。他们视规则如草芥。虽然时常被人疏远并且遭遇失败，可他们仍然是团队的顶梁柱。无论在任何领域，若想成功，必先了解传统叛逆者大脑工作的奥秘。

Task 1

题目要求

（见"剑9"P53）

审题

题目翻译：下面的图表显示了英国1995年至2002年拨打电话的总分钟数（以十亿计），分为三类。选取并汇报主要特征，总结信息，并在相关处进行对比。

本题为柱状图。三类电话分别为：Local—fixed line （本地固话），National and international—fixed line（国内和国际固话），以及Mobiles（all calls）（移动电话）。横坐标为1995年到2002年，纵坐标为以十亿为基本单位的电话分钟数。

💡写作思路

柱状图通常分为有变化和比较的柱状图和纯粹比较的柱状图。本题既有变化，又有比较。变化在本题中指的是同一电话拨打方式随着时间的变化产生的拨打总时长的增加或减少。比较指的是在同一年份内不同电话拨打方式之间的总时长差异。一般来说，同时有变化和比较的时候，可以先写变化，然后再写比较，而且往往是详写变化，略写比较。

☕考官范文

（见"剑9"P164）

🐾参考译文

本图显示了1995年至2002年间英国居民在不同种类电话上花费的时间。

本地固话是这段时间内量最多的，从1995年的720亿分钟上升到1998年的将近900亿分钟。在1999年达到900亿分钟的顶峰后下降，在2002年跌回到1995年的数量。

国内和国际固话从380亿分钟稳步增长到图中时间段末尾的610亿分钟，不过增长在最后两年有所放缓。

移动电话增长迅猛，从20亿分钟增加到460亿分钟。这一增长在1999年至2002年间尤其明显，在此期间手机的使用时间增至三倍。

总而言之，虽然本地固话在2002年依然使用率最高，但这三种电话之间的差别在图中时间段的后半部分明显减少了。

⚙分析

首段分析

图表作文第一段一般是在题目原文基础上的改写。题目原文中的total number of minutes（拨打电话的总分钟数），在范文中被概括为the time spent（花费的时间）。"不同电话的种类"，题目用的是categories，范文中改成了types。表示一段时间的from 1995—2002, 范文中改为between 1995 and 2002。这些常用的替换方法值得考生学习。

主体段落分析

柱状图的主体段落安排是写作的重点和难点。表面上看来, 范文主体段落是从左至右依次描述三种电话的变化。事实上, 柱状图的描写顺序不是单纯的从左到右, 或是从上到下, 而通常应该是按照数量大小顺序排列。一般是从大到小, 先描写数量最大的, 然后依次到数量最小的。在这道题目里, 数量的大小顺序正好和左右上下顺序相一致。

第二段: 首先描述数量最多的本地固话。从1995年到2002年, 本地固话经历了先增后减的变化。我们应该抓住几个重要时间点: 起点1995年, 最高点1999年, 和终点也即最低点2002年。

第三段: 国内和国际固话基本上处于平稳增长的状态, 需要描写起点和终点。值得指出的是, 虽然一直都在增长, 但1995年至2000年增长幅度较大而2000年至2002年增长幅度较小。

第四段: 移动电话在这三类电话里是总时长最少的, 但同时也是增长速度最快的, 而且在1999年至2002实现了飞速增长。

结尾段分析

在主体段具体描述了三种不同电话方式在1995年至2002年的总时长变化情况之后, 结尾段应该对这三种电话方式进行比较, 指出本地固话自始至终一直都是总时长最多的, 但这三种电话方式的总时长之间的差距在不断缩小。

连贯与衔接

文章分段合理, 连贯性很强, 衔接手段非常丰富。以第二段为例:

第一句的throughout the period指的是第一段末尾的between 1995 and 2002, 这样写不是单纯地使用同义词, 而是通过指代和替换避免重复与累赘。第二句的the following year指的是上一句中1998年的下一年, 即1999年; these calls指代的是上一句的local fixed line calls。本句的the 1995 figure(1995年的数字)指的就是720亿分钟, 这样写一方面防止重复, 另一方面实现了终点和起点的比较。

用词

本文词汇使用熟练老到。以表达变化的"增加"为例: 既有以现在分词作状语形式出现的rising, 又有以动词形式出现的grew, 还有以名词形式出现的growth, increase和rise。其次, 在表示增加的数量的时候, 既有rise from...to...和grow from...to..., 又有倍数表达triple。

句子结构

本文在描述电话耗费时长的时候, 不是仅仅用描述对象calls作主语, 还同时使用了电话使用频率(the use of...)和变化趋势(the growth, this rise, the gap)作主语以及存在句(There was)。

在句型方面, 本文使用了多种结构, 比如: 现在分词结构作状语, though和although引导的让步状语从句, which引导的定语从句。

Task 2

 题目要求

（见"剑9"P54）

 审题

题目翻译：一些人认为无报酬的社区服务（例如为慈善机构工作，改善附近地区，或教更小的孩子体育运动）应该成为中学必修课程的一部分。你在何等程度上同意或不同意？

本题在题材上属于教育类话题，为Agree/Disagree题型。本题曾经是2007年5月12日雅思考题。

💡 写作思路

同意不同意（Agree/Disagree）文章一般有三种写法。一种是同意题目观点（agree），文章开头段明确表示同意，两到三段主体段落从不同角度论证同意的理由，结尾再次表明态度。另一种是不同意题目观点（disagree），文章主体段落可以从不同角度论证为什么不同意，也可以采用让步反驳的模式（concession and refutation），先让步分析为什么持同意观点的人有一定的道理，然后提出自己的理由进行反驳。第三种写法是分类（classification），提出并论证在什么条件下持同意观点，在另外什么情况下持不同意观点。本文采用的是第一种写法。

☕ 考生作文

（见"剑9"P165）

🔄 参考译文

人们建议中学生应该参加无报酬的社区服务，作为中学必修课程的一部分。大多数大学已经提供各种机会来获得工作经验，但这些并不是强制性的。我认为让学生参与社区服务是个好主意，因为这可以给他们提供许多有价值的技能。

生活技能很重要，通过做义工，学生不仅可以学习如何与他人交流和在团队中工作，而且可以学会如何管理时间，提高组织能力。不幸的是，现在青少年没有多少课后活动。课后俱乐部不再那么流行，学生多半回家看电视、上网或者玩电子游戏。

通过在慈善组织或社区机构从事义务工作，他们可以得到鼓励，做些更有创造性的事情。通过义务工作获得的技能不仅是他们简历上的财富，而且可以增强就业能力。学生也会更尊重工作和金钱，因为他们会意识到挣钱不那么容易，从而有望学会以更实际的方式花钱。

英国国家医疗服务体系强烈提倡健康的生活平衡和锻炼，因此任何形式的业余时间慈善工作都可以防止人们久坐和无所事事。这也很有可能减少中学生群体的犯罪数量。如果学生有事情可做，他们就不会无聊并想出愚蠢的主意，危及自己或是周围的人。

总之，我认为这是个好主意，我希望这一计划会立刻在中学和大学付诸实施。

☕考官点评

（见"剑9"P165）

📖参考译文

本文充分回应了题目的各个方面，集中讨论了对学生而不是对社会的好处。运用了一些相关、有扩展而且有支持的观点来写出一篇论证充分的回答。不过有些观点，例如提到犯罪数量的部分，没有得到充分的扩展。观点的陈述安排有逻辑，文章的衔接贯穿始终。分段合理，段落间的发展处理老到。词汇量丰富，能准确表达意思，熟练使用不常见词汇，极少有不得体之处。语法结构多样，偶尔有些小错误。

⚙️分析

本文得分8分。

内容

内容方面，9分作文要求fully addresses all parts of the task（完全回应任务的所有部分），8分作文要求sufficiently addresses all parts of the task（充分回应任务的所有部分），而7分作文则要求addresses all parts of the task（回应任务的所有部分）。本文在内容方面符合8分文章要求，对题目的各个方面进行了充分回应，尤其是文章的主体段落部分(2、3、4段)，从三个不同层面论证分析中学生为什么应该参加强制性的无报酬社区服务。

文章分为五段。开头段先交代背景，通过改写题目原文的方式提出一些人认为中学生应该参加无报酬的社区服务，而且作为必修课来参加。然后作者在首段末句明确提出自己的观点：同意这些人的意见，中学教育应该包含无报酬的社区服务。

第二段论证无报酬社区服务对中学生人际交往技能培养方面的好处。本段采用了正反对比的写作手法。首先分析做义工对中学生的好处：团队交流和工作，以及管理时间。然后分析现状：目前的中学生缺少课外活动中与他人交流的机会。

第三段论证从事慈善工作等义务活动对中学生就业能力提高和金钱管理方面的好处。

第四段论证课外慈善工作等无报酬社区服务有助于中学生的身心健康，减少从事犯罪等不良活动。

结尾再次明确表明立场，认为中学生应该参加强制性的无报酬社区服务。

结构

观点论证的逻辑性及分段与段落间的发展：

作者完全同意题目中的观点，论证的时候分三个段落从三个不同方面层层递进分析。首先论证无报酬社区服务对中学生目前能力的好处(人际交往技能)，然后论证对未来工作和生活的好处(就业能力和金钱管理)，最后论证对社会的影响(减少社会犯罪)。主要论证的是对学生个人的益处，并略微提及对社会的正面作用。

词汇

词汇量丰富，并能熟练使用不常见词汇：

第一段	be involve in 参加
	gain work experience 获得工作经验
第二段	voluntary work 义务工作
	organisational skill 组织能力
	after-school activity 课后活动

browse internet 上网

第三段　asset 财富

employability：employable（capable of being employed 适宜雇用的，达到雇佣条件的）的名词形式

hopefully 有希望地

第四段　promote 提倡，拥护

the NHS：（the National Health Service）the British system that provides free medical treatment for everyone, and is paid for by taxes 为全体英国人提供免费医疗的国民健康服务体系，英国国家医疗服务体系

crime level：the amount of illegal activity taking place 犯罪数量

语法

多样化的语法结构

形式主语句：第一段It has been suggested that...；第三段...it is not that easy to earn them...

分词结构作主语：第一段sending students to work...

分词结构作状语：第三段By giving them compulsory work activities...

分词结构作定语：第三段Skills gained through compulsory work...

原因状语从句：第一段...as it can provide...；第三段...as they will realise that...

定语从句：第四段...silly ideas which can be dangerous...

宾语从句：第三段...they will realise that...；第五段I think this is..., and I hope this programme...

小错误

第一段：many lots of中many和lots of重复，应改为many。

第二段：第一句中的students can learn how to... 少了not only。

第三段：第一句为病句。本句主语为they（high school students），而by引导的分词短语的逻辑主语是school。本句可改为：By having compulsory work activities..., they will be encouraged to...。

第四段：第一句中...will prevent from sitting and doing nothing缺少宾语，应改为...will prevent them from sitting and doing nothing。

Speaking

Part 1

在第一部分，考官会介绍自己并确认考生身份，然后打开录音机/笔，报出考试名称、时间、地点等考试信息。考官接下来会围绕考生的学习、工作、住宿或其他相关话题展开提问。

🔍 话题举例

Giving gifts

1. **When do people give gifts or presents in your country?**

   Chinese people give gifts on many festivals, and there are some *hard-and-fast rules* to gift giving in China. For example, *under no circumstances* give a clock or a watch as a gift because it symbolises the end of your life, and you may *cause offence*.

hard-and-fast rules 硬性规定	under no circumstances 决不
cause offence 冒犯，得罪，伤感情	

2. **Do you ever take a gift when you visit someone in their home?** [Why/Why not?]

   It's not necessary, but it's always *thoughtful* to do so. People think it's a nice gesture if you bring a small gift when visiting someone's household. It shows you appreciate being invited and that you want to repay the favour.

thoughtful 体贴的，关切的

3. **When did you last receive a gift?** [What was it?]

   My girlfriend gave me a watch a few weeks ago because she thought I'd like it. It's not pricey, but the thought *counts even more*. I was very touched by her *thoughtfulness*.

count even more 更有价值	thoughtfulness 体贴

4. **Do you enjoy looking for gifts for people?** [Why/Why not?]

   No. It can be pretty *tricky* trying to find the perfect gift, especially if the *recipient* is already well-off. I don't have enough time to get clues by guessing what they'd like based on their hobbies and interests. Also, I'm rather *tight-fisted when it comes to* money.

tricky 难的，复杂的	recipient 接受者，接纳者
tight-fisted 舍不得花钱的，吝啬的	when it comes to... 当提到，就…而论

Part 2

考官给考生一张话题卡(Cue Card)。考生有1分钟准备时间，并可以做笔记(考官会给考生笔和纸)。之后考生要作1~2分钟的陈述。考生讲完后，考官会就考生的阐述内容提一两个相关问题，由考生作简要回答。

> CUE CARD
> Describe something you did that was new or exciting.
> You should say:
> what you did
> where and when you did this
> who you shared the activity with
> and explain why this activity was new or exciting for you.

➡️ 话题卡说明

此话题卡是事件题中常见的一种，考官主要考查考生是否具有描述各种事件经历的能力。在描述此话题卡时，要注意突出事件特点，为什么这件事对你来说是新鲜尝试，或者令你非常兴奋。考生要学会不同话题间素材的套用。类似的话题卡还有Describe a childhood event, Describe a happy event等。

点题	My father gave me an early birthday gift—tickets of the concert of *the Beethoven's Ninth Symphony*. Actually I hadn't been inside of any music hall before.
地点时间	At Friday night, we went to the local music hall. As for this *venue*, it was our first time there, and everything went *surprisingly smoothly* including traffic, parking, *souvenir stand* and *restrooms*. It's a great *night out*. It was absolutely great that they played lots of popular *light classics*. There's always a high standard of playing of classical music.
陪行人员	I went to the concert accompanied by my friends. We listened in *air-conditioned* comfort and enjoyed the presenters as well. Finally, all of us were *on the edge of our seats*.
解释原因	Besides, the *acoustics* is so fantastic that many world-famous artists have been attracted to perform in this hall. The sound is clear, *full-bodied*, and clean for every *vocal part* and the mix is perfect. I was very impressed by the *terrific ambiance* and *intimacy* of the hall. It is the most recommended concert hall throughout the city. I mean, there is no other place that is *compatible with* here. Not to be missed!

📖 重点词句

the Beethoven's Ninth Symphony 贝多芬第九交响曲

surprisingly smoothly 惊人地顺利地

restroom 卫生间

light classics 轻古典音乐

on the edge of one's seat 异常兴奋，有浓厚兴趣

full-bodied 醇厚的

terrific ambiance 极佳的氛围

be compatible with 与…相配

venue 场地

souvenir stand 纪念品专柜

night out 夜生活

air-conditioned 空调开放的

acoustics 音响效果

vocal part 声乐部分

intimacy 舒适感，亲近感

Part 3

第三部分：双向讨论(4~5分钟)。考官与考生围绕由第二部分引申出来的一些比较抽象的话题进行讨论。第三部分的话题是对第二部分话题卡内容的深化和拓展。

🔍 话题举例

Doing new things

1. **Why do you think some people like doing new things?**

   Trying new things would involve *high risk*. Despite this fact, however, some people prefer to face new challenges rather than *following a routine*. I think, the main reason why they like to try new things is their characters. I am, *by nature*, an *adventurous* person. My mother used to say that she *struggled hard to* stop me climbing trees when I was small. May be I *displayed* my character from my childhood itself. I would like to try new things *as opposed to* repeating the same old thing.

high risk 高风险	follow the routine 遵循常规
by nature 天生地	adventurous 爱冒险的
struggle hard to 很难…	display 显示
as opposed to 相对于	

2. **What problems can people have when they try new activities for the first time?**

   When it comes to doing something *out of the realm of experience*, firstly, they may suffer from the problem of no *motivation* to do this, maybe nothing interests them. People should know how they can *motivate* themselves. I think it is one of the most important factors that *lead* a person *towards* success. Besides some people pressure themselves, they are *freaking* worried about making mistakes. This can *impose much pressure on* them. Maybe keeping calm is the *trick* for success.

out of the realm of experience 经验之外的	motivation 动力
motivate 激励	lead...towards 将…领向
freaking 十分地	impose pressure on 对…造成压力
trick 技巧	

3. **Do you think it's best to do new things on your own or with other people? Why?**

   I'm scared of trying new things on my own and I'm used to having friends *tag along with* me. When I do new things *without any company*, I may feel *awkward* and I fear that I will *make a complete fool out of* myself by either being too quiet or *babbling*. My mind is always telling me that I'm stupid and everybody else is intelligent, it causes me to feel *inadequate*. If I was to bring a friend along I would behave *normally*. I think we have to be with others because that's how a society *functions*. Look at any animal group—ants, lions…all creatures that are "pack" animals have to work together in order for the group to survive.

tag along with 跟着	without any company 无人陪伴
awkward 窘迫的	make a complete fool out of 出丑
babbling 喋喋不休的	inadequate 信心不足的
normally 正常地	function 运作

Learning new things

1. **What kinds of things do children learn to do when they are very young? How important are these things?**

Young kiddies should learn how to cook and *do other chores*, like *sweeping, changing a light bulb*, coz this will prepare them for the future when they leave the *nest*. They can also build responsibility and *earn respect from* their parents. That's what most of children are missing today. *There is nothing worse than* seeing teenagers live at home and let their parents do all the work. Parents need to help them *prepared* for the real world and let them become a *capable* person ready to *cope with* life.

do chores 做家务	sweeping 打扫
changing a light bulb 换灯泡	nest 窝，巢
earn respect from 赢得…的尊重	There is nothing worse than 没有比…更糟糕的了
prepared 准备好的	capable 有能力的
cope with 应对	

2. **Do you think children and adults learn to do new things in the same way? How is their learning style different?**

In my perspective, they are totally different. Young children are *natural* learners and are naturally motivated to learn about new things. Especially, *preschoolers* learn differently from adults. Play *is essential to* early learning and play is the main way children discover new things. But adults learn new things from relevant experiences *already in place*. They *fit* the new thing *into* their existing skills. Besides adults are generally much more *receptive to* learning when they understand the new information being taught.

natural 天生的	preschoolers 学龄前儿童
be essential to 对…非常重要	already in place 已有的
fit into 适用于	be receptive to 善于接受

3. **Some people say that it is more important to be able to learn new things now than it was in the past. Do you agree or disagree with that? Why?**

Frankly I can't agree any more. Now we are under *constant* pressure to learn new things. It can be *daunting*. It can be *exhilarating*. Some *pundits deride* the current era as just another *bubble*. Whether it is or not, *at this point*, new, *heady* tech is emerging every day, people have to have the ability to *keep pace with the times*. No one could discount the way that mobile and other *breakthroughs* are changing our way of life, people *around the globe* should be able to catch up with them. Comparing people today to the people of the 1970s or before, never before have us had such *luxury*. That's *partially* a good thing.

constant 持续不断的	daunting 令人畏惧的
exhilarating 令人振奋的	pundit 某一领域的专家
deride 嘲笑	bubble 泡沫
at this point 此时此刻	heady 令人陶醉的
keep pace with the times 跟上时代的步伐	breakthrough 突破
around the globe 世界各地的	luxury 奢华
partially 不完全地	

　　每一次的新鲜尝试都会变成日后的美好回忆。你是否还保留一些快乐的回忆？你是否还记得当年做过的令你兴奋不已的事情？看看下面这些网友的快乐经历，有没有勾起你的回忆？

What is the happiest memory of your life?

 Well, I'm only 17 so I doubt the BEST moment has happened yet, but the best I can remember was when I was 6 or 7, my 25-year-old cousin Allison had taken me to chuckie cheeses during the summertime. We were driving back home and I remember her sunroof was open and I had never drank Pepsi before. She asked me if I wanted any and I said no because I thought it was gross, but she insisted that it was better than Coke and I drank some. Then I remember her having "rock music" playing on the radio and she told me that it was okay to listen so she turned it up. That was the first time I had Pepsi and the first time I listened to rock music. Strange memory, but one of my best.

 When I stepped off an airplane in the Pittsburgh airport, first time I've ever flown, to meet someone extremely important and special to me. That was the most beautiful memory to date, and also the ensuing day/evening was the happiest I've ever been to date.

 I have many but I will give this one up to answer. It would be when I was snuggled up on the couch watching a movie with my then girlfriend. It was raining out and we had the windows open and she fell asleep in my arms. I laid there and played in her hair and held her tight until I fell asleep there with her in my arms and myself in hers. You see we had been split before and I never thought I would ever see or talk to her again let alone be holding her close. I never wanted that night to end; it was just perfect. It's a moment of happiness among many she helped to introduce into my life. I would give anything to have just one more night like that one with her, she was and in many ways still is the love of my life.

Listening

Part 1

📖 场景介绍

　　一位顾客向Greek Island Holidays询问Arilas地区的旅行报价，包含居住条件、能够提供的设施、周边环境及价格。进行过粗略了解后，顾客又特别询问了该旅行社提供的保险服务（如旅行计划取消、就医、错过航班、个人物品丢失等的赔付情况）。

🔤 本节必背词汇

recommend	v. 推荐，建议	unfortunately	adv. 不幸地，遗憾地
apartment	n. 〈美〉公寓	balcony	n. 阳台
studio flat	单身公寓	supermarket	n. 超市
available	adj. 现有的，可用的	brochure	n. 小册子
entertainment	n. 娱乐	insurance	n. 保险
programme	n. 节目	benefit	n. 利益，好处
reasonable	adj. 合理的	maximum	n. 最大值，最大数量
feature	n. 特点，特质	cancellation	n. 取消，废除
attraction	n. 有吸引力的事物	sensible	adj. 明智的，合乎情理的
mountainside	n. 山腰	resort	n. 度假胜地
terrace	n. 阳台，露台	representative	n. 代表，代言人
barbecue	n. 烧烤	departure	n. 离开
facility	n. 设备，设施	generous	adj. 慷慨的，大方的
well-equipped	adj. 装备完善的	laptop	n. 手提电脑，笔记本电脑
satellite	n. 卫星	switchboard	n. 接线总机
budget	n. 预算		

🔤 词汇拓展

construction	n. 建设，建造	homestay	n. 寄宿
convert	v. 改造，改建	insurance policy	保单
decorate	v. 装修，装饰	living room	起居室
dining room	餐厅	location	n. 地点，位置
flatmate	n. 室友	minimum	n. 最少，最低值
garage	n. 车库	rent	n. 租金 v. 租

文本及疑难解析

1. I have a friend who's just come back from Corfu and she's recommended some apartments in Arilas. 我有一个朋友刚刚从科孚岛(希腊小岛，著名旅游度假胜地)回来，她给我推荐了一些Arilas(科孚岛海滩之一)的公寓。

2. ...we've got a lovely studio flat available at that time. 那个时候我们有一套非常温馨的单身公寓可以出租。Studio flat为英式英语，美式英语为studio apartment，指含有起居室、卧室、厨房、卫生间且适合单身人士居住的套间，又称为bachelor apartment (单身公寓)。

3. I'm just jotting down some notes. 我简单地做点笔记。jot down指进行简单记录。

4. And it isn't far from the beach, either—only 300 metres, and only around half a kilometre to some shops, so you don't have to be too energetic. 这里距离海滩也不远，只有300米，而且仅在半公里内就有一些商店，因此你不必太费力。此处you don't have to be too energetic指周边设施齐全，非常方便，所以不必太"精力充沛"(不必消耗过多体力)。

5. Let me just check. I think at the time you want to go it's around £260—no £275 to be exact. 让我查一下。我想在你要去的时间大概是260镑——不，确切地说，应该是275镑。

6. Yes, each room has its own sun terrace and there are shared barbecue facilities. 是的，每个房间都有自己的阳台，还有公用的烧烤设备。sun terrace指房屋顶层或延伸至屋外面积较大的阳台，balcony多指普通家用阳台。

7. I don't think that would be within our budget, unfortunately. 非常不幸的是，我认为这超出了我们的预算。

8. Then I'd better not take my laptop! 那我最好不要带上我的手提电脑了！

9. Not unless you insure it separately. 除非你给它单独上一份保险。

题目解析

本节出现的题型以Part 1出现频率极高的纵轴个人信息表格(form)及信息比对表格(table)为主。需填写的信息依旧主要为名称、地点、价格。

1. 本题答案为直叙。题干_____ metres说明了需要填写的是数字。听力原文直接给出了300 metres.

2. 本题要求拼写酒店名称。Sunshade一词可能存在拼写困难。

3. 题干词Greek paintings很容易在听力原文中定位。并列结构and之后出现了答案balcony。

4. 本题题干词overlooking原文未提及，原文以what are the views like (风景如何)来表示此处有什么风光。There are forests all round 随后出现。

5. 本题答案为直叙。

6. 如果对保险业务不熟悉可能造成本题理解困难。顾客询问如果行程取消的话需要赔付多少，先提及8,000镑，后提及Greek Island Holidays能够提供10,000镑。首先出现的金额为陷阱信息。但本题题干说明所需答案为金额，题十词Cancellation在听力原文中定位不难。

7. 题干中的600镑出现后，原文即出现了allow a relative to travel to your holiday resort，与题干及题目空格吻合。

8. 本题考查瞬间记忆，解题不难。

9. 题干中的500镑在文中定位不难，500镑之后就出现了答案。需要注意one与a进行了替换。

10. 本题答案为直叙。

Part 2

场景介绍

本文是一篇采访，内容是关于当地的Winridge森林铁路公园从建设初期到逐渐壮大发展的介绍。受访人介绍了建设公园的初衷、构想及未来发展。公园目前的经营者是家族成员，每人各司其职。而目前公园正在建设的为5~12岁儿童使用的卡丁车场地又遇到了一些建设方面的问题。

本节必背词汇

series	n. 系列	mechanical	adj. 机械的，力学的
locally-run	当地运营的	recruit	v. 招聘
co-founder	n. 合伙人	squadron	n. 一队，一群
acre	n. 顷	stalwart	n. 坚定分子
settle down	定居，安顿下来	construction	n. 建设，修建
enormous	adj. 巨大的	retail	n. 零售
network	n. 网络	tremendous	adj. 巨大的，极大的
miniature	n. 模型，缩略版	souvenir	n. 纪念品
track	n. 轨道	geology	n. 地质情况
large-scale	adj. 大规模的	tunnel	n. 通道，隧道
locomotive	n. 机车	overcome	v. 克服，跨越
miserable	adj. 痛苦的，可怜的	installation	n. 安装
landscape	n. 风景；地貌	go-kart	n. 卡丁车
expand	v. 扩展，延伸	arena	n. 竞技场，娱乐场，表演场
operation	n. 运行，操作	mound	n. 丘，土堆，土坡
retirement	n. 退休		

词汇拓展

audience	n. 观众	facility	n. 设施，设备
background information	背景信息	high-quality	adj. 高质量的
camping	n. 露营	luxury	n. 奢侈，奢华
campsite	n. 露营地	mountainous	adj. 巨大的；多山的
child-friendly	方便儿童使用的	occasionally	adv. 偶尔，间或
continental	adj. 大陆的，大陆性的	occupy	v. 占有，占用
exclusive	adj. 独有的，排外的	original	adj. 原始的，最初的
expand	v. 扩大，扩张	particularly	adv. 特别，尤其

recommend	*v.* 推荐，建议	standard	*n.* 标准 *adj.* 标准的
region	*n.* 地区	superb	*adj.* 极好的；华丽的，宏伟的
reservation	*n.* 预订		
retail chain	连锁零售	take advantage of	利用
special offer	特价	tent	*n.* 帐篷

❀ 文本及疑难解析

1. The place was wonderful for the kids: they particularly loved trains and gradually built up an enormous network of miniature railway track. 这个地方对于孩子们来说非常美妙：他们尤其喜欢火车，之后逐渐地建立了铁道模型的巨大网络。

2. I began to develop larger-scale models of locomotives but we didn't think anything more of it until I went on a trip to a theme park near Birmingham and decided we could do a much better job! 我开始建造更大规模的机车模型，但直到我去了一次伯明翰附近的一个主题公园才意识到其实我们可以做得更好。此处locomotive指的是类似蒸汽火车车头的机车。

3. ...we opened to the public for just a month that year, 1984—in July—our driest month—because our children said they didn't want our guests to have a miserable, wet visit. 1984年那年我们只对公众开放了一个月，7月，我们最干燥的月份，因为孩子们说他们不想让我们的客人在潮湿中进行痛苦的造访。此处说our driest month是因为英国雨水多，非常潮湿，只有每年七月份晴空少云，降水相对少些。

4. It soon became clear that we were onto a winner. 我们马上意识到我们快成功了。

5. All these visitors mean we have had to expand our operation and it's now a truly family concern. I'm near to retirement age so I only concern myself with looking after the mechanical side of things—keeping the trains going. 这么多的到访问者意味着我们必须扩大运营，而现在这真正成了一项家庭事业。我快要到退休的年龄了，所以我仅仅负责技术方面的事情——让火车一直开。

6. Liz now devotes all her energies to recruiting and supporting the large squadron of workers, which keep the place running smoothly. Liz目前把她的全部精力都投入到了招聘以及维持大队人马的事情上，使这里能正常运营。squadron of workers 译为"大队人马"，可以在squadron之后加其他表示人的名词。

7. Sarah has now returned to the park and makes sure the visitors are kept fed and watered, which keeps her pretty busy as you can imagine. 目前Sarah已重回公园并负责确保访客有吃有喝，你可以想象她有多么忙碌。此处指Sarah离开了教师岗位，重回家族事业之后的职责。

8. Our son, Duncan, has been a stalwart of the park for the last ten years, taking over from me in the area of construction—and I'll say a little bit more about that in a moment—and his new wife, Judith, has also joined the team in charge of retail. 我们的儿子Duncan在过去的十年里一直都是公园的忠实成员。他从我这里接管了建设方面的工作，我一会儿会对此多说一些。他的新婚妻子Judith也加入了这个团队，负责零售方面的工作。

9. The railway remains the central feature and there's now 1.2 kilometres of the line laid but we'd like to lay more. 铁道一直是核心特点，目前已经铺了1.2公里，我们还想再铺更长。

10. ...we had to level the mounds on the track for safety reasons. 我们必须为了安全而让土坡和轨道持平。

❀ 题目解析

本节题目属中等难度。选择题11~13相对简单，选项不长，但均为同义替换，解题需要建立在理解原文含义的基础上。搭配题14~18由于答案在听力原文中出现得比较密集，容易造成信息来不及捕捉的情况。表格填空题19~20属常规难度。

11. 本题干中的theme park在原文重现，定位难度不大。同一句中的trip与选项C的visit进行替换。答案给出的很直接，且没有干扰选项。

12. 本题干中的open在原文重现，定位比较容易。但理解起来稍有难度，需要领会原文中的driest month及didn't want our guests to have a miserable, wet visit指除7月外的日子天气都不会好，总会下雨。因此，开放的日子一定是天气好的时候。本题考查理解能力及词汇实力。

13. 读题时应该知道需要在原文中定位的是数字，因此本题定位不难。出现数字即与本题相关。但要求考生一定理解题干所问是since opening，即自开业一直以来（现在完成时），因此50,000 visitors a year是陷阱信息。考生需要快速将a million and a half转换为阿拉伯数字。

14~18搭配题考查同义替换能力。每题题干中的人名在原文重现，定位不难。但要求词汇能够灵活反应。每题替换词分别为：

14. maintenance替换mechanical side。

15. staffing替换recruiting。

16. food and drink替换fed and watered。

17. building替换construction。

18. sales替换retail。

19. 本题已知信息Go-kart arena原文重现，定位清晰。读题时可预测需要捕捉数字，出现120，没有其他混淆内容。本题较为简单。

20. 本题需要捕捉年龄，从题干信息中可预先进行预测。原文直接给出年龄，没有其他混淆内容。本题较为简单。

Part 3

场景介绍

女学生Caroline向导师询问论文相关事宜，包括如何确定论文主题、自己欠缺的技能、为写论文而提前进行的准备等。导师先帮助Caroline确定自己擅长及欠缺的技能，为使能力有所提高，导师介绍了一些练习方式及可以参加的活动。导师最终让Caroline先进行尝试，在下一次辅导中再进一步讨论。

本节必背词汇

dissertation	n. 论文	peer-group	共同兴趣小组
tutorial	n. 个别辅导	confidence	n. 信心
statistics	n. 统计(学)	drawback	n. 弱点，缺点
fascinating	adj. 令人着迷的	structured	adj. 有结构的，结构良好的
sufficient	adj. 足够的，充足的	consult	v. 咨询，沟通
note-taking	n. 做笔记	reference	n. 参考文献
weakness	n. 短处，劣势	discipline	n. 纪律；训练 v. 训练，调教，克制
strategy	n. 战略，战术		

词汇拓展

abbreviation	*n.* 缩写	marketplace	*n.* 市场
analysis	*n.* 分析	memo	*n.* 便签
catalogue	*n.* 目录	methodology	*n.* 方法(学)
criticise	*v.* 批评	observation	*n.* 观察
deadline	*n.* 最后期限	opportunity	*n.* 机遇
draft	*v.* 打草稿	recommendation	*n.* 推荐, 建议
handwriting	*n.* 书写	strength	*n.* 长处, 优势
loan	*n.* 贷款	survey	*n.* 调查
margin	*n.* 利润	target	*n.* 目标

文本及疑难解析

1. I think I'm coping well with statistics, and I'm never bored by it. 我觉得我统计学得不错, 而且从来不会觉得枯燥。此处出现固定搭配短语cope with及be/get bored by。

2. Well, some people find it helpful to organise peer-group discussions—you know, each week a different person studies a different topic and shares it with the group. 有些人觉得组织共同兴趣小组讨论非常有帮助——你知道, 就是每周不同的一个人研究一个不同的课题然后和小组成员共同分享。peer指同僚、伙伴, 也可以指同级的同事。

3. ...unfortunately, there are only a few places. ……不幸的是名额有限。此处place指名额, 而非字面含义"位置"。

4. Other than that I would strongly advise quite simple ideas like using a card index. 除此之外, 我强烈建议采取一些类似于检索卡片这样的简单做法。card index指在小卡片上记录摘要, 例如读书感想、要点等, 而后收集整理, 方便之后查询。

5. Yes, I can see it'd take discipline but... 我看得出这需要条理, 但……

6. It's just that I don't seem to be able to discipline myself. 只是我好像无法让自己那么有条理。

题目解析

本部分全为填空题, 难度适中。话题与作业相关, 因此较容易理解。

21. 本题题干出现topic一词, 在原文重现。之后提及it's the fishing industry。

22. 题干词strength在原文中被替换为cope well with, 指某方面应付得了, 处理得好。答案直接给出, 但需要理解以上词汇及短语才能判断信息相关。

23. 题干中的weakness为名词, 原文出现I'm very weak at note-taking. be weak at意为"不擅长……"。

24. 本题在表格中。迅速扫描已知信息后判断本题信息应该是关于peer group discussion的好处的。原文提及peer group可以进行定位, 后通过helpful一词可判断confidence指参加此类活动的积极影响。

25. 本题在原文中的答案与第24题的答案距离非常近, 需要对词汇很熟悉才能迅速作出反应。原文中的drawback替换题干中的problem, 题干与原文均出现了the same, 之后立即给出idea一词, 本题较容易。

26. 本题题干及原文均出现service一词, 定位直接, 无混淆信息。

27. 本题需要理解unfortunately一词指不好的方面, 对应题干中的problems; 紧接着提及only a few places (名额有限)。

28. 此空左边单元格已知信息reference在原文重现，定位较为直接。且原文直接说明the problem is，未进行任何替换，too之后的信息为答案。

29. 本题在读题时应该进行完善的预测。read all notes _____. 空格处所需词性可能为副词或时间状语等。否则较难在原文中找出对应信息。

30. 本题可以在读题时预测需要填入具体的日期，原文中共出现三个日期，前两者在提出后均被否决，最后出现的为正确答案。

Part 4

场景介绍

这是一篇关于一栋环保房屋建设的讲座。主讲人讲述了一座地下房屋的建造，包含选址、能源利用、建造过程中带来的问题等。其中能源的利用是房屋最主要的特点，也是主讲人重点突出的问题。主讲人以光电瓦片的使用、再利用木材为例展示了房屋的环保性能。同时，也提及了该房屋产生的问题及对未来的积极展望。

本节必背词汇

domestic	*adj.* 国内的	utilise	*v.* 利用，使用
contemporary	*adj.* 现代的 当代的	convert	*v.* 转换，改变
experimental	*adj.* 实验的	generate	*v.* 产生
construct	*v.* 建造	surplus	*n.* 盈余，剩余
professional	*n.* 专业人士	reclaim	*v.* 回收
architect	*n.* 建筑师	organically	*adv.* 有机地
create	*v.* 创造，创建	purify	*v.* 使纯净，使清澈
environmentally-friendly	*adj.* 环保的	filter	*v.* 过滤
rural	*adj.* 乡村的	reed bed	芦苇床
quarry	*n.* 采石场	occupant	*n.* 房客
relatively	*adv.* 相对而言地	damage	*v.* 毁坏，破坏
recycle	*v.* 循环	chemical	*n.* 化学制品
sloping	*adj.* 倾斜的，成斜坡的	massive	*adj.* 大量的；大规模的
layer	*n.* 层	concrete	*n.* 水泥
photovoltaic	*adj.* 光电的	carbon dioxide	二氧化碳
foam	*n.* 泡沫	initial	*adj.* 最初的，原始的
insulation	*n.* 绝缘	debt	*n.* 债
energy-efficient	*adj.* 节能的	calculate	*v.* 计算，核算
spread	*v.* 散播，散布	ordinary	*adj.* 普通的，正常的

词汇拓展

afford	v. 负担得起	landlord	n. 房主，房东
alternative	n. 选择	lifestyle	n. 生活方式
cattle	n. 牲畜	marshland	n. 沼泽
coastline	n. 海岸线	prosperous	adj. 繁荣的，兴旺的
downside	n. 劣势，坏处	quantity	n. 数量
drained	adj. 已排水的	restriction	n. 限制
economically	adv. 经济地	sanitary	adj. 卫生的
extract	v. 汲取 提炼	spoilt	adj. 被破坏的，被毁坏的
industry	n. 工业，产业	tenant	n. 佃户，房客

文本及疑难解析

1. So I'm going to start with a house which is constructed more or less under the ground. 因此我将从一栋几乎建在地下的房屋开始(演讲)。

2. And one of the interesting things about this project is that the owners—both professionals but not architects—wanted to be closely involved, so they decided to manage the project themselves. 这个项目非常有意思的是房屋的所有者都不是建筑师而是行业人士，但都非常愿意深度参与到项目中去，因此他们决定自己来管理这个项目。professional一词可理解为专业人士、行业人士，多指医生、律师、教师等。

3. Their chief aim was to create somewhere that was as environmentally-friendly as possible. 他们的主要目标是创造一个尽可能环保的地方。

4. As it was, the quarry was an ugly blot on the landscape, and it wasn't productive any longer, either. 这个采石场是当地风景的一个污点，而且不能再继续使用。

5. As I've said, it was a design for a sort of underground house, and it was built into the earth itself, with two storeys. The north, east and west sides were set in the earth, and only the sloping, south-facing side was exposed to light. 正如我所说的，这栋房屋的设计是建在地底的两层地下建筑。北、东、西三面都建于地下，只有向南的斜面能够接触到阳光。

6. Sunlight floods in through the glass wall, and to maximise it there are lots of mirrors and windows inside the house. 阳光通过玻璃墙照进房子，为了充分利用阳光，在房子里安装了许多镜子和窗户。

7. ... and it's possible that in future the house may even generate an electricity surplus. ……有可能将来这栋房子甚至还可以发额外的电。

8. And then there's the system for dealing with the waste produced in the house. 然后还有处理房子里产生的垃圾废料的系统。

9. This is dealt with organically—it's purified by being filtered through reed beds which have been planted for that purpose in the garden. 这里进行了有机处理——花园里种植的芦苇床可以将废物进行过滤，种植芦苇的目的也在于此。

10. It's true that the actual construction of the house was harmful to the environment, mainly because they had to use massive amounts of concretes—one of the biggest sources of carbon dioxide in manufacturing. 其实房屋的实际建造过程还是对环境造成了破坏——主要是因为他们必须用大量的水泥——这是工业生产中最大的二氧化碳来源。

11. However, once the initial 'debt' has been cleared—and it's been calculated that this will only take fifteen years—this underground house won't cost anything—environmentally I mean—because unlike ordinary

house, it is run in a way that is completely environmentally friendly. 然而，一旦最初的"债"还完——据统计只需要15年——这栋地下房屋不会再带来任何影响——我指的是环境方面——因为与普通房屋不同，这栋房子的运作方式是完全环保的。

题目解析

本部分出现了选择题31~32及填空题33~40，主要考查词汇理解、同义词替换以及考生的反应速度，整体难度适中。

31. 题干词owner在原文重现，方便定位。选项C professional一词出现时原文意为房屋的两位主人都是行业人士，并不是建筑师，与选项含义不符。后又马上提及environmentally-friendly，与选项B相符。本题要求必须理解原文含义。

32. 本题虽然没有出现明显的定位词，但主讲人提及the price was relatively low（价格相对便宜），与选项A内容相符。其他选项未提及。

33. 题干中小标题design帮助原文定位，south-facing side进一步细节定位，答案处仅仅将题干词two替换为double，没有混淆信息。

34. 本题可以用题干词foam进行定位，improve和increase进行了互换，答案insulation一词平时使用的较少，可能存在拼写困难的情况。

35. 本题需要注意increase与maximise的替换，原文与题干词汇相同。

36. 本题题干词in future在原文重现，定位后需要快速反应generate和produce的替换、more与surplus的替换。

37. 本题词汇不难，需要进行主动与被动间的转换。题干词wood出现前答案已经出现。考查瞬间记忆能力。

38. 本题难度相对较大。考查语言点有：主动与被动，process与deal with的替换。但题干词system在原文答案前出现帮助定位，降低难度。

39. 本题在预测时可以判断需要名词，原文在题干词construction，quantity，harmful等词出现后给出答案concrete，难度不大。但词汇可能对于部分考生来讲比较陌生，容易失分。

40. 本题在读题时较难预测需要捕捉什么成分。如果能够理解原文含义，本题不难解，但在无法理解时，会发现题干词debt在原文提及后所有涉及的信息只有fifteen years符合题干语法。

Reading Passage 1

篇章结构

体裁	说明文
主题	对语言的态度
结构	第一段：语言学研究容易引起争议
	第二段：语言学是一种公众行为
	第三段：语言学研究中规定派的研究方法
	第四段：规定派研究方法的三个目标
	第五段：描述派研究方法的崛起
	第六段：规定派与描述派之争还将继续

解题地图

难度系数： ★★★

解题顺序： YES/NO/NOT GIVEN（1~8）→ SUMMARY（9~12）→ MULTIPLE CHOICE（13）

友情提示： 这篇文章建议按照顺序做题。原本应该把判断题留到最后做，时间不够用时，还可以全选YES来争取一线希望（本题全选YES，可以答对5题）。但这篇文章容易操作的就是判断题和带选词的填空题。填空题非常容易出难题，因此建议先做判断题。定位一个，判定一个，拿一个分数。通过判断题大概了解了文章内容，对于完成填空题也有一定的帮助。最后的选择题是主旨题，由于有前面两个题目的铺垫，用排除法选出正确答案也非常可行。

必背词汇

1. systematic *adj.* 有系统的，有条理的

   The teacher made a *systematic* work of teaching. 这个教师进行了系统的教学工作。

   The way he works isn't very *systematic*. 他的工作不是很有条理。

2. deteriorate *v.* (使)恶化，(使)变坏

   There are fears that the situation might *deteriorate* into a full-scale war.

   人们担心形势可能恶化而演变成一场全面战争。

   This food will *deteriorate* rapidly on contact with air. 这种食物一接触到空气就会迅速变坏。

3. criticise *v.* 批评，挑剔，评论

   The minister *criticised* the police for failing to come up with any leads. 部长批评警方没能找到任何线索。

   He's always prompt to *criticise* other people's ideas. 他对别人的想法总是迫不及待地进行评论。

4. aptitude *n.* 才能，资质，天资

Some students have more *aptitude* for academic work than others. 有些学生比其他学生更有学术才能。

That student has an *aptitude* for mathematics. 那个学生有数学方面的天赋。

5. dispute *n.* 争端，争论

They are trying to find a way of settling the *dispute*. 他们正在设法寻找解决争端的办法。

This *dispute* led to the formation of a new breakaway group.

这次争论使一部分人另立门户，成立了一个新的团体。

6. reliance *n.* 依赖，依靠，信赖

A child has *reliance* on his or her mother. 孩子都依赖自己的母亲。

There is little *reliance* to be placed on his promises. 他的承诺不太可靠。

7. halt *n.* & *v.* 停止，中止，暂停

Sofia and Alex came to a *halt* and both tried to regain their breath.

索菲娅和亚历克斯停了下来，两人都想喘口气。

Striking workers *halted* production at the auto plant yesterday. 罢工工人于昨日停止了汽车厂的生产。

8. advocate *n.* 提倡(者)，拥护(者)

Mr. Williams is a conservative and also an *advocate* for fewer government controls on business.

威廉先生是个保守派，主张政府减少对商业的控制。

I am an *advocate* for the policy of gradual reform. 我拥护逐步改革的政策。

认知词汇

objective	*adj.* 客观的	alternative	*n.* 取舍，二中选一 *adj.* 另外的，二选一的
linguistic	*adj.* 语言的；语言学的		
invective	*n.* 痛骂，猛烈抨击	motivate	*v.* 激发，促动
polemic	*n.* 论战，争论，辩论	widespread	*adj.* 普遍的，分布广的
exempt	*adj.* 被免除的，被豁免的	maintain	*v.* 维护，维持，保护
survival	*n.* 生存	diversity	*n.* 多样化，多样性
prescriptivism	*n.* 规定主义	evaluate	*v.* 评价，评估
ought to	应当，应该，理应	custom	*n.* 习惯，惯例
encounter	*v.* 相遇，不期而遇	legislation	*n.* 立法，法律
adherent	*n.* 支持者，拥护者	tenet	*n.* 原则，信条
deviation	*n.* 背离，偏离	analysis	*n.* 分析
approach	*n.* 途径，方法	opposition	*n.* 反对，敌对，对抗
grammarian	*n.* 语法家，文法家	valid	*adj.* 有效的；正当的
threefold	*adj.* 三倍的；三重的	liberalism	*n.* 自由主义
chaos	*n.* 混乱，紊乱，一团糟	elitist	*n.* 精英，优秀人才
authoritarian	*adj.* 权力主义的，独裁主义的		

佳句赏析

1. The variety which is favoured, in this account, is usually a version of the 'standard' written language, especially as encountered in literature, or in the formal spoken language which most closely reflects this style.

- **参考译文**：这里提到的具有更高价值的语言通常指的是"标准"书面语言，尤其是在文学作品或最能体现这一特点的正式口语中。

- 语言点：
  - （1）这句话中有两个定语从句：

    which is favoured是第一个定语从句，修饰主句主语the variety。

    which most closely reflects this style是另一个定语从句，先行词是the formal spoken language。

    as encountered in literature是过去分词作状语，修饰前面的'standard' written language。像这样被多个逗号隔开的句子，在阅读过程中要多加注意，弄清楚从句与主句之间的关系。

  - （2）as引导时间状语从句

    as与when, while都是引导时间状语从句的从属连词，含义都是"当……的时候"。在下列情形时，只用as，而不用when或while。

    ① 用于表示一个人的两种动作交替进行，意为"一边……，一边……"。例如：

    The girl dances as she sings on the stage. 那个女孩在舞台上一边唱歌一边跳舞。

    He looked behind from time to time as he went forward. 他一边朝前走，一边不时地向后看。

    ② 表示两个同步进行的动作或行为，译为"随着……"。例如：

    As time went on/by, she became more and more worried. 随着时间的流逝，她变得越来越焦虑。

    As he grew older, he became more intelligent. 随着年龄的增长，他变得更有才智了。

2. Nevertheless, there is an alternative point of view that is concerned less with standards than with the facts of linguistic usage.
   - 参考译文：然而另一个不同的观点认为，应该更多地关注语言用法的事实，而不是关注语言用法的标准。
   - 语言点：

     less...than...可译为"不太……而是更……"。这里指的是"新观点不太关注语言用法的标准，而是更关注语言用法的事实"。在英文中，有很多用到than比较结构的地方，在此稍加总结：

     ① more...than...意为"与其……不如……，是……而不是……"，常可与rather than或not so much...as...互换使用。例如：

     He is more poltroon than cautious. 与其说他谨慎，不如说他是怯懦。

     ② no more than意为"只有，仅仅，不过"。例如：

     Abraham Lincoln's whole school education added up to no more than one year.

     亚伯拉罕·林肯所受的全部学校教育总共不过一年的时间。

     ③ no less than意为"不少于，不下于……之多，多达……"。例如：

     In that battle, we wiped out no less than twenty thousand enemies.

     在那一次战役中，我们消灭的敌人不下两万人。

3. In our own time, the opposition between 'descriptivists' and 'prescriptivists' has often become extreme, with both sides painting unreal pictures of the other.
   - 参考译文：在我们这个时代，"描述派"与"规定派"之间的对立经常变得很极端，双方经常互相误解。
   - 语言点：

     with是介词，意为"通过"，常引导副词短语与形容词短语。

     with在下列结构中引导副词短语：

     ① "with+宾语+现在分词或短语"。例如：

     This article deals with common social ills, with particular attention being paid to vandalism. 在这个句子中，with particular attention being paid to vandalism 就是"with +宾语+现在分词"结构，相当于一个伴随状语。

② "with+宾语+过去分词或短语"。例如：

With different techniques used, different results can be obtained.

使用不同的技术，会获得不同的结果。

③ "with+宾语+形容词或短语"。例如：

With so much water vapour present in the room, some iron-made utensils have become rusty easily. 房间里有这么多蒸汽，一些铁制器皿很容易生锈。

④ "with+宾语+介词短语"。例如：

With the school badge on his shirt, he looks all the more serious.

他的衬衫上有学校徽章，这让他看起来更加严肃。

⑤ "with+宾语+副词虚词"。例如：

You cannot leave the machine there with electric power on.

你不能把机器放在那，它的电源是开着的。

🛠️ 试题解析

Questions 1–8

- 题目类型：YES/NO/NOT GIVEN
- 题目解析：

1. There are understandable reasons why arguments occur about language.

参考译文	对于语言的争论，其原因是可以理解的。
定位词	reasons, arguments occur
解题关键词	understandable reasons
文中对应点	利用arguments=debate(争论)定位到第一段第一行： Popular linguistic debate regularly deteriorated into invective and polemic. Language belongs to everyone, so most people feel they have a right to hold an opinion about it. 语言学上的普通争论通常会升级为谩骂和论战。语言属于所有人，所以大多数人认为他们有权保留自己对语言的看法。 本题解题关键是：题干要判断对于语言的争论，原因是否可以理解。原文陈述，语言属于所有人，大多数人有权保留对语言的看法，所以人们的观点会产生分歧是可以理解的。题干与原文完全一致。
答案	YES

2. People feel more strongly about language education than about small differences in language usage.

参考译文	人们对待语言教育的态度要比对待语言用法中微小差异的态度更加强烈。
定位词	language education, language usage
解题关键词	more strongly...than...

<table>
<tr><td rowspan="2">文中对应点</td><td>根据顺序原则，定位到第一段第三行：</td></tr>
<tr><td>And when opinions differ, emotions can run high. Arguments can start as easily over minor points of usage as over major policies of linguistic education. 而当看法出现分歧时，人们可能变得情绪激动。语言用法方面的一点小事，就能像语言学教育政策中的重大问题一样很容易引起争论。

本题解题关键是：题干要判断人们对待语言教育的态度是否比对待语言用法的态度更加强烈。原文陈述，语言用法方面的一点小事都能像语言学教育政策中的大事一样引起争论，这说明对待语言用法与语言学教育政策的态度同样强烈。题干与原文所述观点不一致。</td></tr>
<tr><td>答案</td><td>NO</td></tr>
</table>

3. Our assessment of a person's intelligence is affected by the way he or she uses language.

<table>
<tr><td>参考译文</td><td>使用语言的方式会影响人们对一个人智力的评估。</td></tr>
<tr><td>定位词</td><td>intelligence, affect</td></tr>
<tr><td>解题关键词</td><td>person's intelligence...is affected...by language</td></tr>
<tr><td rowspan="2">文中对应点</td><td>第二段第二行：</td></tr>
<tr><td>No part of society or social behaviour is exempt. Linguistic factors influence how we judge personality, intelligence, social status, educational standards, job aptitude, and many other areas of identity and social survival. 所有社会组成部分或者社会行为无一例外。语言因素影响我们如何判断一个人的个性、智力、社会地位、教育程度、工作能力以及许多身份与社会生存的其他方面。

本题解题关键是：题干要判断使用语言的方式是否会影响人们对一个人智力的评估。原文陈述，语言因素影响我们如何判断一个人的个性、智力……题干与原文完全一致。</td></tr>
<tr><td>答案</td><td>YES</td></tr>
</table>

4. Prescriptive grammar books cost a lot of money to buy in the 18th century.

<table>
<tr><td>参考译文</td><td>在18世纪，规定性的语法书价格很高。</td></tr>
<tr><td>定位词</td><td>prescriptive, 18th century</td></tr>
<tr><td>解题关键词</td><td>cost a lot of money</td></tr>
<tr><td rowspan="2">文中对应点</td><td>第四段第一行：</td></tr>
<tr><td>All the main languages have been studied prescriptively, especially in the 18th century approach to the writing of grammars and dictionaries. 对所有主要语言的研究都是约定俗成的，尤其在18世纪对语法与词典的编写过程中。

用定位词定位到的这句话中没有提到书的价格高低与否。</td></tr>
<tr><td>答案</td><td>NOT GIVEN</td></tr>
</table>

5. Prescriptivism still exists today.

<table>
<tr><td>参考译文</td><td>现在规定主义仍然存在。</td></tr>
<tr><td>定位词</td><td>prescriptivism, today</td></tr>
<tr><td>解题关键词</td><td>still exists</td></tr>
</table>

文中对应点	第五段第一行： These attitudes are still with us, and they motivate a widespread concern that linguistic standards should be maintained. 这些态度现在仍然伴随着我们，并且引起人们对保留语言标准的广泛关注。 本题解题关键是：题干要判断现在规定主义是否仍然存在。原文陈述，这些态度现在仍然伴随着我们，题干与原文完全一致。
答案	YES

6. According to descriptivists it is pointless to try to stop language change.

参考译文	描述派认为，阻止语言变化毫无意义。
定位词	descriptivists, language change
解题关键词	pointless, stop
文中对应点	第五段第三行： This approach is summarized in the statement that it is the task of the grammarian to describe, not prescribe—to record the facts of linguistic diversity, and not to attempt the impossible tasks of evaluating language variation or halting language change. 该观点可以总结为：语法家的任务是描述而不是规定，是记录语言多样性的实例而不是试图完成评价语言的差异或阻止语言的改变这种不可能完成的任务。 本题解题关键是：题干要判断对于描述派来说，阻止语言变化是否毫无意义。原文陈述，语法家的任务……不是阻止语言的改变这种不可能完成的任务。题干中阻止语言变化毫无意义=语法家的任务并非阻止语言改变这种不可能完成的任务。题干与原文完全一致。
答案	YES

7. Descriptivism only appeared after the 18th century.

参考译文	描述主义只有在18世纪后才出现。
定位词	after the 18th century
解题关键词	only
文中对应点	根据顺序原则定位到第五段倒数第六行： In the second half of the 18th century, we already find advocates of this view, such as Joseph Priestley, whose *Rudiments of English Grammar* （1761）insists that 'the custom of speaking is the original and only just standard of any language'. 在18世纪后半期，我们已经发现了该观点的支持者，比如Joseph Priestley，他在1761年编写的《英语语法入门》中坚持认为，"说话的习惯是最原始的、也是所有语言的唯一标准"。 本题解题关键是：题干中出现ONLY，所以主要判断描述主义是否只有到18世纪后才出现。原文陈述，18世纪后半期，我们已经发现了该观点的支持者，那就意味着在这个时间以前，已经有了描述主义的观点。题干与原文陈述的时间有出入，不一致。ONLY至今仍然在考场上活跃，考查答案为NO/FALSE的概率依然很高。
答案	NO

8. Both descriptivists and prescriptivists have been misrepresented.

参考译文	对于规定派和描述派的描述都有失真实。
定位词	descriptivists, prescriptivists

解题关键词	both...have been misrepresented
文中对应点	第六段第一行： In our own time, the opposition between 'descriptivists' and 'prescriptivists' has often become extreme, with both sides painting unreal pictures of the other. 在我们这个时代，"描述派"与"规定派"之间的对立经常变得很极端，双方经常互相误解。 本题解题关键是：题干要判断针对这两派的描述是否有失真实。原文陈述，"描述派"与"规定派"之间的对立经常变得很极端，双方经常互相误解。题干与原文完全一致。
答案	YES

Questions 9–12

- 题目类型：SUMMARY
- 题目解析：

纵观此题，不太容易定位。尽管此题有个小标题 The language debate，但是 debate 出现在第一段第一行末尾处，由此更给此题定位增加了困难。再仔细搜寻这四个空附近的文字，可以发现有一个大写的人名 Joseph Priestley，通过这个人名，可以定位到第五段倒数第五行。那么根据填空题题目之间的顺序原则，我们可以认为 Q9 和 Q10 在定位人名之前，Q12 在定位人名之后。

做这种带选词的填空题，首先可以浏览一下词表里的单词，如果词性都相同，可以把每个单词带到空格中，依语法和逻辑关系进行筛选。如果词性不同，可以先将词表里的单词按照词性分类，再分析空格中词的词性，然后依照语法和逻辑关系筛选。比如空格中是名词，只需把词表里所有名词依次代入，进行筛选。当然如果有时间，还是分析好空格中的词性，从空格前后找定位词，定位到原文，把符合预测词性的词挑出来进行筛选。通常可以同义词替换的就是答案。

在这道题中，我们首先会看到词表里的词语词性都一样，都是名词。

A descriptivists	**B** language experts	**C** popular speech
D formal language	**E** evaluation	**F** rules
G modern linguists	**H** prescriptivists	**I** change

对于整段话最符合语意逻辑的翻译应该为：

根据规定主义者（H prescriptivists），语言只有一种正确的形式。推崇规定主义的语言学家非常强调语法规则（F rules）。相反，例如 Joseph Priestley 的描述派（A descriptivists）认为语法应该建立在通俗语言的基础上（C popular speech）。

题号	定位词	答案位置	题目解析
9	correct form of language	第三段第一行和倒数第二行	In its most general sense, prescriptivism is the view that one variety of language has an inherently higher value than others...Adherents to this variety are said to speak or write 'correctly'; deviations from it are said to be 'incorrect'. 就其最普通的意义而言，规定主义认为某种语言向来就比其他语言具有更高的价值……该语言的支持者其说话或者写作的方法被称为"正确的"方法，而任何偏差都被认为是"错误的"。 原文中陈述，规定主义认为某种语言的说话或写作方法只有一种"正确的"方法，那么持这种看法的人就是规定派、规定主义者，把 prescriptivists 带入空格中，解释为：根据规定主义者，语言只有一种正确的形式。因此选 H。

题号	定位词	答案位置	题目解析
10	approach, grammatical	第四段第六行	The authoritarian nature of the approach is best characterized by its reliance on 'rules' of grammar. 该方法对语法"规则"的依赖最能体现出其独裁的本质。 解释为：推崇规定主义的语言学家非常强调语法规则。因此选F。
11	Joseph Priestley	第五段倒数第五行	In the second half of the 18th century, we already find advocates of this view, such as Joseph Priestley... 在18世纪后半期，我们已经发现了该观点的支持者，比如Joseph Priestley。由此往前找，找到这句This approach is summarised in the statement that it is the task of the grammarian to describe, not prescribe—to record the facts of linguistic diversity, and not to attempt the impossible tasks of evaluating language variation or halting language change. 该观点可以总结为：语法家的任务是描述而不是规定，是记录语言多样性的实例而不是试图完成评价语言的差异或阻止语言的改变这样不可能完成的任务。说明Joseph Priestley是描述主义者的代表。因此选A。
12	Joseph Priestley, grammar	同上，后半句	...such as Joseph Priestley, whose *Rudiments of English Grammar* （1761）insists that 'the custom of speaking is the original and only just standard of any language'. ……比如Joseph Priestley，他在1761年编写的《英语语法入门》中坚持认为，"说话的习惯是最原始的、也是所有语言的唯一标准"。the custom of speaking = C popular speech，即认为语法应该建立在通俗语言的基础上。因此选C。

Question 13

- 题目类型：MULTIPLE CHOICE
- 题目解析：本题属于单项选择题中考查主旨的题目，一般四个选项都有可能是文章提到的内容，我们的任务是找出一个相对于其他三个选项更概括、更深刻、更客观、更切合题意的选项。

题号	题目解析
13	题目：文章作者的写作意图是什么？ **A** 争论以赞成编写词典和语法书的一种具体方式 **B** 通过历史实例展示关于语言的不同观点 **C** 描述口语和书面语的区别 **D** 展现对于语言的某种看法是饱受怀疑的 首先剔除A、C两个选项。选项A：争论的是编写词典和语法书具体的方式，原文中根本没有论述，只有第四段第二行提到了grammars and dictionaries，但不是作者的意图；选项C：描述口语和书面语的区别，这与原文也没有直接关系。不过有的学生会在第三段看到选项中的spoken language，陈述如下：The variety which is favoured, in this account, is usually a version of the 'standard' written language, especially as encountered in literature, or in the formal spoken language which most closely reflects this style. 这里提到的具有更高价值的语言通常指的是"标准"书面语言，尤其是在文学作

题号	题目解析
	品或最能体现这一特点的正式口语中。这里提到的是细节，并不是作者的意图。因此只剩下在选项B、D中推敲。选项D：展现对于语言的某种看法是饱受怀疑的，这不是通篇陈述的内容，构不成作者的写作意图。所以按排除法选出选项B：通过历史实例展示关于语言的不同观点。其实作者写作的主要目的，从最概括文章内容的标题Attitudes to language就能看出来，是关于对语言的各种看法和态度，与选项B十分吻合。故答案是B。

参考译文

—— 对语言的态度 ——

对于语言进行系统、客观的研究并不容易。语言学上的普通争论通常会升级为谩骂和论战。语言属于所有人，所以大多数人认为他们有权保留自己对语言的看法。而当看法出现分歧时，人们可能变得情绪激动。语言用法方面的一点小事，就能像语言学教育政策中的重大问题一样很容易引起争论。

另外，语言是一种非常公开的行为，所以语言的不同用法很容易引起人们的注意与批评。所有社会组成部分或者社会行为无一例外。语言因素影响我们如何判断一个人的个性、智力、社会地位、教育程度、工作能力以及许多关于身份与社会生存的其他方面。因此，当无意间发生语言攻击时，人们很容易伤害他人或受到伤害。

就其最通常的意义而言，规定主义认为某种语言向来就比其他语言具有更高的价值，并且这一点应该适用于整个语言社会。该观点是特别针对语法和词汇而提出的，但也经常涉及发音。这里提到的具有更高价值的语言通常指的是"标准"书面语言，尤其是在文学作品或最能体现这一特点的正式口语中。该语言的支持者其说话或者写作的方法被称为"正确的"方法，而任何偏差都被认为是"错误的"。

对所有主要语言的研究都是约定俗成的，尤其在18世纪对语法与词典的编写过程中。这些早期的语法学家有以下三个目标：(a)他们想把语言规则编写成文，证明看起来混乱的用法有其系统性；(b)找出一种方法来解决关于语言用法的争论；(c)指出他们所认为的普遍错误，以便"改善"语言。该方法对语法"规则"的依赖最能体现其独裁的本质。其中一些用法是"约定俗成的"，要严格学习和遵守；而另外一些用法则是"禁止"的，是要避免的。在早期，没有折中的衡量方法：语言用法非对即错，而语法家的任务不只是记录不同的语法，还要对其进行判断。

这些态度现在仍然伴随着我们，并且引起人们对保留语言标准的广泛关注。然而另一个不同的观点认为，应该更多地关注语言用法的事实，而不是语用法的标准。该观点可以总结为：语法家的任务是描述而不是规定，是记录语言多样性的实例而不是试图完成评价语言的差异或阻止语言的改变这样不可能完成的任务。在18世纪后半期，我们已经发现了该观点的支持者，比如Joseph Priestley，他在1761年编写的《英语语法入门》中坚持认为，"说话的习惯是最原始的、也是所有语言的唯一标准"。有人认为语言问题是不能用逻辑与立法来解决的，这种观点已经成为现代语言学语法分析方法的宗旨。

在我们这个时代，"描述派"与"规定派"之间的对立经常变得很极端，双方经常互相误解。描述派语法家一直被认为不注重标准，在他们看来，各种用法都同样是合理的。而规定派语法家一直被认为盲目遵循历史传统。双方的对立甚至表现在类似政治的术语上——激进自由主义与精英保守主义。

Reading Passage 2

📑 篇章结构

体裁	说明文	
主题	潮汐发电	
结构	A段：潮汐发电的优势	
	B段：潮汐发电可以解决能源问题	
	C段：英国潮汐发电实验项目	
	D段：水力涡轮机的优点	
	E段：潮汐发电的前景	
	F段：潮汐发电的弊端	

🌐 解题地图

难度系数：★★★★

解题顺序：MATCHING（14~17）→ MULTIPLE CHOICE（18~22）→ DIAGRAM COMPLETION （23~26）

友情提示：对于水平比较高的考生，建议按顺序做本文的题目。先通过做段落信息配对题把文章浏览下来，在做后面两个细节题目的时候就可以加快定位。但是，对于词汇量不大的考生，只能先做多选和图形填空这样的细节题，做完这两个题型后，再看哪段有"剧透"能对段落信息配对的解答有帮助。再不行的话，做完这两个题型后，可以看哪些段落的内容还没有考到，做段落信息配对题时就重点考虑这些段落，因为出题人一般遵循一个原则，即每段最好都要涉及考点。本文的难点在于一般都可以拿分的图形填空题，不能按照顺序做题，要求考生定位要准确、灵活。

🔤 必背词汇

1. constant *adj.* 恒定的，不变的

   Pressure in the container remains *constant*. 容器中的压力保持恒定不变。

   The average speed of the winds remained *constant*. 平均风速保持稳定。

2. prospect *n.* 前景；景象

   This state of things holds out a cheerful *prospect*. 事情呈现出可喜的态势。

   They now face the *prospect* of having to wear a cycling helmet by law.

   他们现在面临的情形是：不久将需要依法佩戴摩托车头盔。

3. emission *n.* 排放，排放量

   The *emission* of gases such as carbon dioxide should be stabilized at their present level.

   二氧化碳等气体的排放应该稳定在当前水平。

   Sulfur *emissions* from steel mills become acid rain. 炼钢厂排放出的硫形成了酸雨。

4. competitive *adj.* 有竞争力的，竞争的

   They priced coal out of the highly *competitive* market. 他们把煤价定得太高，被挤出了竞争激烈的市场。

   It's getting very *competitive* in the car industry. 汽车行业的竞争日益激烈。

5. sustainable *adj.* 可持续的

   Try to buy wood that you know has come from a *sustainable* source. 尽量购买来自可持续发展林源的木材。

   For Shell, Stakeholder Management is an essential part of doing *Sustainable* Business.

   以蚬壳石油为例，股东管理是业务持续发展的重要环节。

6. venture *n.* (尤指有风险的)商业，企业；风险项目；冒险 *v.* 冒险

   He is about to embark on a new business *venture*. 他即将开始一项新的商业风险项目。

   Nothing *venture*, nothing have. 不入虎穴，焉得虎子。

7. hostile *adj.* 不利的；敌对的，有敌意的

   Their *hostile* looks showed that he was unwelcome. 他们怀有敌意的表情说明他不受欢迎。

   The prisoner eyed him in *hostile* silence. 犯人一言不发，用充满敌意的目光打量着他。

8. subsidiary *n.* 子公司，附属公司 *adj.* 辅助的

   The company placed much money in its foreign *subsidiary*.

   那家公司对其国外的子公司投下了巨额资金。

   We offer accounting as a *subsidiary* course. 我们开设会计课，作为辅修课程。

🔤 认知词汇

tidal	*adj.* 潮汐的，潮水的		marine	*adj.* 海的，海洋的
turbine	*n.* 涡轮机		potential	*adj.* 潜在的，可能的
electricity	*n.* 电力，电流		generator	*n.* 发电机
renewable	*adj.* 可再生的，可更新的		diameter	*n.* 直径
operate	*v.* 运转		grid	*n.* 电网
principle	*n.* 原则，原理		maintenance	*n.* 维修，保养
current	*n.* 水流		seaweed	*n.* 海藻，海草
blade	*n.* 叶片，刀片		cable	*n.* 电缆
propeller	*n.* 螺旋桨		bubble	*n.* 气泡，水泡
predictable	*adj.* 可预测的，可预见的		vibration	*n.* 振动
self-sufficient	*adj.* 自给自足的		submerge	*v.* 淹没，沉没
drastically	*adv.* 大大地，彻底地		debris	*n.* 碎片，残渣
abandon	*v.* 放弃，丢弃		robust	*adj.* 坚固的，牢固的
identify	*v.* 确定，识别		extraction	*n.* 取出，抽出
commercial	*adj.* 商业的			

🌸 佳句赏析

1. The technology raises the prospect of Britain becoming self-sufficient in renewable energy and drastically reducing its carbon dioxide emissions.

   • **参考译文**：这项技术为英国可再生能源的自给自足开辟了广阔的前景，同时也大大降低了二氧化碳的排放量。

   • **语言点**：在这里becoming 和 reducing 都是动名词，作介词 of 的宾语。动名词经常可以作为介词的宾语出现。

   例句(均来自*Cambridge IELTS 7*, Test 1, Reading Passage 1)：

   You might say that this is a problem of their own making, one that they could avoid simply by changing their habits and hunting by day. 也许你会说它们天生就是这样的，只要改变生活习性在白天出来捕食就可以了。

In the time when the dinosaurs dominated the daytime economy, our mammalian ancestors probably only managed to survive at all because they found ways of scraping a living at night. 在恐龙统治地球白昼的时代,我们的哺乳动物祖先只能设法在夜间求得一线生机。

Fireflies use their light for attracting mates. 萤火虫用光线吸引配偶。

以上几句话中动名词都是作为介词的宾语出现。

2. Tidal sites have already been identified that will produce one sixth or more of the UK's power—and at prices competitive with modern gas turbines and undercutting those of the already ailing nuclear industry.

- **参考译文**:已经确定选址的潮汐发电站将为英国提供六分之一甚至更多的电力,而且其价格与现代汽轮机发电价格相比更具竞争力,同时可以使已经深陷困境的核工业的核能价格降低。
- **语言点**:这句话的结构比较有趣,that will produce one sixth or more of the UK's power是修饰tidal sites的定语从句,指的是为英国提供六分之一甚至更多电力的潮汐发电站的选址已经被确定了。破折号之后的and引导补充说明成分,at prices 和动名词undercutting是并列结构,those 指代prices,ailing是现在分词作定语修饰其后的nuclear industry。

3. The towers will stick out of the water and be lit, to warn shipping, and also be designed to be lifted out of the water for maintenance and to clean seaweed from the blades.

- **参考译文**:这些机塔将会露出水面并且被点亮,用于警示过往船只,同时也便于维护涡轮机叶片以及清除其中的海藻。
- **语言点**:在这个句子中有多处不定式结构的使用。比如:to warn shipping作为be lit的目的状语出现;be designed 后面的to be lifted out of the water for maintenance以及to clean seaweed from the blades 是并列结构,都是be designed的目的状语。

  不定式作目的状语的例子还有:

  The aim of the present study is to start to provide such information, to help teachers design their educational strategies to build upon correct ideas and to displace misconceptions and to plan programmes in environmental studies in their schools. 目前这项研究的目的就是要给教师提供这样的信息来帮助他们设计教学策略,以便帮助学生构筑正确的观点,消除他们的错误观念,并在学校中展开环保研究项目。(*Cambridge IELTS* 4, Test 1, Reading Passage 1)

  这句话中不定式很多,需要更仔细分析。首先to start, to help 以及to plan 三个不定式作为is的并列表语存在。在to start引导的句子中, to provide such information 是start的宾语。在to help 引导的句子中, to build upon correct ideas和to displace misconceptions都是design their educational strategies的目的状语。

  考场上遇到这样的句子,考生需要冷静分析,迅速翻译,弄清楚层级关系。

🏵 试题解析

Questions 14–17

- **题目类型**:MATCHING
- **题目解析**:题干中有NB:表示有一段不止包含一个信息。

  在时间紧迫的情况下,我们一般认为相对长的段落包含信息多,这篇文章中C段落最长,多次选它的几率比较大。对于语言基础好的同学,读C段的时候就要更有针对性,因为其中可能藏有双重信息。

14. the location of the first test site

参考译文	第一个测试站的位置
定位词	first test site
文中对应点	C段： The first station is expected to be installed off Lynmouth in Devon shortly to test the technology in a venture jointly funded by the department of Trade and Industry and the European Union. 第一个潮汐发电站预计很快将在德文郡的林茅斯海岸建立，用来检测贸易与工业部和欧盟的一个合资项目研发的技术。 题干中的 first test 两个词都直接对应这句话中的first...test；而题干中的 site对应原文的Lynmouth in Devon，表示测试站的地点。

15. a way of bringing the power produced on one site back into Britain

参考译文	将一个发电站发的电重新传输回英国的方式
定位词	back into Britain
文中对应点	E段： The single undersea turbine farm would produce far more power than needed for the Channel islands and most would be fed into the French Grid and be re-imported into Britain via the cable under the Channel. 仅仅这一个水下涡轮机群的发电量就远比海峡群岛所需要的电量还要多，其中大部分电量将运输到法国电网，然后通过水下电缆重新进入英国。 题干中的back into Britain对应原文中的...be re-imported into Britain via the...。

16. a reference to a previous attempt by Britain to find an alternative source of energy

参考译文	提到之前英国寻找替代能源的一次尝试
定位词	previous, alternative source of energy
文中对应点	A段： Unlike wind power which Britain originally developed and then abandoned for 20 years allowing the Dutch to make it a major industry, undersea turbines could become a big export earner to island nations such as Japan and New Zealand... 与之前开发风能有所不同——风能由英国首先开发，而后却搁置了20年，最后由荷兰将其发展成一个主要产业，这次通过向日本与新西兰这样的岛国出口水下涡轮机，英国将赚取巨额外汇。 题干中的previous对应这句话中的Unlike...originally，为了突出这次潮汐发电的前景，这句话提到了之前英国对风能进行尝试开发，但却半途而废，被荷兰发展壮大。

17. mention of the possibility of applying technology from another industry

参考译文	提及应用其他行业技术的可能性
定位词	technology, another industry
文中对应点	C段： The technology for dealing with the hostile saline environment under the sea has been developed in the North Sea oil industry and much is already known about turbine blade design... 应对海底恶劣盐渍环境的技术已经在北海油田工业中得以研发，而且……人们对涡轮机叶片的设计已经有了很多了解。 题目中的another industry对应这句话中的the North Sea oil industry。

- 题目类型：MULTIPLE CHOICE
- 题目解析：本题属于选择题中的多选题，一般都会指定选几个答案。

  考生应该先读题目要求，理解问的是什么。本题题目要求为Which Five of the following claims about tidal power are made by the writer?（下列这些关于潮汐发电的陈述，哪五个是作者在文中提到的？）

选项	题目翻译	题目解析
A	它是一种比风能更可靠的能源。	A段： Operating on the same principle as wind turbines, the power in sea turbines comes from tidal currents which turn blades similar to ships' propellers, but, unlike wind, the tides are predictable and the power input is constant. 和风力涡轮机的运行原理一样，水力涡轮机的动力来自潮流，在潮流的作用下轮机叶片像船只的螺旋桨一样工作。但是与风不同的是，潮汐是可预测的，而且其输入功率是恒定的。 题干中more reliable source of energy（更可靠的能源）对应这句话中的...are predictable and the power input is constant，表明潮汐能源具备风能所没有的两个优点：可预测的，恒定的。
B	它将替代英国其他所有形式的能源。	题干中有all，过于绝对，一般不选。
C	它的出现来源于公众的压力。	文中完全未提及。
D	它将减少空气污染。	A段： The technology raises the prospect of Britain becoming self-sufficient in renewable energy and drastically reducing its carbon dioxide emissions. 这项技术为英国可再生能源的自给自足开辟了广阔的前景，同时也大大降低了二氧化碳的排放量。 二氧化碳的排放量下降了，自然也减少了空气污染。
E	它将会导致英国关闭很多现有的发电站。	A段： If tide, wind and wave power are all developed, Britain would be able to close gas, coal and nuclear power plants and export renewable power to other parts of Europe. 如果潮汐、风力和海浪发电都能得到开发，那么英国就能关闭天然气、煤炭和核能发电站，并向欧洲其他地区出口可再生能源。 题干中的contribute to the closure of many existing power stations对应文中的...close gas, coal and nuclear power plants...。
F	它将会成为增加国家收入的一种方式。	A段： ...undersea turbines could become a big export earner to island nations such as Japan and New Zealand. 而这次通过向日本与新西兰这样的岛国出口水下涡轮机，英国将赚取巨额外汇。 题干中的national income对应原文中的earner（意为a business or activity which makes a profit）。考生要注意金钱的各种文字表达形式。

选项	题目翻译	题目解析
G	它将会受到来自其他燃料行业的强烈抵制。	文中完全未提及。
H	它和其他燃料相比价格低得多。	文中完全未提及。
I	它能够弥补内陆电厂的供电不足。	文中完全未提及。
J	在海岸线附近具有特殊地形的地方建厂发电效果最好。	C段： EU research has now identified 106 potential sites for tidal power, 80% round the coasts of Britain. The best sites are between islands or around heavily indented coasts where there are strong tidal currents. 欧盟的研究已经确定了106处潜在潮汐发电站选址，其中80%位于英国海岸线附近。发电站最好的位置是在岛屿之间或者犬牙交错的海岸线附近，这些地方拥有强大的潮流。 题干中best produced in the vicinity of coastlines对应这句话中的The best sites are between...。

故正确答案依次为A, D, E, F, J。

Questions 23−26

- 题目类型: DIAGRAM COMPLETION
- 题目解析: 此题为图形填空，属于细节题，一般按顺序做就可以。但是本题是特例，Q23, Q24前后乱序，Q25, Q26前后乱序。

  本题的解题思路同一般填空题，需要先分析空格内所填词的词性，然后通过空格前后的内容到原文中进行定位，圈出原文中符合之前预测的词性的单词，最后结合题干和原文寻找同义词，最终筛选出正确答案。

  在解题过程中，要仔细看懂图中各部分的关系。

题号	定位词	答案位置	题目解析
23	表并列关系的词and；seaweed	定位在D段倒数第二行：...and also be designed to be lifted out of the water for maintenance and to clean seaweed from the blades.	空格中的词应该和定位词seaweed构成并列关系，且最好出现在and之前，同时可预测词性为名词。此外，因为题干中的raised可同义替换成原文的lifted，故符合要求的只有maintenance，意思为：整个机塔可以露出水面，以便维护叶片以及清理其中的海藻。
24	表因果关系的词due to；sea life not in danger，blades	定位在D段第四行：...Fish and other creatures are thought unlikely to be at risk from the relatively slow-turning blades.	空格前有due to，可预测需要填表示原因的词。再进一步分析，空格前是副词，因而空格要填的是形容词。题干中sea life not in danger对应原文creatures unlikely to be at risk（海洋生物不会面临危险），原因是叶片转速相对较低，所以slow-turning为备选。同时，题干中comparatively可同义替换原文中的relatively，所以备选答案被验证，此空应该填slow-turning。

题号	定位词	答案位置	题目解析
25	表因果关系的词 result from; behind blades	定位在F段第一行：One technical difficulty is cavitation, where low pressure behind a turning blade causes air bubbles.	空格里应该填名词，表原因，并且最好是出现在定位词behind blades之前，包含定位词的这句话中可能是答案的有两个名词：cavitation, low pressure。题干中的result from对应原文中的cause，而能够形成紧密因果关系的是low pressure，之前的cavitation是这种技术难题的名称。整个题干的意思为：叶片后方由于气压低而产生气泡。这种技术难题被称做空化。所以25题答案为low pressure，26题答案为cavitation。
26	known as	定位在F段第一行：One technical difficulty is cavitation, where low pressure behind a turning blade causes air bubbles.	参考如上分析。题干known as 对应原文中...is...

参考译文

潮汐发电

在水下安装涡轮机利用潮汐发电，将成为英国获得可再生能源的一个重要途径。现在预测潮汐发电可能产生的影响还为时过早，但是种种迹象表明，未来潮汐发电将发挥重要作用。

A 和风力涡轮机的运行原理一样，水力涡轮机的动力来自潮流，在潮流的作用下轮机叶片像船只的螺旋桨一样工作。但是与风不同的是，潮汐是可预测的，而且其输入功率是恒定的。这项技术为英国可再生能源的自给自足开辟了广阔的前景，同时也大大降低了二氧化碳的排放量。如果潮汐、风力和海浪发电都能得到开发，那么英国就能关闭天然气、煤炭和核能发电站，并向欧洲其他地区出口可再生能源。与之前开发风能有所不同——风能由英国首先开发，而后却搁置了20年，最后由荷兰将其发展成一个主要产业，这次通过向日本与新西兰这样的岛国出口水下涡轮机，英国将赚取巨额外汇。

B 已经确定选址的潮汐发电站将为英国提供六分之一甚至更多的电力，而且其价格与现代汽轮机发电价格相比更具竞争力，同时可以使已经深陷困境的核工业的核能价格降低。仅仅是位于奥克尼岛和苏格兰大陆之间的彭特兰湾的一个潮汐发电站，其水下的数排涡轮机就能提供英国所需10%的电量。另一个位于海峡群岛内奥尔德尼岛的发电站，其装机容量是英国最大、最新核电站装机容量的三倍，而这一位于萨福克郡的赛兹韦尔B核电站的最大装机容量达到1,200兆瓦。其他已经确定的潮汐发电站选址包括布里斯托尔海峡和苏格兰西海岸，特别是位于坎贝尔敦与北爱尔兰之间的海峡。

C 南安普敦大学的可持续能源研究小组在新涡轮机叶片的设计和潮汐发电站的选址方面的工作进行得很顺利。第一个潮汐发电站预计很快将在德文郡的林茅斯海岸建立，用来检测贸易与工业部和欧盟的一个合资项目研发的技术。南安普敦大学可持续能源研究小组的负责人AbuBakr Bahaj表示："潮流发电的前景要比风力发电好得多，因为潮流可以预测而且恒定不变。应对海底恶劣盐渍环境的技术已经在北海油田工业中得以研发，而且得益于对风力发电及船只螺旋桨等技术的积累，人们对涡轮机叶片的设计已经有了很多了解。虽然目前有一些技术上的困难，但是我相信在未来的五到十年之间我们将建立商业性的水力发电场。"南安普敦大学在三年多里已经获得了215,000英镑用于制造涡轮机，并且正与IT能源公司的子公司海洋洋流涡轮机公司合作开展林茅斯项目。欧盟的研究已经确定了106处潜在的潮汐发电站选址，其中80%位于英国海岸线附近。最好的位置是在岛屿之间或者犬牙交错的海岸线附近，这些地方拥有强大的潮流。

D 水力涡轮机叶片只需要有风力发电机叶片三分之一的大小，就能产生风力发电机三倍的电力。由于叶片的直径大约为20米，所以需要方圆30米左右的水域进行发电。与风力发电不同的是，水力发电对环境造成的影响很小，运转相对较慢的涡轮机叶片对鱼类和其他生物不会带来危害。每一台涡轮机都会安装在机塔上，机塔通过水下电缆与国家电网连接。这些机塔将会露出水面并且被点亮，用于警示过往船只，同时也便于维护涡轮机叶片以及清理其中的海藻。

E Bahaj博士已经完成了奥尔德尼发电站的大部分工作，那里的海域有着强大的潮流。仅仅这一个水下涡轮机群的发电量就远比海峡群岛所需要的电量还要多，其中大部分电量将运输到法国电网，然后通过水下电缆重新进入英国。

F 空化是一项技术难题，涡轮机叶片转动过程中会使经过的区域气压降低，从而产生气泡，这会引起涡轮机叶片振动从而损坏叶片。Bahaj博士说："我们必须检测大量不同的涡轮机叶片以避免这个问题的发生，至少确保涡轮机不受损害或其性能不受影响。另一个让人稍有担心的问题是水下杂物会钻进涡轮机叶片中，但是目前我们还不清楚这个问题的严重性。海洋中环境恶劣，我们必须使涡轮机非常坚固，而各种事实证明我们能够做到这一点。"

Reading Passage 3

📑 **篇章结构**

体裁	议论说明文
主题	信息理论——伟大的构想
结构	A段：信息传送技术成功拯救"旅行者1号" B段：信息传送技术的鼻祖——Claude Shannon C段：Shannon信息理论建立的基础 D段：影响信息传送的两大因素 E段：Shannon信息理论的成功应用 F段：Shannon开创了更有效的信息存储技术

🌐 **解题地图**

难度系数：★★★★

解题顺序： SENTENCE COMPLETION（33~37）→ MATCHING（27~32）→ TRUE/FALSE/NOT GIVEN（38~40）

友情提示： 对于水平比较高的考生，先做27~32题的段落信息配对题也可以。但是对于对文章缺乏整体把握，阅读速度较慢，且词汇量不大的考生，建议先做更细节的题目，短时间之内拿到该拿到的分数，这是上选。

🔤 **必背词汇**

1. probe *n.* 探测器，探测仪；探针

   Its rings were discovered by telescope from Earth, but space *probes* later found that spectacular rings surround some other planets. 它的圆环是在地球上通过望远镜发现的，但是太空探测器后来又发现了围绕其他一些行星的壮丽的圆环。

A doctor used a *probe* to remove metal fragments from the wound. 医生用探针将伤口中的金属碎片取出。

2. spare *n.* 备用零件；备用品

It's difficult to get *spares* for old washing-machines. 旧洗衣机的配件已很难弄到。

I'll show you where the *spares* are kept. 我来指给你看放备用品的地方。

3. triumph *n.* 成功，胜利

She scored a resounding *triumph* over her rival. 她击败对手大获全胜。

The winning team returned home in *triumph.* 这个队获胜而归。

4. acclaim *n.&v.* 喝彩，欢呼；赞扬

Her performance won her much critical *acclaim.* 她的表演获得评论界的极大称赞。

He was welcomed with great *acclaim.* 他受到了热烈欢迎。

5. convey *v.* 传输，运送；传递，传达

Pipes *convey* hot water from the boiler to the radiators. 通过管道把热水从锅炉输送到散热器里。

It is difficult to *convey* the sheer complexity of the situation. 很难说清楚形势究竟有多复杂。

6. ultimate *adj.* 最后的，最终的；最大的，极限的

He said it was still not possible to predict the *ultimate* outcome. 他说现在还无法预料最终的结果。

Defenders of the death penalty clearly regard it as the *ultimate* deterrent.

支持死刑的人显然认为死刑是最具威慑力的刑罚。

7. ambiguous *adj.* 含糊的，不清楚的

This agreement is very *ambiguous* and open to various interpretations.

这份协议非常含糊，可以有多种解释。

It's an *ambiguous* statement. 这是一个含糊不清的说法。

8. compression *n.* 压缩；浓缩

This *compression* is not dissipated by agents. 这一浓缩作用不会被药剂消除。

A gas is cooled by expansion and heated by *compression.* 气体膨胀时冷却，压缩时变热。

认知词汇

code	*n.* 编码，代码	satellite	*n.* 卫星；人造卫星
physics	*n.* 物理学	prestigious	*adj.* 著名的，有声望的
impact	*n.* 影响	capture	*v.* 捕获，捕捉，获得
voyager	*n.* 旅行者，航行者	vague	*adj.* 模糊的，不清楚的
launch	*v.* 发射	guarantee	*v.* 保证，担保
spectacular	*adj.* 壮观的，精彩的	interfere	*v.* 干扰，干涉
soar	*v.* 高飞，飞腾	capacity	*n.* 容量，性能
exposure	*n.* 暴露	absolute	*adj.* 绝对的，完全的
freezing	*adj.* 结冰的，严寒的	devise	*v.* 想出，设计
circuit	*n.* 电路，线路	feat	*n.* 成就，功绩
target	*n.* 目标，对象	spacecraft	*n.* 宇宙飞船，航天器
highlight	*v.* 强调，突出	crumple	*v.* 弄皱，变皱
astonishing	*adj.* 惊人的	crisps	*n.* 薯片
gadget	*n.* 小装置，小器械	redundant	*adj.* 多余的，累赘的
shun	*v.* 避开，回避	cram	*v.* 塞进，填满

佳句赏析

1. While at Bell Laboratories, Shannon developed information theory, but shunned the resulting acclaim.
   - **参考译文**：在贝尔实验室时，Shannon发展了信息理论，但他并不看重因此而获得的荣誉。
   - **语言点**：
   （1）句型分析：此句是复合并列句，第一层是由while引导的时间状语从句和后面的主句，第二层是主句中的两个并列从句，由连词but连接。其中resulting是现在分词作定语，修饰后面的acclaim。
   （2）如果考生觉得这句话理解起来有困难，那么可能主要是因为两个词汇的阻碍。
   > shun *v.* 避开，回避
   >> He has always shunned publicity. 他一直都避免抛头露面。
   >> He was shunned by his former friends. 他过去的朋友都躲着他。
   > acclaim *n.* 喝彩，欢呼；赞扬
   >> He clearly enjoyed every minute of the acclaim he received.
   >> 他显然完全陶醉在他所受到的欢呼中。
   >> The film has won him national acclaim. 他的电影受到举国好评。

   （注：也可见前面"必背词汇"中关于acclaim这个单词的解析。）

   这句话正好对应一道题目（Q29），如果考生不认识这两个词，是否还有机会解出这道题目呢？其实，考生可以通过but来猜测Shannon对名利的态度。Shannon既然是信息理论的创始人，对于外界的称赞正常的反应应该是很骄傲，但but一词表示转折，就说明Shannon的反应异于常人，再想想许多像他这样的科学家对名利所持的一贯态度，就不难猜出Shannon淡泊名利这一点了。

2. Having identified this fundamental unit, Shannon set about defining otherwise vague ideas about information and how to transmit it from place to place.
   - **参考译文**：确定了这个最基本的单位后，Shannon开始阐释关于信息的其他模糊概念以及如何在不同地点之间传送信息。
   - **语言点**：
   （1）句型分析：Having identified this fundamental unit 是现在分词作时间状语，使用的是完成时态。
   （2）set about doing sth. 开始着手做某事
   （3）这句话中比较难理解的是otherwise，这里意为"在其他方面"。关于这个词的用法，总结如下：
   > otherwise
   > ① *adv.* 不同地，以另外的方式
   >> I think it will rain this afternoon, but my brother thinks otherwise.
   >> 我认为今天下午会下雨，但我的哥哥/弟弟却不这样想。
   >> The door cannot be opened otherwise than with a key. 这门不用钥匙打不开。
   >> He does not influence them any otherwise than by example.
   >> 他完全靠以身作则来影响他们。
   > ② *adv.* 除此之外，在其他方面
   >> The cement is slightly crack but otherwise in good order.
   >> 水泥除了有点裂缝外其他都完全正常。
   > ③ *adv. / conj.* 不然
   >> Go home. Otherwise, your mom will worry. 回家去吧，不然你妈妈该担心了。
   >> Put the cap back on the bottle, otherwise the fruit juice will spill.
   >> 把瓶盖儿盖好，不然果汁就洒出来了。

④ *adj.* 不同的，意料之外的

The facts are otherwise. 事实则不然。

3. As recently as 1993, engineers made a major breakthrough by discovering so-called turbo codes—which come very close to Shannon's ultimate limit for the maximum rate that data can be transmitted reliably, and now play a key role in the mobile videophone revolution.

- 参考译文：就在最近的1993年，工程师们取得了一项重大突破，发现了所谓的Turbo码，这与Shannon提出的信息可以安全传送的最大速度极限非常接近。现在，Turbo码在移动可视电话变革中起着关键的作用。

- 语言点：

（1）句型分析：此句中engineers 是主语，谓语动词是made, 宾语是breakthrough。by 引导方式状语；which引导定语从句，这个从句的主语就是方式状语中的先行词turbo codes，有两个并列从句，由and连接；在and前面的从句中还有另一个that引导的定语从句，先行词是the maximum rate。

（2）介词by后面通常都会跟动词的ing形式来构成方式状语。比如：

The supposed 'pupil' was in reality an actor hired by Milgram to simulate receiving the shocks by emitting a spectrum of groans, screams and writhings together with an assortment of statements and expletives denouncing both the experiment and the experimenter. 试验中的学生实际上是Milgram雇来的演员，他发出各种呻吟声、叫喊声并痛苦地扭动身体，甚至用污言秽语谩骂试验工作者和试验本身。（*Cambridge IELTS 5*, Test 1, Reading Passage 2）

One's first inclination might be to argue that there must be some sort of built-in animal aggression instinct that was activated by the experiment, and that Milgram's teacher-subjects were just following a genetic need to discharge this pent-up primal urge onto the pupil by administering the electrical shock. 人们首先可能会认为，一定是试验激发了人内在的某种侵略性动物本能。Milgram试验中那些扮演教师的试验对象正是本能地靠施加电击来向学生发泄他们这种受到压抑的原始冲动。（*Cambridge IELTS 5*, Test 1, Reading Passage 2）

 试题解析

Questions 27–32

- 题目类型：MATCHING
- 题目解析：

27. an explanation of the factors affecting the transmission of information

参考译文	解释影响信息传送的因素
定位词	factors, affecting, transmission of information
文中对应点	D段：Information theory generalizes this idea via theorems that capture the effects of noise with mathematical precision. In particular, Shannon showed that noise sets a limit on the rate at which information can pass along communication channels while remaining error-free. This rate depends on the relative strengths of the signal and noise travelling down the communication channel, and on its capacity(its 'bandwidth'). 通过用精确的数学计算得出噪声影响的定理，信息理论概括出了上述这个观点。Shannon特别指出，噪声决定了信息通过信道无误差传送的极限速度。这个速度取决于信号与噪声在信道中传送时的相对强

度以及信道传送数据的能力（即带宽）。

题干中的affecting对应原文的depends on，题干中的factors对应原文的noise和communication channel。这道题目相对较难，不太容易理解。从表面上看这个题目要求，似乎文章每段都可能包含一个信息。但其实可以使用排除法，很快地排除其他段落后，在D段中查找起来就更有针对性。

28. an example of how unnecessary information can be omitted

参考译文	描述不必要的信息可以被如何省略
定位词	unnecessary information, omitted
文中对应点	F段： Shannon also laid the foundations of more efficient ways of storing information , by stripping out superfluous （'redundant'）bits from data which contributed little real information. As mobile phone text messages like 'I CN C U' show, it is often possible to leave out a lot of data without losing much meaning. 通过去除含有较少真实信息的多余数据，Shannon也为开发更有效率地存储信息的方式奠定了基础。正如手机短信"I CN C U"（I can see you的缩写）一样，往往在省略很多数据之后，意思基本保持不变。 题干中的unnecessary和omitted分别对应原文中的superfluous （'redundant'）和stripping out, leave out。

29. a reference to Shannon's attitude to fame

参考译文	描述Shannon对于名声的态度
定位词	Shannon's attitude
文中对应点	B段： While at Bell Laboratories, Shannon developed information theory, but shunned the resulting acclaim. 在贝尔实验室时，Shannon发展了信息理论，但他并不看重因此而获得的荣誉。 原文中的这处细节，对应了问题中Shannon对于名声的态度。

30. details of a machine capable of interpreting incomplete information

参考译文	描述机器能够解读不完整信息的细节
定位词	machine, capable, incomplete information
文中对应点	E段： Other codes have become part of everyday life—such as the Universal Product Code, or bar code, which uses a simple error-detecting system that ensures supermarket check-out lasers can read the price even on, say, a crumpled bag of crisps. 其他一些编码已经成为了我们日常生活的一部分，比如通用商品代码或称条形码。这些编码都使用了一个简单的纠错系统，确保超市的扫码器能够读出甚至是在一个弄皱了的薯条袋上的价格。 题目中的machine对应原文中supermarket check-out lasers，题目中的incomplete information对应原文中the price on a crumpled bag of crisps，薯条包装袋被弄皱了，上面的条形码显示就不会太清晰，因此此处理解为不完整信息。

31. a detailed account of an incident involving information theory

参考译文	叙述关于信息理论传送的一个细节事件
定位词	incident, information theory
文中对应点	A段： In April 2002 an event took place which demonstrated one of the many applications of information theory. ...Yet, incredibly, the little probe managed to hear the faint call from its home planet and successfully made the switchover. 2002年4月发生的一件事展现了信息理论的一大应用。……然而令人难以置信的是，这颗小小的探测器成功接收到了来自故乡星球微弱的召唤，并顺利地更换了零件。 题目中incident的英文解释为"an event, especially one that is unusual or important"，对应原文中的event；而题干中的information theory对应原文中的information theory。事实上，A段整个段落都是对这个细节事件的描述。

32. a reference to what Shannon initially intended to achieve in his research

参考译文	描述Shannon最初做实验的目的
定位词	initially intended to, achieve
文中对应点	C段： This all seems light years away from the down-to-earth uses Shannon originally had for his work, which began when he was a 22-year-old graduate engineering student at the prestigious Massachusetts Institute of Technology in 1939. He set out with an apparently simple aim: to pin down the precise meaning of the concept of 'information'. 1939年，22岁的Shannon是著名的麻省理工学院工程系的研究生，那时候通信科学的实际应用似乎遥不可及，与当时他在研究工作中实际使用的技术相差很远。他从一个再简单不过的目标开始着手——确定"信息"的准确概念。 题目中的initially intended to对应原文set out with an apparently simple aim。

Questions 33–37

- 题目类型：SENTENCE COMPLETION
- 题目解析：此题为句子填空题，属于细节题，按顺序做即可。

  本题的解题思路同一般填空题，需要先分析空格内所填词的词性，然后通过空格前后的内容到原文中进行定位，圈出原文中符合之前预测的词性的单词，最后结合题干和原文寻找同义词，最终筛选出正确答案。

题号	定位词	文中对应点	题目解析
33	表并列关系的词both... and; probe transmitted pictures	定位在A段第二行： ...The space probe, Voyager I, launched in 1977, had sent back spectacular images of Jupiter and Saturn...	两个空格之间有表示并列关系的连接词both... and...，可预测要填的两个词为并列关系的名词。通过定位词pictures找到原文中包含images的那句话，pictures和images为同义转述。很明显images后面的一组并列关系的名词Jupiter和Saturn就是正确答案。

题号	定位词	文中对应点	题目解析
34	then left the	定位在A段第三行： ...and then soared out of the Solar System on a one-way mission to the stars.	空格前为定冠词the，因此预测出空格处应该填名词，并且此词最好在和定位词then left the意思相近的表达后面。因此，我们可以很轻松地定位到原文中and then soared out of...，left和soared out of是同义转述，后面的Solar System即为正确答案。
35	表并列关系的词both...and； 前一句题干中的freezing temperatures； 本句中的scientists	定位在A段第四行： After 25 years of exposure to the freezing temperatures of deep space, the probe was beginning to show its age. Sensors and circuits were on the brink of failing and NASA experts realized that they had to do something or lose contact with their probe forever.	两个空格之间有表示并列关系的连接词both...and...，可以预测要填的两个词为并列关系的名词。通过定位词freezing temperatures定位到原文中的原词。按照顺序原则继续往下找，定位词scientists对应原文中的NASA experts。仔细读包含这两个定位词的两句话，很明显存在一组并列关系的名词sensors and circuits。然后进一步推敲答案的确定性。题干中的stop working对应原文中的on the brink of failing，从而可以最终确定sensors和circuits为正确答案。
36	probe, replace, distance, difficult	定位到A段第七行： The solution was to get a message to Voyager I to instruct it to use spares to change the failing parts. With the probe 12 billion kilometers from Earth, this was not an easy task.	空格前为介词with，可预测空格里应该填名词，并且此词最好在distance之前。题干中的distance定位到原文中 12 billion kilometers from Earth，题干中的difficult定位到this was not an easy task，因此需要从前一个句子中找答案。题干中replace对应原文中change，题干中的 replace them with对应原文中的use spares to change the failing parts，显然spares为正确答案。
37	transmit, message, speed of light	定位到A段倒数第五行： By means of a radio dish belonging to NASA'S Deep Space Network, the message was sent out into the depths of space. Even travelling at the speed of light...	空格前为冠词a，可以预测空格处应该填辅音开头的名词。用定位词speed of light定位到原文中，transmit与原文中的send out属于同义转换。message是如何以光速传送出去的呢？题干中的...was used to对应于原文中的by means of...，因此radio dish为正确答案。

参考译文：

旅行者1号太空探测器

- 太空探测器发回了土星和木星的壮观照片，然后飞出了太阳系。
- 事实证明，寒冷的温度对太空探测器的零部件有负面影响。
- 科学家们担心传感器和电路都将停止工作。
- 唯一的希望是指挥探测器更换零件——但是遥远的距离使信息传送变得困难。
- 无线电天线用于以光速传送这个信息。
- 探测器接收到了信息并更换了零件。

- 题目类型：TRUE/FALSE/NOT GIVEN
- 题目解析：考试中如果出现三道判断题，大多数情况下正确答案是每个答案均选一次。
  这样只要确定好一个，其他题目选对的概率也就随之升高。但此题是特例。

38. The concept of describing something as true or false was the starting point for Shannon in his attempts to send messages over distances.

参考译文	用正确和错误来描述事物的概念是Shannon尝试远距离传送信息的起点。
定位词	true or false
解题关键词	was the starting point, over distances
文中对应点	C段第五行： The most basic form of information, Shannon argued, is whether something is true or false—which can be captured in the binary unit, or 'bit', of the form 1 or 0. Shannon 认为最基本的信息形式是判断事物正确与否，这可以用二进制单位"比特"以1或者0的形式记录。 本题解题关键是Shannon研究远距离传送信息的起点。原文陈述，Shannon认为最基本的信息形式是判断事物正确与否。starting point = basic form，题干与原文完全一致。
答案	TRUE

39. The amount of information that can be sent in a given time period is determined with reference to the signal strength and noise level.

参考译文	在既定时间内，信息的传送量取决于信号的强度和噪音的水平。
定位词	signal strength, noise level
解题关键词	is determined with
文中对应点	D段第五行： This rate depends on the relative strengths of the signal and noise travelling down the communication channel, and on its capacity (its 'bandwidth'). 这个速度取决于信号与噪声在信道中传送时的相对强度以及信道传送数据的能力（即带宽）。 本题解题关键是通过signal和noise定位到原文中，判断是否信息的传送量取决于信号的强度和噪音的水平。题干中判断的关键点is determined with，与原文depends on表述一致。
答案	TRUE

40. Products have now been developed which can convey more information than Shannon had anticipated as possible.

参考译文	现在研发出的产品所能传送的信息量已经超过了Shannon的预期。
定位词	now, Shannon, convey information
解题关键词	more...than Shannon had anticipated

文中对应点	E段倒数第四行： As recently as 1993, engineers made a major breakthrough by discovering so-called turbo codes—which come very close to Shannon's ultimate limit for the maximum rate that data can be transmitted rapidly, and now play a key role in the mobile videophone revolution. 就在最近的1993年，工程师们取得了一项重大突破，发现了所谓的Turbo码，这与Shannon提出的信息可以安全传送的最大速度极限非常接近。现在，Turbo码在移动可视电话变革中起着关键的作用。 本题解题关键是将题干中的now对应到原文的 as recently as 1993以及后面的now，题干中要判断的关键点是more...than Shannon had anticipated...（超过Shannon预期），与原文中的...which come very close to Shannon's ultimate limit （与Shannon提出的最大限度非常接近）。题干与原文所述事实不符合。
答案	FALSE

参考译文

——— 信息理论——伟大的构想 ———

从根本上说，信息理论是一切事物的中心——从DVD播放器、DNA遗传密码，到宇宙物理学。一直以来信息理论对通信科学的发展都极为重要，它使数据可以电子化传送，因而也对我们的生活产生了重大影响。

A 2002年4月发生的一件事展现了信息理论的一大应用。1977年发射的太空探测器"旅行者1号"发回了木星和土星的壮观照片，然后飞出太阳系开始它的单程旅行，飞往其他恒星执行任务。25年来，"旅行者1号"始终暴露在寒冷的深空中，它的性能开始逐渐衰退，传感器和电路已经接近崩溃的边缘。美国宇航局专家意识到他们必须采取措施，否则就会永远和"旅行者1号"失去联系。为了解决这一问题，他们的方案是给"旅行者1号"发去信息，指导它用备件更换已经出现故障的部件。考虑到"旅行者1号"距离地球120亿公里之远，这并不是一项简单的任务。信息最终通过美国宇航局深空网的无线电天线传送到了太空深处。该信息虽然以光速传播，却还是花了11个小时才到达远在冥王星轨道之外的目标。然而令人难以置信的是，这颗小小的探测器成功接收到了来自故乡星球微弱的召唤，并顺利地更换了零件。

B 这是有史以来最远距离的修理工作，也是美国宇航局工程师的一大成功。但是，这也突出显示了(信息)技术的惊人力量，这些技术由一年前(注：2001年)刚刚离世的美国通信工程师Claude Shannon研发。Claude Shannon于1916年出生于密歇根州的佩托斯基。他少年时便展示出了在数学与制作小器械方面的天赋，而且在学生时期就在计算机的基础技术上取得了多项突破。在贝尔实验室时，Shannon发展了信息理论，但他并不看重因此而获得的荣誉。20世纪40年代，他一手创立了完整的通信科学理论，随后该理论得到了广泛应用，从DVD到卫星通信，再到条形码——总之，需要快速而又准确传送数据的所有领域都应用到了通信科学。

C 1939年，22岁的Shannon是著名的麻省理工学院工程系的研究生，那时候通信科学的实际应用似乎遥不可及，与当时他在研究工作中实际使用的技术相差很大。他从一个再简单不过的目标开始着手——确定"信息"的准确概念。Shannon认为最基本的信息形式是判断事物正确与否，这可以用二进制单位"比特"以1或者0的形式记录。确定了这个最基本的单位后，Shannon开始阐释关于信息的其他模糊概念以及如何在不同地点之间传送信息；在这一过程中，他得到了惊人的发现——信息总是能够克服"噪声"的随机干扰而被完整传送。

D "噪声"通常是指干扰真正信息的无用声音——通过用精确的数学计算得出噪声影响的定理，信息理论概括出了上述这个观点。Shannon特别指出，噪声决定了信息通过信道无误差传送的极限速度。这个速度取决于信号与噪声在信道中传送时的相对强度以及信道传送数据的能力（即带宽）。该速度单位为比特/秒，是在给定的信号强度和噪声水平下，信息无误差传送的最大绝对速度。Shannon指出，提高这一速度的有效方法是在所使用的通信系统的传送能力（即带宽）范围内，找到将信息打包（即编码）的方式来应对噪声的破坏。

E 多年以来科学家们已经设计出了许多编码方式，也证实了这些方式对许多技术成就而言是至关重要的。旅行者号航天器利用编码传送数据，这些编码在每比特信息上都额外增加了一比特信息，使错误率仅为万分之一，因而得到了行星的极其清晰的图片。其他一些编码已经成为了我们日常生活的一部分，比如通用商品代码或称条形码。这些编码都使用了一个简单的纠错系统，确保超市的扫码器能够读出甚至是在一个弄皱了的薯条袋上的价格。就在最近的1993年，工程师们取得了一项重大突破，发现了所谓的Turbo码，这与Shannon提出的信息可以安全传送的最大速度极限非常接近。现在，Turbo码在移动可视电话变革中起着关键的作用。

F 通过去除含有较少真实信息的多余数据，Shannon也为开发更有效率地存储信息的方式奠定了基础。正如手机短信"I CN C U"（I can see you的缩写）一样，往往在省略很多数据之后，意思基本保持不变。然而，由于存在信息纠错，省略也有一个极限，一旦超越这个极限信息就会变得含糊不清。Shannon说明了如何计算这一极限，为设计信息压缩方法从而将最大的信息量塞进最小的空间开辟了道路。

Notes

Writing

Task 1

题目要求

（见"剑9"P76）

审题

题目翻译：下面的图表给出了也门和意大利在2000年时的人口年龄情况以及这两个国家到2050年时的预计人口年龄情况的相关信息。

本题包含四个饼状图。每个图都由三类年龄群体构成，分别为：0至14岁、15至59岁、60岁以上。

写作思路

本题与"剑7" Test 4的写作类似，都是由四个饼状图构成。需要注意的是，同一个国家的不同年份体现的是变化，而不同国家的同一个年份之间则是比较。一般情况下，此类包含变化和比较的饼状图，有两种写法。

第一种写法是在主体段落中体现出变化，结尾再进行比较。也就是说，文章可以分为四段。第一段交代核心信息，对题目的说明性文字进行改写。第二段描述也门2000年至2050年的各类年龄群体的人口比例变化。第三段描述意大利2000年至2050年各类年龄群体的人口比例变化。第四段可以将也门和意大利进行对比，说明两国之间的差异。

第二种写法，也是考生在本篇作文中采用的写法，即在文章的主体段落进行比较。也就是说，第一段交代核心信息。第二段比较也门和意大利在2000年的各类年龄群体的人口比例。第三段比较两个国家预计到2050年时各类年龄群体的人口比例。第四段总结描述两个国家之间最显著的区别。

考生作文

（见"剑9"P166）

参考译文

这几幅图显示了也门和意大利居民在2000年以及预计到2050年时的年龄统计信息。

我们可以看到在2000年，也门大多数人的年龄在0至14岁之间，占人口总数的50.1%，而此时意大利绝大多数人口年龄在15至59岁之间（占人口总数的61.6%）。另一方面，在2000年，也门只有3.9%的人年龄在60岁或以上，而在意大利这个年龄段的人口比例为24.1%。

2050年的预测显示，在也门，年龄在15岁以上的人口数量会增加：15至59岁的人口比例达到57.3%，60岁以上的人口比例达到5.7%。与此相反，在意大利，15至59岁的人口会减少到46.2%，而60岁以上人口会增长到42.3%。

总之，可以看到，在这两个国家60岁以上人口的比例都在上升。

☕考官点评

（见"剑9"P166）

参考译文

　　本文回应了题目要求，虽然在每个图表中都有一个要素是暗示而非明确陈述的，但仍对细节进行了全面描述，向读者提供了准确的信息。文章对两个国家的情况进行了清晰的对比。虽然只专注于对一个年龄群体的描述略有欠缺，但文章中包含对主题的概述。信息组织合理，并使用了一些衔接手段，例如whereas和the latter country。虽然对个别不太常用的词汇使用不当，但词汇量能满足任务需要而且基本正确。单词偶有拼写错误，例如statistic（应为statistical）和estimative（应为estimate），但并不影响对文章的理解。简单句和复杂句的语法错误不多，但句子结构的多样性比较有限。

⚙分析

　　本文得分6分。

　　接下来我们从雅思图表作文的四个评分方面（任务的完成情况、连贯与衔接、词汇、语法）进行详细分析。

任务完成情况

　　任务的完成情况主要看图表中的核心信息有没有清晰有效地呈现。7分要求文章能够涵盖（cover）题目要求，清晰呈现并说明核心信息。这篇文章内容方面只是回应（address）任务，符合6分要求，与7分的差距在于文中对信息的描述不够全面和完整。

　　具体说来，本文的第二段比较了2000年也门和意大利的各年龄群体的比例。但是，在描述也门的时候，只提到0至14岁和60岁以上群体，没有明确指出15至59岁群体的情况。同样，在描述意大利的时候，只提到15至59岁和60岁以上群体，没有明确指出0至14岁群体的情况。

　　本文第三段比较了2050年两个国家各个年龄群体人口比例的预计情况，但只描述了15至59岁和60岁以上群体，而没有提及0至14岁的群体。

　　值得考生注意的是，如果要在内容方面达到7分，图表中的核心信息必须都得到明确（clear）的陈述，这样才算是涵盖（cover），而不能仅仅是暗示（imply）。

　　另外，对overview（概述）的写作也是内容方面的关键之一。5分作文往往缺少clear overview，6分作文有overview，而7分作文则是有clear overview。所谓overview指的是对图表的主要趋势的概括性描述和总结，往往出现在文章的开头或结尾。本文的overview是文章的结尾段，指出也门和意大利的60岁以上人群的比例都在增加。这个论断是正确的，但是不全面，所以是有overview，但不够clear。如果要更加全面，必须指出其他两类年龄群体的变化状况。

连贯与衔接

　　本文使用了一些衔接手段，例如：

　　表示对比关系：whereas, on the other hand, while, in contrast

　　表示指代关系：the former country, the latter country, this figure

　　表示总结：overall

用词

　　本文的用词基本正确，只是在词形和较不常用词语的使用方面存在一些问题，但并没有影响对文章的理解。这些错误属于6分范围的错误，如果错误影响到对于文章内容的理解，则往往会得5分。

该考生没有完全照抄题目原词，而是进行了一定程度的改写。例如：在第一段中，charts改为diagrams，give改为show，populations改为habitants。但在改写过程中也犯了一些错误，尤其是词形方面的错误：statistic（statistic是名词，此处应该用形容词statistical）和estimative（estimative是形容词，这里应为名词estimate）。

第二段第一句的whith应为with。

第三段第一句的the number应为the percentage。

语法

本文使用了简单句和复杂句，尤其是使用了一些表示对比结构的复杂句。语法上有一些错误，但并不影响理解。例如：

主谓一致错误：

第二段中，the majority of people in Yemen和most of the population后面跟的动词应为复数were，而不是was。

时态错误：

第二段中，this figure is represented...，应改为this figure was represented...。

本文在语法范围和准确性方面与7分的差距主要在于句子结构的多样性有限，也就是句子结构不够多样化。试举一例：文章第二段每句话的主语都是the people和the population，谓语动词都是be动词。这样的句子结构明显比较单一，其实完全可以用国家（Yemen，Italy）和年龄段（the age group of...）作主语。

Task 2

📓 题目要求

（见"剑9"P77）

🖋 审题

题目翻译：一些人认为提高公众健康水平的最佳方法是增加体育设施的数量。而另一些人认为这对公众健康的影响不大，需要采取其他措施。讨论双方观点并给出你自己的看法。

本题在题材上属于社会类话题，题型为讨论类。本题曾经是2009年2月28日雅思考题。

💡 写作思路

讨论类（Discuss）题型的基本写作思路是先判断题目中包含的两种观点是针锋相对的（conflicting）还是有可能互补的（complementary）。如果是针锋相对的，那么需要分析两种观点中哪种观点理由更充分，写作的时候在主体段落里先写不支持的反方的观点及理由，然后写支持的正方的观点及理由，结尾段体现倾向性，同意正方。如果是有可能互补的，那么在文章主体段落分别分析两种观点各自的道理，在结尾段综合两种观点，走向折中。这两种写法的典型范文大家可以分别参见《剑桥雅思考试全真试题集6精讲》中的Test 2和《剑桥雅思真题精讲8》中的Test 1。

☕ 考官范文

（见"剑9"P167）

参考译文

　　当代社会的问题之一是大众健康水平的下降，而人们对于如何处理这一令人担心的趋势各持己见。一种可能的解决方法是提供更多的体育设施以鼓励更积极的生活方式。

　　主张这一观点的人们认为今天久坐不动的生活方式和压力重重的工作状况意味着体育活动不再是我们工作或休闲的一部分。如果当地有方便到达的体育中心，我们会更有可能让锻炼成为生活的常规部分，而不是仅仅每天晚上瘫坐在屏幕前。提供的运动种类应该满足所有年龄层、不同健康水平和兴趣的人们的需要：那些对学校体育课有着痛苦记忆的人们在游泳池里会比在足球场上快乐。

　　但是，也许有更好的方法可以解决这个问题。不是每个人都对体育感兴趣，额外的设施可能只会吸引原来就身体健康的，而不是那些最需要锻炼的人们。可以用相对便宜的方式鼓励体育活动，例如在公园安装健身器材，就像我们本地市政委员会所做的那样。这样做的附带好处是父母和子女经常会为了好玩而一起使用这些器材，这可以让孩子从小就培养对锻炼的积极态度。

　　除了体育活动以外，可以对高脂肪食品、烟草和酒类征收高税收罚款，因为过度消费这些东西有碍健康。改善公共交通甚至也会有帮助：步行去公交车站要比去开车走更多的路。

　　在我看来，着重体育设施这一做法太狭隘，可能不会达到预期的效果。应该鼓励人们不仅锻炼身体，而且要拥有更健康的生活方式。

分析

开头段分析

　　开头段的作用首先是引出话题(topic)，有可能的话可以同时提出观点，该观点可以是作者最终支持的观点，也可以是通过分析和论证要加以反驳的观点。本题的topic是改善公众健康的最佳方法。本文开头指出当今社会面临公众健康堪忧的现状，同时提出有一种观点是可以依靠增加体育设施的方法来解决这一问题。这一观点即题目中的甲方（some people）观点。题目中的甲方观点为：the best way to improve public health is by increasing the number of sports facilities，而文章开头段中的表述为One possible solution is to provide more sports facilities to encourage a more active lifestyle。题目中的increase the number of 改写成了provide more。

主体段分析

　　第二段分析甲方的观点和理由。之所以要通过增加体育设施的数量来改善公众健康，是因为人们现在很少进行锻炼，如果有便利的体育设施，人们会更经常进行锻炼。作者同时提出如何配置体育设施，那就是要满足各种人群的不同需求，以保障大家乐于锻炼。本段运用了原因分析、正反对比、举例说明等论证方法。

　　第三段反驳甲方观点，提出增加体育设施并不是改善公众健康的最佳方式。原因在于增加额外的体育设施不仅耗费金钱，而且无法吸引原本不喜欢锻炼的人增加锻炼的时间。作者提出了更好的方法，比如在公园等公共场所安装健身器材，这样不仅节省资金，而且可以让父母和子女一起锻炼，从小培养孩子积极参加锻炼的态度。

　　第四段指出除了安装锻炼设备之外，还可以采取法律措施和改善公共交通等手段。法律措施是通过对非健康食品和烟酒征收惩罚性税收来降低人们对此类产品的消费从而消除健康隐患。而改进公共交通可以促使人们减少自驾从而采用步行这一有利健康的方式。

结尾段分析

　　第五段即结尾段，作者明确反对题目中甲方的观点，而同意乙方的观点。那就是增加体育设施并不是最优手段，而应该采取一系列措施来培养人们健康的生活方式。

连贯与衔接

连贯与衔接可以通过段落之间的逻辑性和段落内部的连贯性达成。

段落之间的逻辑性主要通过分段和段首逻辑词实现。这篇文章的结构非常清晰。第二段分析甲方观点，第三和第四段分析乙方观点，第五段提出同意乙方观点。分析甲方观点的第二段开头用了Advocates of this believe that...；分析乙方观点的第三段开头用了However, there may be better ways of tackling this problem...；第四段开头用了As well as physical activity...；结尾段开头用了In my opinion...。

段落内部的连贯性主要靠衔接词和指代词。这篇文章用到的连接词有and, if, rather than, however, for example, as, as well as, even, not only...but also...等，指代词有this, its, their, these等。

指代关系的使用：

第一段：第一句中的代词this worrying trend指代the declining level of health in the general population。

第二段：第三句中的代词those指代第二句中的all ages。

第三段：第一句中的this problem指代第一段中的the declining level of health in the general population；第四句中的代词this指代第三句整句话。

第四段：第一句的these指代high-fat food products, tobacco and alcohol。

难词

declining	adj. 下降的，衰退的	install	v. 安装
conflicting	adj. 冲突的，抵触的	local council	市政委员会
tackle	v. 处理，对付	penalty	n. 惩罚
advocate	n. 拥护者，提倡者	impose	v. 施加
sedentary	adj. 久坐的，固定不动的	tobacco	n. 烟草
collapse	v. 倒塌，崩溃	alcohol	n. 酒精
cater	v. 迎合，满足	excessive	adj. 过度的，过分的
fitness	n. 健康，适合	consumption	n. 消费
pitch	n. 球场		

复杂句的使用

宾语从句：第二段第一句

定语从句：第二段第三句（that引导）；第三段第二句（who引导），第三句（as引导），第四句（which引导）

同位语从句：第三段第四句（that引导）

条件状语从句：第二段第二句（if引导）

原因状语从句：第四段第一句（as引导）

Speaking

Part 1

在第一部分，考官会介绍自己并确认考生身份，然后打开录音机/笔，报出考试名称、时间、地点等考试信息。考官接下来会围绕考生的学习、工作、住宿或其他相关话题展开提问。

 话题举例

Telephoning

1. **How often do you make telephone calls?** [**Why/Why not?**]

   I make phone calls a lot every day. If I go to a foreign country, it's more expensive to make a call—but I believe actually inside Europe these *roaming charges* are going to actually come down. When I go to other countries, I usually buy a local SIM card and put it in an old phone and then I just use it as a *pay-as-you-go phone*.

roaming charges 漫游费	pay-as-you-go phone 现收现付电话

2. **Who do you spend most time talking to on the telephone?** [**Why?**]

   My friends. I like chatting with them every day because I am a *cell phone addict*. *My phone is on a contract*. My tariff is one where I pay £20 and I get 250 texts and I think 125 minutes to any phone.

cell phone addict 手机成瘾者	My phone is on a contract. 我的手机是签约机

3. **When do you think you'll next make a telephone call?** [**Why?**]

   I don't know. Actually, I've *been diagnosed with phone-phobia*. It's a psychological condition which makes me have extreme fear of using the telephone. I'm afraid even to listen to *voice-mail messages*. Whenever I pick up the phone, I *break out in cold sweat*. I actually get *clammy*.

be diagnosed with 被诊断为	phone-phobia 手机恐惧症
voice-mail message 语音留言	break out in cold sweat 冒冷汗
clammy 湿冷的	

4. **Do you sometimes prefer to send a text message instead of telephoning?** [**Why/Why not?**]

   I prefer texting message. My *texting thumb* is fantastically quick because I understand the *predictive text function* so I don't put in each letter.

texting thumb 短信拇指	predictive text function 短信提醒功能

Part 2

考官给考生一张话题卡(Cue Card)。考生有1分钟准备时间,并可以做笔记(考官会给考生笔和纸)。之后考生要作1~2分钟的陈述。考生讲完后,考官会就考生的阐述内容提一两个相关问题,由考生作简要回答。

CUE CARD

Describe a journey [e.g. by car, plane, boat] that you remember well.

You should say:

> where you went
>
> how you travelled
>
> why you went on the journey

and explain why you remember this journey well.

➡ 话题卡说明

话题卡Describe a journey是事件题中较为重要的一个,考官主要考查考生是否能描述各种事件经历的能力。类似的话题卡还有Describe a long trip,Describe a happy event等。考生在描述这个话题卡时需要涉及出游的方方面面,同时重点突出这次出游为何至今令你记忆深刻。

旅游地点	After finishing a 4 year degree in Civil Engineering, I decided to **have a break** from looking at buildings, roads and bridges and then **headed to** South Korea. I was **having a fab time** there.
出游方式	Travelling by train I kept myself **occupied** by looking out of the window at the landscapes as they **flashed by**. I went with a good friend and we spent a lot of time together. We had memorable conversations on the long train journeys about live, society, religion... all very deep stuff.
出游目的	When I was a little girl, I heard that South Korea, even if it is a small country, has its unique culture, where traditions and innovations, old and new, **coexist**. I wanted to **feast my eyes** and experience this culture at the same time.
至深印象	I'll never forget this trip because it was the first time I was travelling without a home base. Most of the cities in Korea are perfectly safe, as it is well **populated** and every major venue, shopping area, tourist destination is **safe well lit**, properly **patrolled**. Even I go out at night as a single woman, I'm not scared. Chejudao has many wonderful walking areas and lots of hiking areas and beaches to explore by foot. The food overall was very good and close to what a lot of **high end** Korean places serve in China. Since it was a vacation, it was pretty easy to **slip into** the relaxed Korean lifestyle. The trip was wonderful.

📖 重点词句

have a break 休息一下

have a fab time 度过愉快的时光

flash by 一闪而过

feast one's eyes 一饱眼福

safe well lit 安全照明

high end 高端的

head to 前往

occupied 无空闲的

coexist 共存

populated 人口众多的

patrolled 有人巡视的

slip into 渐渐融入

Part 3

第三部分：双向讨论（4~5分钟）。考官与考生围绕由第二部分引申出来的一些比较抽象的话题进行讨论。第三部分的话题是对第二部分话题卡内容的深化和拓展。

🔍 话题举例

Reasons for daily travel

1. **Why do people need to travel every day?**

   Nowadays most of us *commute* a long way to work. Even some students need to *tolerate* a very long journey each day. Due to the *boom* in the housing market, people have to rent *in the suburbs* to reduce their living cost. Both *house prices* and distance between home and workplace have more than doubled. Besides, many *properties* are not located *within easy reach of* community facilities. Residents have to travel to hospital, *pay their utility bills and dine out*.

commute 通勤	tolerate 忍受
boom 繁荣	in the suburbs 在郊区
house price 房价	property 房产
within easy reach of 在…的附近	pay utility bill 付水电账单
dine out 外出就餐	

2. **What problems can people have when they are on their daily journey, for example to work or school? Why is this?**

   Traffic is always *bumper to bumper*. It's common that there are *crashes* leading to *traffic jams*. After one day's work, people may sometimes *get sleepy at the wheel* and actually couldn't *handle their tiredness*. It *hazards* drivers' lives. Also, whether by bus or on foot, children's commute to school or simply to the bus stop can be dangerous. In addition to traffic accident, *child-trafficking* is very common.

bumper to bumper 拥堵的	crash 撞车
traffic jam 交通堵塞	get sleepy 犯困
at the wheel 在车上	handle tiredness 控制疲惫感
hazard 使遭受冒险	child-trafficking 拐卖儿童

3. **Some people say that daily journeys like these will not be so common in the future. Do you agree or disagree? Why?**

   I totally agree. The daily activity most *injurious* to happiness is commuting. I think in the future, most companies will *take advantage of technological advances* and employees may have more *flexibility*. Flexibility enables individuals to make changes to the working time and the location of workplace. *Traffic congestion* will not be *white collars' headache*. Flexibility would *be mutually beneficial* to both the employer and employee and *result in superior outcomes*.

injurious 伤害的	take advantage of 利用
technological advance 技术进步	flexibility 灵活性
traffic congestion 交通堵塞	white collar 白领

headache 令人头痛的事	be mutually beneficial to 对···互利
result in 导致	superior outcome 有益的结果

Benefits of international travel

1. **What do you think people can learn from travelling to other countries? Why?**

   Travel is a form of learning because it *exposes* a person *to* cultures *other than* one's own, and it takes him to places that have historical or cultural *significance*. If a person travels to foreign countries, he or she may come to understand what sorts of *material lives* the people have and what sorts of attitudes they have towards various things. Besides, I think traveling is the fastest and best way to learn a new language. Coz you *immerse yourself in* the culture and language. *Needless to say* your language will be improved *to a large extent*.

expose to 使暴露于	other than 不同于
significance 意义	material life 物质生活
immerse oneself in 使自己沉浸于	needless to say 毋庸置疑
to a large extent 很大程度上	

2. **Can travel make a positive difference to the economy of a country? How?**

   Sure. Tourism may boost the economy *in many aspects*. When more and more people *fly to* the country, airline industry is benefitted. For their food, *lodging*, etc., the *respective* businesses are boosted. As many new shiny and different kinds of beautiful things people can find in the country, they will buy all those things for them and their *kith and kin*, and the *small scale industries* will be boosted. The tourism industry will *soar* as people travel throughout the country from one corner to another, *likewise*, the *per capita income* and national economy will be boosted.

in many aspects 在很多方面	fly to 乘···飞往
lodging 房屋出租	respective 各自的
kith and kin 亲友	small scale industry 小规模产业
soar 飞腾	likewise 同样地
per capita income 人均收入	

3. **Do you think a society can benefit if its members have experience of travelling to other countries? In what ways?**

   I think so. If people only learned about other countries from the news, they'd think the world was a *horrible* place. Coz the media always *sensationalises* and *simplifies* a story. *A major component of* any travel should be to bring home the knowledge and experiences you *acquired* abroad, and find ways to apply them to *better* your life. For example, I am encouraged to write to our mayor to *push for* the *resumption* of train service, so we can benefit from convenient public transport like our European friends, and *lessen congestion* on our roads.

horrible 可怕的	sensationalise 大肆渲染
simplify 简化	a major component of 一个重要部分
acquire 获得	better 改善
push for 强烈要求	resumption 重新开始
lessen congestion 缓解拥堵	

话题相关材料

旅游一直是大家热衷的话题。从我们上学念书时期到长大参加工作，同朋友、家人出游的次数数不胜数，出行方式的选择也很繁多。下面为大家介绍几点乘火车和飞机出行的注意事项：

Tips for sleeping on a long overnight train journey

 Wear comfy cloths and layer—you don't want to be too hot or cold. I can never sleep in cars or anything but I always take my ipod/music to listen to and at least then I can close my eyes, listen to some relaxing music and just drift away. I never fall asleep, but I feel sort of refreshed after it if you know what I mean.

 One tip I have is NOT to drink lager—whiskey or some other shots perhaps, but not pints of stuff that will make your bladder jiggle and shake over the rails!
V-neck pillow, blackout goggle thingies, Nytol will all help.

 I would have gotten a bed room or something.
Just have ear plugs or a head set. Maybe a blind fold because there not allowed to turn off the lights.

 Stay up the night before and watch movies or hang out with friends.
Be tired when you get on, that helps more than anything else except hard drugs.

What do you do to keep sane on a very long plane journey?

 I'm lucky. I just take a wrap and go to sleep. Wake up, eat, sleep, wake up, eat, sleep. Other than that, magazines, books, mp3. Not much else you can do really. Just make sure you get up every 4 hours and move around the cabin. Also, wriggle your feet and stretch when you are sitting.

 Try not to drink any alcohol, because it dehydrates you and you may want to take something that will relax you during that flight. I do travel to Indonesia from Detroit and I do take a relaxer prescribed by my physician.

 Alcohol might be the stupidest thing you can do on a long plane trip. You'll obviously get sick. You can bring magazines, books, your laptop, music player, portable DVD player, etc. They usually play a movie for you so you can also watch that. Other than those things...sleeping usually is the best way to kill time on the trip.

Test 3 · Speaking

Listening

Part 1

场景介绍

一位男士及其家人迁居至新的居住地，向一位女士询问如何到当地医院注册。男士首先询问了当地医院的基本服务及地点，而后又了解了医院的收费及免费项目。女士最终向男士介绍了某些医院目前正在进行的健康主题活动。

本节必背词汇

register	v. 注册	pay-to-use	付费使用的
clinic	adj. 门诊，私人诊所	acupuncture	n. 针灸
appointment	n. 约会，约见	fitness	n. 健康
reputation	n. 名声，名誉	insurance	n. 保险
vaccinate	v. 注射疫苗	pilot	adj. 先头的，试验的
injury	n. 受伤，伤害	scheme	n. 计划，方案
treatment	n. 治疗	stress	v. 强调
nutritional	adj. 营养的	asthma	n. 哮喘
therapy	n. 治疗，疗法	disease	n. 疾病
alternative	adj. 可选的，可替换的	primary school	小学
homeopathy	n. 顺势疗法	suitable	adj. 合适的，适合的

词汇拓展

admission	n. 入院	nutrition	n. 营养
allergy	n. 过敏	physical examination	体检
antibiotic	n. 抗生素	prevention	n. 预防
check-up	n. 体检	respiration	n. 呼吸道
clinical history	病历	symptom	n. 症状
immunity	n. 免疫力，免疫系统		

文本及疑难解析

1. Yes, the Eshcol Health Practice is the next one on my list. 是的，Eshcol健康诊所是我列表中的下一个。也可以理解为：EHP是下一个我要说的。

2. Erm...there are usually some small charges that doctors make. 呃……通常医生会收一小笔费用。charge在此指收取的费用。

3. If you need to be vaccinated before any trips abroad, you won't have to pay for this. 如果你在任何出国旅行之前需要打疫苗，都是免费的。此处指通常出国之前需要根据目的地国的疾病情况及疾病历史进行疫苗注射，以免得传染病。

4. The sports injury treatment service operates on a paying basis, as does the nutritional therapy service. 运动伤害治疗是收费的，还有营养治疗服务也是收费的。

5. Some health centres do offer alternative therapies like homeopathy as part of their pay-to-use service. 有一些医院提供其他治疗法选择，比如顺势疗法，这是他们收费服务的一部分。此处health centres不译作健康中心，可理解为"医院"的另外一种表达方式。

6. ...if you need to prove you're healthy or haven't had any serious injuries before a new employer will accept you, you can get a free fitness check-up there, but you'd most likely have to pay for insurance medicals though. 如果你在找到新工作之前需要证明你的健康状况或未生过任何重大疾病，那么你可以在这里免费体检，但你很有可能需要自己付医疗保险。

7. It says, the talk will stress the health benefits particularly for people with asthma or heart disease. 据说，演讲会重点关注哮喘或心脏病患者的健康问题。

题目解析

本节主要为表格题1~4，7~10，另有Part 1不多见的多选题。整体难度中等偏上。

1. 本题中医生的名字以例子的形式成为已知信息，方便定位。题干especially good with ___，意指XX治疗方面特别好，原文对应的表达为always recommend。本题需要把握recommend一词的含义，否则无法找到答案。

2. 本题经过预测可知需要名称，原文给出名字，且进行了拼写。

3. 本题原文特别指明particularly good，说明与题干中的Advantage相符。

4. 本题经过预测可知需要人名，原文提供了拼写。本题不难。

5 & 6 本题需要关注题干中的free，医院的服务不少，但大多是收费的。听题时需要关注与收费相关的信息。需要把握短语pay for, paying basis, 以及pay-to-use。

7. 本题已知信息给出的较为明显。room 4之后出现答案。原文asthma or heart disease与题干顺序相同。本题较容易。

8. 本题答案为直叙。

9. 表格中的9th March是非常重要的提示信息，读题已对需要的信息是时间有所预期。本题不难。

10. 本题答案为直叙。题干中的all原文未替换。比较容易定位。

Part 2

场景介绍

一位女士向一位酒店度假村工作人员询问房间内设施使用及周边环境。女士首先询问了房间内的热水器如何使用，之后又询问了关于多余的枕头、洗衣粉、钥匙、灯泡、地图等物品的摆放位置。最终度假村工作人员为女士推荐了一些附近可以吃饭的地方以及适合游客参观的地方。

heating	n. 热水器	complicated	adj. 复杂的，繁琐的
control	n. 控制	instruction	n. 指示，说明书
switch	n. 开关	cupboard	n. 柜子，柜橱
light up	照亮，点亮	hook	n. 钩子
square	n. 方形	lamp	n. 灯
radiator	n. 暖气炉，暖气	bulb	n. 灯泡
maximum	n. 最大值	cardboard	n. 硬纸板
plastic	adj. 塑料的	takeaway	n. 外卖
indicator	n. 指示器	exhibition	n. 展览

📖 词汇拓展

airport	n. 机场	package tour	包办旅行
baggage	n. 行李	rent	n. 租金 v. 租
departure	n. 离开	reserve	v. 预订
depend on	取决于	resort	n. 胜地；常去处
fill out	填表	shuttle	n. 往返汽车；航天飞船
flight	n. 航班	spotlight tour	集中精华游
in advance	提前	time of arrival	到达时间
outing	n. 短途旅游		

⚙ 文本及疑难解析

1. The first one—the round one on the far left—is the most important one for the heating and hot water. It's the main control switch. 第一个——最左边圆的那个——是控制加热及热水最重要的一个。这是总控。far left 在此不译作"远左"，而理解为"最左边"。

2. If you feel cold while you're there and need the radiators on, this needs to be turned to maximum. 如果你在的时候觉得冷或者需要打开暖气，这个按钮需要开到最大。

3. Below the heating controls in the middle is a small round plastic button. 在中间的加热控制钮下面有一个小的圆形塑料按钮。

4. Pillows...yes, if you look in the cupboard, the large white one upstairs—to the left of the bathroom door—there should be four or five on the top shelf. 枕头……是的，你看一下楼上浴室门左边一个很大的白色柜橱里，在顶层应该有四五个。

5. And if you want to do some washing, there's some powder for that...probably by the back door. There's a kind of shelf there above the sink. 如果你想洗衣服的话，有洗衣粉……大概在后门那里。在洗脸池上面有个架子。

6. And that reminds me, the spare key to the back door is hanging on a hook on the wall by the sitting room window. 这提醒了我，后门的备份钥匙挂在起居室窗户旁边墙上的钩子上。

7. And if you have any trouble with the lamps, you'll find some spare bulbs in a large cardboard box. 如果灯有问题的话，你能在一个大纸箱里找到一些备用灯泡。

8. It's too far to walk from the flat really. You have to pay to leave your car in all the car parks now I'm afraid... I like the one that's by the station best and you can walk to the town centre from there in five minutes. 从住的地方走过去确实太远了。现在所有的停车场恐怕都是收费的……我最喜欢离车站近的那个，走到市中心只需要五分钟。

题目解析

本节出现的题型较为丰富，图表题11~13未出现过难词汇，能够理解标题Water Heater就能对图表上有何成分有初步预期；14~18题为搭配题，考查同义词替换及理解能力；19~20题为常规填空题。

11. 本题要求对方位词熟悉。on the far left较明确地说明了本题所指按钮的位置，考生需要理解main control switch意为总控制按钮，与on/off switch同义。

12. 本题出现在已知信息hot water之后。解题同样需关注方位词below the heating controls in the middle，定位三个按钮当中中间那个的下面。原文reset the heater与选项reset button一致。

13. 本题原文给出具体位置a little square indicator under the third knob，第三个钮下面的小方块。定位后，听到alarm light。alarm与warning同义替换。

14. 题干词原文重现，方便定位。原文关键词cupboard在选项中只有B符合，本题未出现混淆信息。

15. 题干词washing及powder原文重现，定位不难。原文提及back door, sink在选项E及选项G中都涉及。本题出现混淆性选项。但原文中可清晰听到above the sink，与选项G under kitchen sink方位上完全相反，可进行排除。

16. 本题未出现混淆信息，原文提及spare key之后出现by the sitting room window，与window in living room进行了同义替换。

17. 本题答案on top of washing machine给出非常直接，且与选项完全一致。本题相对容易。

18. 本题答案in the top drawer of the chest给出直接，与选项一致且无混淆信息。

19. 本题预测时可以得知需要捕捉电话号码，答案直叙。

20. 本题预测时通过介词on可以得知需要捕捉日期。此题无混淆信息，只提及Thursday且原文还进行了再次强调，称这一天是the only day of the week when they're not open。本题难度不大。

Part 3

场景介绍

女学生Kira与Paul交流了学习期间的心得。Kira获免两年学习时间，直接进入了第三学年，因此在学习期间遇到了非常多的挑战。Kira在许多方面都感到无法适应，首先提及了无法用批判式思维来写作业，因为原本在自己的国家中，不会以这样的方式来写作，但这里的老师能够给予学生更多帮助，也总是拿出更多时间与学生面谈交流。Kira也给了留学生一些建议，她认为在尚未出国的时候应该好好提高英语能力，否则无法交流会造成很大的学习障碍。

本节必背词汇

enrol in	注册，报到	assertive	*adj.* 独断的，断定的
pharmacy	*n.* 药剂学	faculty	*n.* 学院；教职员工
credit...with	相信某人有做某事的能力	specialise	*v.* 专长于，致力于
assignment	*n.* 作业	set aside	拨出，挪出
alter	*v.* 改变，更换	timetable	*n.* 时间表，计划
viewpoint	*n.* 观点，看法	dispensary	*adj.* 药房，医务室
lecturer	*n.* 讲师	sense of achievement	成就感
essentially	*adv.* 本质上	confident	*adj.* 有信心的
approach	*v.* 接近，靠近	translate	*v.* 翻译
mature	*adj.* 成熟的	familiarity	*n.* 熟悉度，熟悉

词汇拓展

ambition	*n.* 雄心 野心	productive	*adj.* 能产的，多产的
eligible	*adj.* 符合条件的；合格的	rehearse	*v.* 彩排，演练
feedback	*n.* 反馈	revision	*n.* 复习
grant	*n.* 拨款	scholarship	*n.* 奖学金
incentive	*n.* 诱因，动力	seminar	*n.* 研讨会，讨论会
paragraph	*n.* 段落	sponsor	*v.* 资助
priority	*n.* 优先，优先权	tackle	*v.* 处理

文本及疑难解析

1. They credited me with two years, which probably made it more difficult for me. 他们给我免了两年，这可能使得课程对我来说更难了。credit sb with sth. 理解为"相信某人有能力做某事"。此处含义为学校相信我的学习能力，所以给我免了两年的课程，直接进入了第三年的学习。

2. On the other hand, you were lucky to be granted credits. 你很幸运被赠与学分（而免了两年课程）。

3. No wonder it was so hard! 难怪那么难！no wonder理解为"难怪"、"怪不得"。

4. I thought "How can I possibly do it? How can I comment on someone else's research when they probably spent five years doing it?" 我当时想："我怎么可能这么做？（指批判判前人对某一领域的研究）我怎么能对别人可能研究了五年的东西进行评价？"

5. People expect you to have problems with the process of reading and writing but, in fact, it's more a question of altering your viewpoint towards academic study. 人们一般认为你应该在读写过程中出现问题，但事实上，这是在学术写作中使自己的观点产生差异化的问题。

6. Maybe you found them different because you're a more mature student now, whereas when you were studying in your country you were younger and not so assertive. 可能你觉得不一样了是因为你现在更成熟了，而你在自己国家学习的时候要更年轻，也没这么果断。原文中assertive直译中文为"武断的，断定的"，偏贬义。因此，这里在翻译中文时理解为"果断"，褒义词，更符合英文本意。

7. In my faculty, they all seem to make appointments—usually to talk about something in the course that's worrying them, but sometimes just about something that might really interest them, something they might want to specialise in. 在我的学院，他们似乎都和老师约见——一般是讨论一些课程中他们有问题的方面，但也有许多时候会讨论一些他们真正感兴趣的东西，或是他们想进入的专业领域。specialise in可以表达"专业领域为"、"进入……领域"等含义。例句：He's specialised / He specialises in Pharmacy.

8. Apart from lectures, we had practical sessions in a lot of subjects. 除了大课，我们许多课程都有实践课。lecture可理解为讲座、演讲或大学中的大课。

⚙ 题目解析

本节出现的选择题21~22和填空题23~25不难，简答题26~30连续出现五道，在考试中较为少见，但难度不高。

21. 本题由于出现答案之前有较难短语credit...with，可能导致考生不理解而走神。但选项与原文的对应比较直接，complete a course和finish a course替换不难理解。

22. 本题题干词assignment原文重现，Kira提及I've found it very difficult to write assignments，使定位较为方便。之后一直在强调需要变得critical。选项A及选项B具有混淆性，但耐心听会发现Kira丝毫未提及是否需要读写更快的问题，直接排除。

23. 本题题干与原文答案句相似度极高。原文表述为they're much easier to approach，难度不大。

24. 本题读题时可以通过be more ___ 判断需要捕捉形容词，且形容的是目前的状态。原文中此处与目前状态相关的形容词只有mature。

25. 本题题干与原文答案句相似度较高。worry出现之后的后半句中给出动词interest。原文出现but提示之后会给出重要信息。

26. 题干词practical session原文重现，对捕捉答案起到辅助作用。之后立即出现答案We did these in small groups。

27. 本题通过how often可以预测需要捕捉与时间相关的信息。题干词hospital出现后紧接every second day。"每两天"可以表达为every 2 days或every second day。

28. 本题通过how much...work可以推测需要捕捉信息与时间或数量有关。第27题出现后立即给出full time for two weeks。需要注意27题与28题答案给出较近，书写速度及反应速度要快。

29. 本题问及how does Kira feel，明确答案需要捕捉女孩的感觉，为形容词。I do feel much more confident 随即出现。

30. 本题题干中的become familiar with 与原文lack of familiarity with 相呼应，定位不难。

Part 4

📖 场景介绍

主讲人和听众分享了第二学年研究项目——城市花园中的野生动物增多现象——的发现及调查结果。主讲人及其团队首先发现花园中出现大量食雀鹰，从而开始了研究。该研究之后又从城区扩展到了乡村。最终主讲人以青蛙、刺猬、画眉三类动物为例阐述了可能的原因。

本节必背词汇

background	n. 背景	comprehensive	adj. 综合的 全面的
technique	n. 技术，技巧	graphic	adj. 图表的，图解的
indicate	v. 表明，指出	representation	n. 表现，表达
sparrow-hawk	n. 食雀鹰	species	n. 物种
prey	n. 猎物	indication	n. 表明，象征
turn up	出现	generate	v. 产生，形成
inhabit	v. 居住于	pattern	n. 规律，模式
wildlife	n. 野生动物	proliferate	v. 繁衍，增殖
proportion	n. 比例，比重	pond	n. 小水池
urban	adj. 城区的，市内的	migration	n. 迁移
endorse	v. 支持，认可	hedgehog	n. 刺猬
large-scale	adj. 大规模的	predator	n. 捕食者
precise	adj. 精确的	survival	adj. 存活的，幸存的
survey	v.& n. 调研，调查	song thrush	画眉
rare	adj. 稀有的，稀少的	resurgence	n. 再起，再现
observation	n. 观察	feed on	以…为食
select	v. 挑选，选择	provision	n. 供应
deliberately	adv. 故意地，刻意地	incidentally	adv. 偶然地
exception	n. 例外，特殊	launch	v. 发起，发动
decline	n. 减少，消失		

词汇拓展

district	n. 区	residential area	居民区,住宅区
metropolis	n. 大都市	shopping centre	商业区
municipal	adj. 市的，市政的	suburb	n. 近郊区
outskirts	n. 郊区		

文本及疑难解析

1. First of all, how did we choose our topic? Well, there are four of us in the group and one day while we were discussing a possible focus, two of the group mentioned that they had seen yet more sparrow-hawks—one of Britain's most interesting birds of prey—in their own city centre gardens and wondered why they were turning up in these gardens in great numbers. 首先，我们如何选择的主题呢？我们团队当中一共有四个人。有一天我们正在讨论可能的议题时，有两名团队成员提及他们在自己的市中心公园见到越来越多的食雀鹰——一种在英国非常有意思的猛禽——他们很奇怪为什么这些食雀鹰会大量出现在这些公园里。此处bird of prey为固定短语，指大型食肉类的鸟。

2. Our own informal discussions with neighbours and friends led us to believe that many garden owners had

interesting experiences to relate regarding wild animal sightings so we decided to survey garden owners from different areas of the city. 我们在跟邻居和朋友们闲聊时发现，许多人都有在自家花园里看到野生动物的有趣经历可说，因此我们决定对城市不同地区的花园主人进行调研。本句结构稍复杂，需要将"interesting experiences to relate 看做完整成分，译为"有趣的经历可说"。

3. Just over 100 of them completed a survey once every two weeks for twelve months—ticking off species they had seen from a pro forma list—and adding the names of any rare ones. 他们当中只有100多人在12个月内完成了每两周一次的调研——勾出备选项目清单中已经见到的物种——另外加上任何稀有的物种。pro forma为固定短语，理解为"备选项"。

4. The whole point of the project was to look at the norm not the exception. 项目的最终目标是研究其常态而不是例外。

5. If you're interested in reading our more comprehensive findings, we've produced detailed graphic representations on the college web-site and of course any of the group would be happy to talk to you about them. 如果你有兴趣阅读我们更全面的研究结果，我们已经在学院的官网上发表了详细的图示。另外团队中所有的人都非常愿意就此为大家进行讲解。

6. Hedgehogs are also finding it easier to live in urban areas—this time because their predators are not finding it quite so attractive to leave their rural environment, so hedgehogs have a better survival rate in cities. 刺猬也发现在城市地区存活更容易一些——这一次是因为它们的捕猎者感到离开它们的乡村环境（而去城市）不太有吸引力，因此刺猬在城市里的存活率更高一些。本句中的rural与urban为反义词。

7. We had lots of sightings, so all in all we had no difficulties with our efforts to count their numbers precisely. 我们经常能见到，所以我们感到通过我们的努力数清它们的数量并不困难。短语all in all意为"这一切的一切"，在本句中文表达时无需翻译。

8. On the decline in the countryside, they are experiencing a resurgence in urban gardens because these days gardeners are buying lots of different plants which means there's an extensive range of seeds around, which is what they feed on. 当画眉的数量在乡村减少时，它们在城市花园中的数量大幅增加，因为现在园艺工人经常购买各种不同的植物，这意味着周围有大量各种各样的种子，而画眉就是靠这些种子为生的。

⚙ 题目解析

本节出现了选择题31~36和表格题37~40。通常Section 4选择题会给考生带来较大压力，由于词汇较难，非常容易跟不上，同时需要进行大量同义替换。考生需要冷静对待，在词汇有限的情况下尽量能够跟随原文进度，捕捉题干和选项信息。表格题相对简单，已知信息提示性较强，需要注意拼写。

31. 本题对应原文中谈及近来出现的有趣现象：野生动物回迁城市。本题需要对原文内容有综合理解才能得出答案C。选项A并未涉及，选项B可能由于city growth一词造成混淆，但增长的不是城市，而是城市中食雀鹰的数量。

32. 题干词proportion原文重现，方便定位。large-scale在选项中可能造成混淆，但photo一词并未出现。land survey office为官方机构，因此文件一定是官方认可的。

33. 本题题干garden owners原文重现，帮助定位。选项中的keep a record与原文ticking off同义替换。

34. 本题与上一题距离较近，需要快速反应。题干词observation原文重现，选项representative 与原文typical为同义替换。

35. 本题题干中的reading应当与原文中的books迅速对应，rural area意为乡村地区，与原文countryside可以对应。urban在原文涉及books一句中未提及。考生需要理解gardening practice的意思为"园艺操作"，从而判断与选项C无关。

36. 本题答案为概括性内容，考生需要理解原文含义才能找出适合选项。题干词three animal species可以帮助定位，之后主讲人解释原因：good indication...as a whole指对整体情况是一个非常好的解释。

37. 本题在表格第一列，对应纵轴已知信息及标题animal可以得知需要填写某一种动物，原文较直接给出frogs，无混淆信息。

38. 本题通过读题可以判断需要名词，题干意为"在城市内从……那里比较安全"。但答案在句首，可能漏听；记忆能力不够强可能导致忘记。且词汇较难。

39. 本题通过读题判断需要动词。涉及答案的句子仅出现动词count。

40. 本题通过读题判断需要名词。题干a variety of与原文an extensive range of同义替换，后紧跟答案seeds。

Notes

Reading Passage 1

篇章结构

体裁	说明文
主题	Marie Curie的生活与工作
结构	第一段：伟大学者居里夫人 诺奖首位女性得主
	第二段：少年时期初露锋芒 无奈扛起养家重担
	第三段：青年时代求学巴黎 勤奋刻苦学业有成
	第四段：玛丽皮耶喜结连理 双方事业更上层楼
	第五段：研究兴趣转至矿物 提炼纯镭喜获诺奖
	第六段：两女诞生无碍事业 居里出任研究助理
	第七段：丈夫去世沉重打击 出任教授再获殊荣
	第八段：投身一战研究射线 镭研究所正式运营
	第九段：远渡重洋筹措资金 居里基金成功启动
	第十段：意识超前存储资源 为镭而生因镭而去
	第十一段：居里夫人伟大研究 杰出贡献泽被后人

解题地图

难度系数：★★★

解题顺序：TRUE/FALSE/NOT GIVEN（1~6）→ SENTENCE COMPLETION（7~13）

友情提示：这篇文章整体来说比较容易，因为很多考生对居里夫人的故事还是比较了解的，所以背景知识比较充分；即便不了解，文章大体也是比较容易定位的。只有两个题型，一个题型一个思路，所以解题思路较清晰。常规做做法是把判断题留在一篇文章最后再做，但这篇文章由于定位不难，因此可以先做判断题，借此把文章熟悉一下内容，只要把握好时间就可行。假如判断题10分钟还没有做完，绝对要果断放弃，先把完成句子分析好、做好，再回来根据余下的时间或做或用方法蒙，来完成判断题最有效。

必背词汇

1. prodigious *adj.* 巨大的；异常的，惊人的

   Five hundred pounds would be a *prodigious* increase to their fortunes.

   对他们的财产来说，五百镑就将是一笔很大的收入了。

   He impressed all who met him with his *prodigious* memory.

   他惊人的记忆力让所有见过他的人都印象深刻。

2. mineral *n.* 矿物，矿石，矿物质

   No potassium did we find in this *mineral*. 在这种矿石中我们没有发现钾。

   The country possesses rich *mineral* deposits. 这个国家拥有丰富的矿藏。

3. superior *adj.* 较高的，较好的，优先的

   A few years ago it was virtually impossible to find *superior* quality coffee in local shops.

   几年前在当地商店里几乎买不到优质咖啡。

   His men were far *superior* numerically. 他手下的士兵在人数上占了绝对优势。

4. devote *v.* 奉献，把…奉献(给)；把…专用(于)

   He decided to *devote* the rest of his life to scientific investigation. 他决定将自己的余生献给科学研究事业。

   Page upon page is *devoted* to the chain of events leading to the Prime Minister's resignation.

   一页又一页的篇幅都用来描述导致首相辞职的一连串事件。

5. isolation *n.* 孤立；隔离，分开；离析

   The millionaire lived in complete *isolation* from the outside world. 这位富翁过着与世隔绝的生活。

   The country has again achieved *international* respectability after years of isolation.

   几年的孤立之后，该国又重新建立了国际声望。

6. accumulate *v.* 积累，堆积

   Lead can *accumulate* in the body until toxic levels are reached. 铅会在体内积聚直至造成铅中毒。

   We should try various channels to raise and *accumulate* social security funds.

   我们应该尝试多种渠道来筹集和积累社会保障基金。

7. immense *adj.* 极大的，巨大的

   They made an *immense* improvement in English. 在英语方面他们取得了巨大的进步。

   The expense of living is *immense*. 生活费用很庞大。

8. subsequent *adj.* 随后的，后来的

   Those concerns were overshadowed by *subsequent* events.

   随后发生的事使之前所关注的那些问题显得无足轻重。

   His illness was *subsequent* to his wife's death. 他在妻子死后就病倒了。

认知词汇

radioactivity	*n.* 放射性，辐射能	henceforth	*adv.* 从今以后，今后
sole	*adj.* 单独的，唯一的	professorship	*n.* 教授职位
medal	*n.* 奖章，奖牌，勋章	vacant	*adj.* 空缺的，空闲的
investment	*n.* 投资，投入	wounded	*adj.* 负伤的，受了伤的
earning	*n.* 收入，获利	in earnest	认真地，正式地
significance	*n.* 意义，重要性	substance	*n.* 物质，材料
phenomenon	*n.* 现象，事迹	application	*n.* 应用，运用
element	*n.* 元素，要素	triumphant	*adj.* 成功的
radium	*n.* 镭	campaign	*n.* 运动
radiation	*n.* 辐射，放射物	abundant	*adj.* 大量的，丰富的，充足的
struggle	*v.* 奋斗，努力，争取	decisive	*adj.* 决定性的
interrupt	*v.* 打断，截断，阻止	exposure	*n.* 暴露
appoint	*v.* 任命，约定	tube	*n.* 管，管状物
demonstration	*n.* 证明，论证	contribution	*n.* 贡献

⚙️ 佳句赏析

1. Turning her attention to minerals, she found her interest drawn to pitchblende, a mineral whose radioactivity, superior to that of pure uranium, could be explained only by the presence in the ore of small quantities of an unknown substance of very high activity.

   - **参考译文**：随着Marie把注意力转向矿物质，她对沥青铀矿产生了兴趣。沥青铀矿是一种放射性高于纯铀的矿物质，而其高放射性的唯一解释是在矿石中存在着一种极为稀少却高度活跃的未知物质。

   - **语言点**：
     句型分析：在这句话中，turning her attention to minerals是现在分词作时间状语，在前面加上after也未尝不可。主句主语是she，drawn to是过去分词，用来限定her interest。a mineral是pitchblende的同位语，而whose则引导定语从句，先行词正是a mineral。superior to that of pure uranium 可以看做插入语，用来修饰radioactivity，而其中的that是替代radioactivity的代词。定语从句的谓语动词是被动语态的could be explained by。in the ore of small quantities of an unknown substance of very high activity 是一个很长的所有格结构。一般遇到这种结构的时候，考生要先翻译后面的，再一步步向前推，这样得出的中文才比较合理。

2. The sudden death of her husband in 1906 was a bitter blow to Marie Curie, but was also a turning point in her career: henceforth she was to devote all her energy to completing alone the scientific work that they had undertaken.

   - **参考译文**：1906年Pierre突然离世，这对Marie Curie来说是一个沉重的打击，也是她事业上的转折点：自此以后，她投入全部精力独立完成他们共同承担的科研工作。

   - **语言点**：to devote all her energy to...是不定式作表语
     不定式作表语的情况在本文中还有一处体现：
     One of Marie Curie's outstanding achievements was <u>to have understood the need to accumulate intense radioactive sources, not only to treat illness but also to maintain an abundant supply for research</u>. Marie Curie的杰出成就之一，就是她意识到大量积累放射资源不仅是为了满足治病的需求，还要为科学研究提供充足的供给。
     画线部分是不定式作表语，且在这里用了不定式的完成时态。
     devote sb. / sth. to sth. / doing sth. 将某人或某事奉献给……
     She devoted her life to the caring of the sick. 她将一生献给了为病人服务。

3. During World War I, Marie Curie, with the help of her daughter Irène, devoted herself to the development of the use of X-radiography, including the mobile units which came to be known as 'Little Curies', used for the treatment of wounded soldiers.

   - **参考译文**：第一次世界大战期间，Marie Curie在女儿Irène的帮助下，投身于X射线照相技术的发展研究，其中包括被称为"小个子居里"的治疗伤员的流动设备。

   - **语言点**：在这句话中，used for the treatment of wounded soldiers是过去分词作定语，修饰前面的mobile units。例如：
     There had, of course, been dictionaries in the past, the first of these being a little book of some 120 pages, compiled by a certain Robert Cawdray, published in 1604 under the title *A Table Alphabetical 'of hard usual English words'*. 当然，在此之前也有过一些字典，其中最早的是一本约120页的小册子，由一个名为Robert Cawdray的人编辑，于1604年出版，名为《按字母排序的罕见英语词汇表》。(*Cambridge IELTS 5*, Test 1, Reading Passage 1)

在本句中compiled by a certain Robert Cawdray和published in 1604 都是过去分词作定语修饰a little book of some 120 pages。

试题解析

Questions 1–6

- 题目类型：TRUE/FALSE/NOT GIVEN
- 题目解析：

1. Marie Curie's husband was a joint winner of both Marie's Nobel Prizes.

参考译文	Marie Curie的丈夫与她共同获得了两项诺贝尔奖。
定位词	husband, Nobel Prizes.
解题关键词	was a joint winner of both...
文中对应点	第一段第二、三句： ...and was twice a winner of the Nobel Prize. With her husband, Pierre Curie, and Henri Becquerel, she was awarded the 1903 Nobel Prize for Physics, and she was then sole winner of the 1911 Nobel Prize for Chemistry. ……并两度问鼎诺贝尔奖：1903年，她同丈夫Pierre Curie以及Henri Becquerel被授予诺贝尔物理学奖，1911年她又独立获得诺贝尔化学奖。 本题解题关键是：题干要判断是否Marie Curie的丈夫与她共同获得了两项诺贝尔奖。原文陈述，她丈夫与她合着拿了一次，另外一次是她自己独立完成的。题干中的sole抵触于原文的both；题干与原文陈述不一致。
答案	FALSE

2. Marie became interested in science when she was a child.

参考译文	当Marie还是个孩子时，就对科学产生了兴趣。
定位词	science, child
解题关键词	interested in science, when she was a child
文中对应点	根据顺序原则，定位到第二段第一行： From childhood, Marie was remarkable for her prodigious memory, and at the age of 16 won a gold medal on completion of her secondary education. 自幼年起，Marie就以惊人的记忆力而出名。她在16岁完成中等教育时获得了金牌。 本题解题关键是：题干要判断Marie是否在还是个孩子时，就对科学产生了兴趣。原文陈述，Marie小时候记忆力惊人，并在16岁完成中等教育时获得了金牌，但是并没有提及她小时候是否对科学产生了兴趣。
答案	NOT GIVEN

3. Marie was able to attend the Sorbonne because of her sister's financial contribution.

参考译文	Marie能够到巴黎大学学习，是因为姐姐的经济资助。
定位词	Sorbonne
解题关键词	because of her sister's financial contribution

文中对应点	第二段最后一句： From her earnings she was able to finance her sister Bronia's medical studies in Paris, on the understanding that Bronia would, in turn, later help her to get an education. 有了这笔收入，她就能先资助姐姐Bronia在巴黎学医，而Bronia也承诺，作为回报以后会帮助她继续完成学业。 本题解题关键是：题干要判断Marie能够到巴黎大学学习，是否因为姐姐的经济资助。原文陈述姐姐确实是这么承诺的。但是如果有一些考生会纠结于姐姐虽承诺，但是是否兑现了诺言的话，可以再结合第三段第一句In 1891 this promise was fulfilled and Marie went to Paris and began to study at the Sorbonne. 1891年，Bronia兑现了她的承诺。Marie来到巴黎，开始在巴黎大学学习。由此题干与原文完全一致。
答案	TRUE

4. Marie stopped doing research for several years when her children were born.

参考译文	当Marie的孩子出生时，有几年她停止了研究工作。
定位词	when her children were born
解题关键词	stopped doing research for several years
文中对应点	第六段第一行： The births of Marie's two daughters, Irène and Eve, in 1897 and 1904 failed to interrupt her scientific work. 1897年和1904年，Marie的两个女儿Irène和Eve分别诞生，但都没有影响她的科学工作。 本题解题关键是：题干要判断Marie是不是在生孩子的几年间停止了研究。原文陈述两个孩子诞生时，都没有影响她的科学工作。题干中的stopped doing research与原文中的failed（unable to）to interrupt陈述不一致。
答案	FALSE

5. Marie took over the teaching position her husband had held.

参考译文	Marie接任了丈夫生前的教学职位。
定位词	teaching position, husband
解题关键词	took over
文中对应点	第七段第三行： On May 13, 1906, she was appointed to the professorship that had been left vacant on her husband's death, becoming the first woman to teach at the Sorbonne. 1906年5月13日，她填补了丈夫去世后留下的职位空缺，被任命为教授，成为了巴黎大学的第一位女性教师。 本题解题关键是：题干要判断是否Marie接任了丈夫生前的教学职位。原文陈述，她填补了丈夫过世后留下的职位空缺。题干中took over对应原文中的was appointed to the professorship；题干中的teaching position对应原文left vacant on her husband's death。题干与原文陈述完全一致。
答案	TRUE

6. Marie's sister Bronia studied the medical uses of radioactivity.

参考译文	Marie的姐姐Bronia研究了放射现象的医疗应用。
定位词	Bronia, radioactivity
解题关键词	Studied...the medical uses

文中对应点	第九段倒数第二行： ...and the inauguration in 1932 in Warsaw of the Radium Institute, where her sister Bronia became director... ……以及镭研究所于1932年在华沙启动，而她的姐姐Bronia则成为了研究所的主管。 本题解题关键是：题干要判断Bronia是否研究了放射现象的医疗应用。原文只提到她的姐姐Bronia成为了研究所的主管，题干内容在原文并未提及。
答案	NOT GIVEN

Questions 7–13

- 题目类型：SENTENCE COMPLETION
- 题目解析：此题为完成句子型填空。特点是细节题，按顺序解答。

    本题的解题思路同一般填空题，需要先分析空格内所填词的词性，然后通过空格前后的内容到原文中进行定位，把符合刚才预测的词性在原文中圈出，最后利用题干和原文找同义词，将正确答案最终筛选出来。

题号	定位词	文中对应点	题目解析
7	radioactive, uranium	第四段第三行： Marie Curie decided to find out if the radioactivity discovered in uranium was to be found in other elements. She discovered that this was true for thorium.	首先通过句子分析，得知空格里的词应该是可以和uranium构成并列的名词，再根据空格前是called，从而预测出空格中应该是个名称（最好大写，或者引号、粗体，或者像uranium那般的词）。题干中...had the same property对应原文中...discovered that this was true for...，所以答案为thorium。
8	因果关系 led to; Marie and Pierre Curie's , mineral, known as, discovery, two new elements	根据顺序原则，定位在第五段第一行： Turning her attention to minerals, she found her interest drawn to pitchblende, a mineral whose radioactivity, superior to that of pure uranium, could be...Pierre Curie joined her in the work...led to the discovery of the new elements...	由于空格前known as，预测出这里要填一个名称，而且是矿物质名称，并且由于此物质的发现，导致我们还发现了两个新的元素。题干中mineral known as对应原文she found her interest drawn to pitchblende, a mineral whose radioactivity, superior to...；题干中two new elements对应原文discovery of the new elements... 因此答案是pitchblende。
9	1911	第七段倒数第二行： In 1911 she was awarded the Nobel Prize for Chemistry for the isolation of a pure form of radium.	空格里应该填一个元素的名称。用定位词定位到原文中，包含定位词的这一句话中，只有radium是元素，符合答案要求。
10	Marie and Irene, X-radiography	第八段第一行： ...with the help of her daughter Irene devoted herself to the development of the use of X-radiography, including the mobile units which came to be known as 'Little Curies', used for the treatment of wounded soldiers.	空格前为介词for，因此预测出空格里应该填名词。就是指居里夫人和她的女儿利用X射线照相技术，可以为了什么而作为医疗之用。题干中was used as a medical technique for对应原文中used for the treatment of wounded soldiers。因为题目要求只能填一个词，所以答案为soldiers。

题号	定位词	文中对应点	题目解析
11	并列关系 both... and...; radioactive material, research	第十段第二行: ...radioactive sources, not only to treat illness but also to maintain an abundant supply for research.	空格前后有并列关系both...and...，要填的这个空格与research存在并列关系，为名词。利用radioactive定位到原文中的那句话，很容易也找到一组并列关系not only A but also research，research已经在题干中，所以答案在前面not only中，找到对应部分to treat illness...，这几个字中唯一名词illness确定为答案。
12	discoveries, 1930s, artificial radioactivity	第十段第四行: ...made a decisive contribution to the success of the experiments undertaken in the years around 1930. This work prepared the way for the discovery of the neutron by ... above all, for the discovery in 1934 ...of artificial radioactivity	空格前为定冠词the，因此预测出空格里应该填名词，而且要填的这个名词应该与artificial radioactivity并列，表示同为重大发现。题干中的discoveries of the ____ and of what was known as artificial radioactivity 对应原文This work prepared the way for the discovery of the neutron … for the discovery in 1934...of artificial radioactivity。因此neutron为答案。
13	关系词 as a result; exposed to radiation, suffered from	第十段倒数第三行: ...Marie Curie died as a result of leukaemia caused by exposure to radiation.	通过空格前的关系词as a result，以及介词from，可以预测出空格里应该填一个表示结果的名词。从内容上来分析，应该是居里夫人长期暴露于镭的辐射，结果得了什么病。题干中as a result she suffered from...对应原文中died as a result of leukaemia caused by...，因此leukaemia 为答案。

参考译文:

Marie Curie对放射现象的研究

7. 当铀被发现具有放射性时，Marie Curie发现钍元素具有相同的性质。
8. Marie和Pierre Curie在对沥青铀矿的放射性进行研究时，发现了两种新的元素。
9. 1911年，Marie Curie因对镭元素的研究而获得认可。
10. Marie Curie和Irène发展了X射线照相技术，这一技术成为一项救治士兵的医疗技术。
11. Marie Curie看到了收集放射性物质对于科学研究和治疗疾病的重要性。
12. 储存在巴黎的放射性物质对于20世纪30年代中子和人工放射的发现作出了贡献。
13. Marie Curie在研究过程中受到辐射，因而患上了白血病。

参考译文

—— Marie Curie的生活与工作 ——

Marie Curie大概是史上最著名的女科学家。她于1867年出生在波兰，原名Marie Sklodowska，因其在放射化学方面的成就而著名，并两度问鼎诺贝尔奖；1903年，她同丈夫Pierre Curie以及Henri Becquerel被授予诺贝尔物理学奖，1911年她又独立获得诺贝尔化学奖。她是世界上第一位获得诺贝尔奖的女性。

自幼年起，Marie就以惊人的记忆力而出名。她在16岁完成中等教育时获得了金牌。但由于父亲投资失败，家中积蓄所剩无几，Marie不得不靠教书维持生活。有了这笔收入，她就能先资助姐姐Bronia在巴黎学医，而Bronia也承诺，作为回报以后会帮助她继续完成学业。

1891年，Bronia兑现了她的承诺。Marie来到巴黎，开始在巴黎大学学习。她经常学至深夜，每天几乎仅靠面包、黄油和茶水充饥。1893年，她在物理学的考试中拔得头筹，并在1894年的数学考试中名列第二。直至当年春天，她被介绍给Pierre Curie。

他们于1895年喜结连理，这桩婚姻标志着很快就会取得世界重大成就的合作的开始。1896年Henri Becquerel发现了一个新现象，Marie后来将其命名为"放射现象"，并且决定查明在铀中发现的放射现象是否也存在于其他元素中。后来，她在钍中也发现了这一现象。

随着Marie把注意力转向矿物质，她对沥青铀矿产生了兴趣。沥青铀矿是一种放射性高于纯铀的矿物质，而其高放射性的唯一解释是在矿石中存在着一种极为稀少却高度活跃的未知物质。Pierre Curie与Marie一起工作攻克了这项难题，他们发现了新的元素钋和镭。Pierre主要专注于新放射物质的物理研究，而Marie Curie努力提取金属状态的纯镭。终于在化学家Andre-Louis Debierne（Pierre的学生）的协助下，他们成功地提炼出纯镭。在这项研究成果的基础上，Marie Curie取得了理学博士学位，而且1903年，Marie、Pierre和Becquerel因发现放射现象而获得诺贝尔物理学奖。

1897年和1904年，Marie的两个女儿Irène和Eve分别诞生，但都没有影响她的科学工作。1900年，Marie被任命为赛夫勒的法国巴黎女子高等师范学校的物理学讲师，并且引入了以实验演示为基础的教学方法。1904年12月，她被任命为由Pierre Curie负责的实验室的高级助理。

1906年Pierre突然离世，这对Marie Curie来说是一个沉重的打击，也是她事业上的转折点：自此以后，她投入全部精力独立完成他们共同承担的科研工作。1906年5月13日，她填补了丈夫过世后留下的职位空缺，被任命为教授，成为了巴黎大学的第一位女性教师。1911年，她因分离出纯镭而荣获诺贝尔化学奖。

第一次世界大战期间，Marie在女儿Irène的帮助下，投身于X射线照相技术的发展研究，其中包括被称为"小个子居里"的治疗伤员的流动设备。1918年，镭研究所正式运营，成为核物理和化学的研究中心，而Irène也已是研究所的成员。此时，正是Marie Curie最辉煌的时候。1922年起，她成为法国医学学会的会员，研究放射性物质的化学特性及其医疗应用。

1921年，在两位女儿的陪同下，Marie远赴美国，成功地为镭研究筹得资金。当地的妇女为Marie发起的这项活动赠送了一克镭。Marie还在比利时、巴西、西班牙和捷克发表过演讲。此外，让她感到非常满意的是居里基金在巴黎成功发展，以及镭研究所于1932年在华沙启动，而她的姐姐Bronia则成为了研究所的主管。

Marie Curie的杰出成就之一，就是她意识到大量积累放射资源不仅是为了满足治病的需求，还要为科学研究提供充足的供给。巴黎镭研究所储存的1.5克镭为1930年前后几年里所做实验的成功作出了决定性的贡献。这项工作为James Chadwick爵士发现中子以及1934年Irène和Frédéric Joliot-Curie发现人工放射奠定了基础。几个月后，Marie Curie因长期受到辐射，患白血病去世。她经常把装有核辐射同位素的试管放置在口袋中，并跟人们谈论同位素放射出的漂亮的蓝绿色光芒。

Marie Curie对物理学作出巨大贡献，其原因不仅在于已被两项诺贝尔奖肯定的个人研究成果，还在于她对后代人在核物理和化学研究方面的影响。

Reading Passage 2

体裁	说明文
主题	婴幼儿的自我认知
结构	A段：自我认知分为主体自我认知和客体自我认知
	B段：主体自我的构成因素
	C段：模仿在自我认知中的作用
	D段：主体自我认知研究局限性的原因
	E段：客体自我认知的示例
	F段：自我与社会的关系密不可分
	G段：关于客体自我认知的实验
	H段：自我认知最常见的表达方式

解题地图

难度系数： ★ ★ ★ ★

解题顺序： MATCHING（20~23人名配理论）→ MATCHING（14~19段落配信息）→ SUMMARY（24~26全篇）

友情提示： 这篇文章主要讲婴幼儿自我认知，文章比较乏味，语言比较晦涩，难度系数比较高。考生只能先做相对容易定位的"人名配理论"题，之后再做通篇读的"段落配信息"题，最后做SUMMARY填空题。这篇文章的难点还在于，作为最后一个题型的SUMMARY，通常对应文章中后部，但是这道SUMMARY题几乎考查了全篇，实在令人崩溃，好在有通篇读的题目，理解在先，容易把SUMMARY题的题干"剧透"一些，从而间接达到内容上的定位。总之是不太好处理的一篇文章，时间会感到比较紧张。当然对于水平比较好的同学，也可以先做14~19段落配信息的MATCHING，再做细节的人名配理论的20~23题，即这种从主旨俯瞰细节的路线也可以操作。总之要留着SUMMARY填空题最后再做。

必背词汇

1. mimic *v.* 模仿，模拟，学样

   He *mimicked* her upper-class accent. 他模仿她那上流社会的腔调。

   A parrot can *mimic* a person's voice. 鹦鹉能学人的声音。

2. contingent *adj.* 因情况而异的，视情况而定的

   Whether or not we arrive on time is *contingent* on the weather. 我们是否按时到达要视天气情况而定。

   In effect, growth is *contingent* on improved incomes for the mass of the low-income population.

   事实上，发展有赖于大量低收入人群收入的增长。

3. empirical *adj.* 凭经验的，经验主义的

   We now have *empirical* evidence that the moon is covered with dust.

现在我们有实践经验证明月球上满是尘土。

The description of atmospheric dispersion phenomena remains quasi-*empirical* and statistical.

对大气扩散现象的描述仍然是准经验性的和统计性的。

4. derive *v.* 源于，来自，得到

Anna's strength is *derived* from her parents and her sisters. 安娜的坚强源自于她的父母和姐妹们。

He is one of those happy people who *derive* pleasure from helping others. 他属于那种助人为乐的快活人。

5. conceive *v.* 构思，设想，想象

He *conceived* of the first truly portable computer in 1968. 1968年，他构想出第一台真正的便携式计算机。

I just can't even *conceive* of that quantity of money. 那么多钱，我根本都无法想象。

6. frustration *n.* 挫折，挫败，失意

He took his pent up *frustration* out on his family. 他把因挫败而郁积的怒气发泄在家人身上。

He had to fight back tears of *frustration*. 他不得不强忍住失意的泪水。

7. struggle *n. & v.* 奋斗，努力，争取

We still have to *struggle* with all kinds of difficulties. 我们仍得和各种各样的困难作斗争。

It was a hard *struggle* to get my work done in time. 为使工作按时完成，我作了一番努力。

认知词汇

emergence	*n.* 出现，发生	inextricably	*adv.* 无法摆脱地，解不开地
feature	*n.* 特征，特点	bound	*v.* 束缚，捆绑
distinction	*n.* 区别，特质	essentially	*adv.* 本质上，根本上
caregiver	*n.* 照料者，护理者	milestone	*n.* 里程碑，划时代事件
propose	*v.* 提议，建议，计划	dab	*v.* 轻拍；很快地涂抹
limb	*n.* 肢	cue	*n.* 暗示，提示，线索
vocalization	*n.* 发声，发声法	graphic	*adj.* 图的，用图表示的
reflection	*n.* 反映，反射	display	*n.* 显示
interaction	*n.* 互相影响，互动	rage	*n.* 愤怒
scarce	*adj.* 缺乏的	longitudinal	*adj.* 经度的，纵向的
category	*n.* 种类，类别；范畴	intensity	*n.* 强烈，强度
element	*n.* 元素，要素	ownership	*n.* 所有权，所有
colleague	*n.* 同事，同僚，同行	notable	*adj.* 值得注意的，显著的

佳句赏析

1. However, Lewis and Brooks-Gunn（1979）suggest that infants' developing understanding that the movements they see in the mirror are contingent on their own, leads to a growing awareness that they are distinct from other people.

   - 参考译文：但是，Lewis和Brooks-Gunn（1979年）认为婴儿认识到镜子里的动作取决于他们自己的动作，这一理解的发展促使婴儿逐渐意识到自己与他人不同。
   - 语言点：
   （1）句型分析
   这一句中嵌套了数个从句。
   主句主语是Lewis and Brooks-Gunn，主句谓语动词是suggest。

第一个that引导的是宾语从句，主语是 infants' developing understanding，从句的谓语动词是leads to，从句的宾语是 a growing awareness...。

第二个that引导的(that the movements...on their own)是同位语从句，修饰前面的 understanding。从句的主语是movements，谓语是are contingent on their own。其中又包含一个定语从句：they see in the mirror是省略了关系代词 that的定语从句，先行词是the movements，in the mirror是地点状语。

第三个that引导的(that they are distinct from other people)是同位语从句，修饰 awareness。

（2）be contingent on意思是"依……条件而定"，是雅思阅读常考的一个词组，考生应该多加注意。例如：

Whether or not we arrive on time is contingent on the weather. 我们是否能够准时到达要看天气情况。

Managers need to make rewards contingent on performance. 经理们需要依据表现给予奖赏。

(*Cambridge IELTS 6*, Test 3, Reading Passage 2)

2. This has been seen by many to be the aspect of the self which is most influenced by social elements, since it is made up of social rules（such as student, brother, colleague）and characteristics which derive their meaning from comparison or interaction with other people（such as trustworthiness, shyness, sporting ability）.

- 参考译文：很多人认为这一自我认知受社会因素影响最大，因为客体自我由社会角色构成（比如学生、兄弟、同事）并包含一些来自与他人比较或互动而产生的性格特点（比如可信、羞怯、善于运动）。

- 语言点：

（1）句型分析

which is most influenced by social elements 是定语从句，先行词是the aspect of the self。

since引导原因状语从句，social rules 和characteristics 并列，都是be made up of 的宾语。其中which derive...other people 是定语从句，修饰先行词characteristics。

原因状语从句是雅思阅读中最常见的语法现象，一般由从属连词because, as, since, now that等引导。例如：

However, in the 19th century, scientific English again enjoyed substantial lexical growth as the industrial revolution created the need for new technical vocabulary, and new, specialised, professional societies were instituted to promote and publish in the new disciplines. 尽管如此，到了19世纪，由于工业革命催生了对新技术词汇的需要，科技英语在词汇上重新有了大幅度的增长，同时，新的专业协会也纷纷建立起来，促进新学科的发展和相关著作的出版。(*Cambridge IELTS 5*, Test 2, Reading Passage 3)

这里的as引导原因状语从句，但也可以理解为as引导的是时间状语从句。其实在某些语境中，原因状语从句与时间状语从句并没有明显区分。一般而言，as表示原因时，因为语气较弱，一般放在主句前，中间用逗号隔开，表示的是明显的原因。

（2）be seen by sb. to be sth. 被某人认为是……

例如：The completion of the first step of the project has been seen by the government to be a small step towards the final triumph. 该工程首要步骤的完成已被政府视为朝向最终胜利迈出的一小步。

3. Often, the children's disagreements involved a struggle over a toy that none of them had played with before or after the tug-of-war: the children seemed to be disputing ownership rather than wanting to play with it.

- 参考译文：通常，孩子们的这种争论会涉及激烈争夺以前都没玩过的一个玩具之前或之后的冲突：孩子们似乎在争抢玩具的拥有权而非真的想玩玩具。

- 语言点：rather than的用法很多，可作连词词组，连接两个并列成分，表示在两者中间进行选择，意为"是 A 而不是 B"、"要 A 而不要 B"、"宁愿 A 而不愿 B"等，后面可以接名词、代词、形容词、副词、动词和动词不定式等。例如：

A shrinking organisation tends to lose its less skilled employees rather than its more skilled employees. 一个衰落的企业往往流失的是技能不高的员工而不是技能熟练的员工。(*Cambridge IELTS 6*, Test 3, Reading Passage 2)

Both sides in the Second World War relied heavily on these devices, under such codenames as Asdic (British) and Sonar (American), as well as Radar (American) or RDF (British), which uses radio echoes rather than sound echoes. 二战期间，交战双方都充分运用了这些设备，代号分别是Asdic(英国)和Sonar(美国)以及Radar(美国)或是RDF(英国)，后两者使用了雷达回声技术而非声波回声技术。(*Cambridge IELTS 7*, Test 1, Reading Passage 1)

The Little Ice Age was far from a deep freeze, however; rather an irregular seesaw of rapid climatic shifts, ... 然而，小冰期远非一个深度冰冻期，它实际上是……一系列不规则气候剧变的集合。(*Cambridge IELTS 8*, Test 2, Reading Passage 2)

Rather than resisting or criticising this trend, increasing numbers of Australian doctors, particularly younger ones, are forming group practices with alternative therapists or taking courses themselves, particularly in acupuncture and herbalism. 越来越多的澳大利亚医生，特别是那些年轻一些的医师，非但没有抵制或批判这样一个潮流，反而开始与另类疗法医师联合开业，或是干脆自己去学习相关课程，尤其是针灸和草药医学。(*Cambridge IELTS 4*, Test 2, Reading Passage 2)

在这个例子中，rather than可以翻译成"非但没有……，而是……"。

⚙️试题解析

Questions 14–19

- 题目类型：MATCHING（注意：每个字母可以使用多次。）
- 题目解析：

14. an account of the method used by researchers in a particular study

参考译文	陈述了研究人员在某项特定研究中所用的方法
定位词	method, researchers, in a particular study
文中对应点	G段第四行： In one experiment, Lewis and Brooks-Gunn (1979) dabbed some red powder on the noses of children who were playing in front of a mirror, and then observed how often they touched their noses. The psychologists reasoned that if the children knew what they usually looked like, they would be surprised by the unusual red mark and would start touching it. 在一项实验中，Lewis和Brooks-Gunn (1979年)将在镜子前玩耍的孩子的鼻尖轻轻涂上红粉，然后观察他们多久摸一次自己的鼻子。心理学家推断，如果孩子了解自己平时的样子，他们会对鼻尖上不常见的红印感到惊讶，并会开始摸鼻子。 题目中的method对应原文的dabbed some red powder on the noses；题目中的researchers对应原文中的Lewis and Brooks-Gunn这两位研究者；题目中的particular study对应原文中的In one experiment。

15. the role of imitation in developing a sense of identity

参考译文	模仿在自我认知发展中起到的作用
定位词	role, imitation, sense of identity

文中对应点	C段第一行： Another powerful source of information for infants about the effects they can have on the world around them is provided when others mimic them. 他人对婴儿的模仿是婴儿的又一个强大信息源，让他们了解到他们对周围世界所能产生的影响。 题目中的another powerful source of information对应role；题目中的imitation对应原文中的mimic。

16. the age at which children can usually identify a static image of themselves

参考译文	孩子通常可以辨认出自己静态形象的年龄
定位词	the age, identify, static image
文中对应点	G段第一行： Lewis and Brooks-Gunn argued that an important developmental milestone is reached when children become able to recognize themselves visually without the support of seeing contingent movement. This recognition occurs around their second birthday. Lewis和Brooks-Gunn争辩道，当孩子变得无需借助于观察跟随自己移动的物体就能从视觉上辨认出自己时，便达到了自我认知发展过程中一个重要的里程碑。这一自我认知通常发生在大约两岁的时候。 题目中的the age对应原文中的around their second birthday；题目中的static image静态影像对应原文中的without...contingent movement。

17. a reason for the limitations of scientific research into 'self-as-subject'

参考译文	科学研究在"主体自我"方面局限性的原因
定位词	reason, limitations, 'self-as-subject'
文中对应点	D段第四行： Empirical investigations of the self-as-subject in young children are, however, rather scarce because of difficulties of communication: even if young infants can reflect on their experience, they certainly cannot express this aspect of the self directly. 然而，在幼儿中进行的关于主体自我的实证调查还相当不足，其原因在于交流上的困难：即使婴儿可以回想起自身的经历，他们也肯定还无法直接表达自我的这一方面。 题目中的reason对应原文中的because of difficulties of communication；题目中的limitations对应原文中的even if young infants can..., they certainly cannot..., 即尽管他们可以……他们也还不能……，所以体现了客观的局限性。

18. reference to a possible link between culture and a particular form of behaviour

参考译文	提及文化和某种特定行为之间可能存在的联系
定位词	possible link, culture, particular form of behaviour
文中对应点	H段倒数第三行： Although it may be less marked in other societies, the link between the sense of 'self' and of 'ownership' is a notable feature of childhood in Western societies. 尽管这点在其他社会中也许并不是这么明显，但是在西方社会，对"自我"和"所有权"的认知之间的联系在儿童时期是非常明显的特点。

	题目中的possible link between culture and a particular form of behaviour对应原文中的the link between the sense of 'self' and of 'ownership' is a notable feature of childhood in Western societies。再深度分析，确认题目中particular form of behaviour（行为的特殊形式），对应原文中的the sense of 'self' and of 'ownership'，即"自我"和"所有权"两种形式。题目中的culture对应原文中的Western societies。

19. examples of the wide range of features that contribute to the sense of 'self-as-object'

参考译文	举出大量的不同特点促成"客体自我"认知的例证
定位词	examples, the wide range of features, 'self-as-object'
文中对应点	E段第一行： Once children have acquired a certain level of self-awareness, they begin to place themselves in a whole series of categories, which together play such an important part in defining them uniquely as 'themselves'. This second step in the development of a full sense of self is what James called the 'self-as-object'. 一旦孩子获得了一定程度上的自我认知，他们便开始将自己置于整个一系列的范畴之中，而这一系列范畴在定义他们为独特的"自己"的过程中共同发挥了重要作用。这就是完整自我认知发展过程中的第二步，即James所谓的"客体自我"认知。 题目中的the wide range of features（各种不同特点）对应原文中的in a whole series of categories（一系列方法）。

Questions 20–23

- 题目类型：MATCHING
- 题目解析：人名配理论的题目，通常要使用含特殊词的人名一方定位，将所有人名标记在原文中，然后先做人名在原文中出现次数少的，这样做节省时间且更有针对性，不容易走神。方法如下：定位人名——就近原则，扫读周围——画出特殊词或者独特名词、动词、形容词——带到理论一方——用找同义词的方法推敲答案。
  针对本题特点，虽然有些人名在原文中出现了几次，但是我们很快可以发现规律，实际有用的理论都以这样的形式出现：某某人（某某年份）。

题号	定位词	文中对应点	题目解析
20	D： Mead（1934）	F段最后一句	原文中的关键词为： 第一处：...the self and the social world as inextricably bound together(个人和社会有着密不可分的关系)。 第二处：...it is impossible to conceive of a self arising outside of social experience（根本无法想象个人的成长可以脱离社会经验）。 综上两处，对应题目中的identity can never be formed without relationships with other people（没有与他人的联系，自我认知无法形成）。

题号	定位词	文中对应点	题目解析
21	B: Cooley（1902）	B段中后部	原文中的关键词为： 第一处：...an infant's attempts to control physical objects, such as toys or his or her own limbs（Cooley提出婴儿试图控制实物，比如玩具或者自己的胳膊和腿）。 第二处：...attempts to affect the behaviour of other people（婴儿试图影响其他人的行为）。 对应题目中的...is related to a sense of mastery over things and people（孩子的自我认知与对事物和人物的掌控感有关）。
22	E: Bronson（1975）	H段	原文中的关键词为： 第一处：...which are most common from 18 months to 3 years of age（这在18个月到3岁的孩子身上最为常见）。 第二处：...intensity of the frustration and anger in their disagreements increased sharply between the ages of 1 and 2 years.（1~2岁的孩子由于争论而产生的挫败感和愤怒明显更加强烈）。 第三处：...involved a struggle over a toy...disputing ownership rather than wanting to play with it（孩子们的冲突涉及争夺玩具，似乎只是争抢玩具的拥有权而非真的想玩玩具）。 对应目中的At a certain age, children's sense of identity leads to aggressive behavior（在某一年龄，孩子的自我认知会导致侵犯性的行为）。
23	C: Lewis and Brooks-Gunn（1979）	C段倒数第二句	原文中的关键词为： 第一处：...that the movements they see in the mirror...（婴儿从镜子里看到的动作）。 第二处：...leads to a growing awareness that...（促使婴儿自我意识的增长）。 分别对应题目中的 Observing their own reflection和contributes to children's self awareness（观察自己的影像有助于孩子自我认知的形成）。

Questions 24–26

- 题目类型：SUMMARY
- 题目解析：

题号	定位词	文中对应点	题目解析
24	举例关系： for example; image to move, face	C段中后部	空格前为不定冠词a，因此预测出空格里应该填辅音开头的名词，并且此词最好在定位词image之后。用定位词image定位到原文中包含image的这句话，名词有mirror。再一次推敲答案，发现题干中的face a... 对应原文中的see in the mirror，因此mirror为答案。

题号	定位词	文中对应点	题目解析
25	因果关系：because of；self-awareness, difficult to research, directly	D段最后一句	空格前有一个关系词because of，预测空格里应该为表示原因的名词。用定位词定位到原文中，找到because of的原词，顺着往后找到名词：difficulties of communication。由于题干中已经有difficulties，于是communication为答案备选。又因为题干中的difficult to research directly（直接调研太困难）对应原文中的empirical investigation...scarce（自我实证调研不足），表述一致，因此可确定communication为答案。
26	In Western societies, self awareness, sense	H段最后一句	空格前是介词of，所以确定空格里一定是名词，不仅如此，空格里的词应该是和self awareness为并列关系的名词，并且最好出现在定位词In Western societies之后。按照这些定位到原文中，读包含in Western societies的这一整句话，发现就一处带引号的并列关系：between the sense of 'self' and of 'ownership'，于是ownership为答案备选。又因the sense of 'self'对应题干中的awareness，因此可确定ownership为答案。

参考译文：

孩子如何获得自我认知

首先，孩子开始意识到他们对周围的世界会产生影响，比如操控物品，或者当他们对着镜子时会导致影像移动。由于沟通上的问题，很难对自我认知的这一方面进行直接研究。

其次，孩子开始逐渐认识到其他人是如何看待自己的。这一过程中，一个重要的阶段是孩子在视觉上能够辨认出自己，这通常发生在他们两岁的时候。至少在西方社会，自我意识的发展通常与所有权意识相关联，并会引起争论。

参考译文

──────────────── 婴幼儿的自我认知 ────────────────

A 孩子的自我认知是渐渐形成的。在这一过程中会逐渐形成稍有不同的两种特征：主体自我和客体自我。1892年William James提出了两者的区别，而与他同一时代的人，如Charles Cooley等，也加入到这场愈加壮大的辩论中。从此，心理学家在此基础上不断发展自我认知理论。

B 根据James的观点，一个孩子自我认知之路的第一步可被视为意识到自己的存在。这就是他称之为"主体自我"的一个方面，他还解释了构成主体自我的众多因素，其中包括对自我权力（即行动权力）和自我独特性的认识。当婴儿探索世界并与照顾他的人进行互动时，这些特征会渐渐显现。Cooley（1902年）认为主体自我的意识主要与实施权力的能力有关。他提出，婴儿试图控制实物，比如玩具或者自己的胳膊和腿，就是表现主体自我意识的最早的例子。接着，婴儿会试图影响其他人的行为，比如他们知道当他们哭泣或微笑时就有人会回应他们。

C 他人对婴儿的模仿是婴儿的又一个强大信息源，让他们了解到他们对周围世界所能产生的影响。许多父母花大量的时间模仿孩子的发音和表情，尤其是在婴儿出生后的前几个月。此外，婴幼儿很喜欢照镜子，因为他们能看到的镜子中的动作完全取决于他们自己的动作。这并不是说婴儿已经意识到镜子里的人就是他们自己（这是后面的发展阶段）。但是，Lewis和Brooks-Gunn（1979年）认为婴儿认识到镜子里的动作取决于他们自己的动作，这一理解的发展促使婴儿逐渐意识到自己与他人不同，因为正是他们、也只有他们才能改变镜子里的影像。

D 孩子认识到自己具有主动的权力，他们获得的这种认识通过在游戏中与他人合作得到发展。Dunn

(1988年)指出，正是在这样的日常关系和互动中，孩子对于自身的认识才得以出现。然而，在幼儿中进行的关于主体自我的实证调查还相当不足，其原因在于交流上的困难：即使婴儿可以回想起自身的经历，他们也肯定还无法直接表达自我的这一方面。

E　一旦孩子获得了一定程度上的自我认知，他们便开始将自己置于整个一系列的范畴之中，而这一系列范畴在定义他们为独特的"自己"的过程中共同发挥了重要作用。这就是完整自我认知发展过程中的第二步，即James所谓的"客体自我"认知。很多人认为这一自我认知受社会因素影响最大，因为客体自我由社会角色构成（比如学生、兄弟、同事）并包含一些来自与他人比较或互动而产生的性格特点（比如可信、羞怯、善于运动）。

F　Cooley和其他研究人员认为，一个人对其身份的自我认知与他人对此的认知之间存在密切联系。Cooley相信，人们的自我认知建立在他人对自己的反应，以及他们认为别人对自己所持的观点的基础之上。他将客体自我称为"镜中自我"，因为人们也从他人的眼中认识自己。Mead（1934年）在此研究基础上作了更为深入的探究，他认为个人和社会是密不可分的："从根本上说，个人是社会结构的组成部分，并在社会经验中成长……根本无法设想一个人的成长可以脱离社会经验。"

G　Lewis和Brooks-Gunn争辩道，当孩子变得无需借助于观察跟随自己移动的物体就能从视觉上辨认出自己时，便达到了自我认知发展过程中一个重要的里程碑。这一自我认知通常发生在大约两岁的时候。在一项实验中，Lewis和Brooks-Gunn（1979年）将在镜子前玩耍的孩子的鼻尖轻轻涂上红粉，然后观察他们多久摸一次自己的鼻子。心理学家推断，如果孩子了解自己平时的样子，他们会对鼻尖上不常见的红印感到惊讶，并会开始摸鼻子。另一方面，研究者发现15~18个月大的孩子一般不能辨认出自己，除非向他们呈现其他提示如运动。

H　最后，一般的自我认知最形象的表达方式大概就是愤怒，这在18个月到3岁的孩子身上最为常见。在对每组三四个孩子的纵向研究中，Bronson（1975年）发现1~2岁的孩子在争论中产生的挫败感和愤怒的强度急剧增加。通常，孩子们的这种争论会涉及激烈争夺以前都没玩过的一个玩具之前或之后的冲突：孩子们似乎是在争抢玩具的拥有权而非真的想玩玩具。尽管这点在其他社会中也许并不是这么明显，但是在西方社会，对"自我"和"所有权"的认知之间的联系在儿童时期是非常明显的特点。

Reading Passage 3

📑 篇章结构

体裁	说明文
主题	博物馆的发展
结构	A段：博物馆的功能正在改变
	B段：人们对博物馆的变化众说纷纭
	C段：自然历史呈现方式的发展
	D段：博物馆负责人面临商业压力
	E段：博物馆对展品进行诠释的必要性
	F段：展品的完好程度造成人们认识上的偏差

🌐 解题地图

难度系数：★★★

解题顺序: LIST OF HEADINGS (27~30) → MULTIPLE CHOICE (31~36) → TRUE/FALSE/NOT GIVEN (37~40)

友情提示: 这篇文章讲博物馆的发展,文章脉络比较清晰。应当先从考查主旨的LIST OF HEADINGS入手,从而帮助其他细节达到定位。做MULTIPLE CHOICES 的时候,要了解单选题的特征,一题通常考一段,按顺序出题。我们看到Q35能定位到E段,因此可以大胆推测其余的题目来自A/B/C/D/F段,再根据其他信息,定位成功。最后几道判断题从形式上只能定位Q39,其他的根据顺序原则,加上其他题目中提及的信息,就算不回原文定位,也不容易判断错。

🔤 必背词汇

1. domain *n.* 范围,领域,领土

   This question comes into the *domain* of philosophy. 这一问题属于哲学范畴。

   His *domain* extends for 20 miles in every direction. 方圆20英里之内都是他的领地。

2. intolerable *adj.* 不能忍受的,无法容忍的

   Human rights abuses by any party are *intolerable*. 任何党派践踏人权的行为都不能容忍。

   His illness placed an *intolerable* burden on his family. 他的病给家庭造成了无法承受的负担。

3. distinction *n.* 区别

   We must draw a clear *distinction* between right and wrong. 我们必须明确区分是与非。

   There is a nice *distinction* between the two words. 这两个词有细微的区别。

4. evaporate *v.* 消失,蒸发

   My anger *evaporated* and I wanted to cry. 我的怒气渐渐消失,想大哭一场。

   Moisture is drawn to the surface of the fabric so that it *evaporates*. 湿气被吸到织物表面从而蒸发。

5. enormous *adj.* 巨大的,庞大的

   They overlooked the *enormous* risks involved. 他们忽略了牵涉的巨大危险。

   We have *enormous* reserves of oil still waiting to be tapped. 我们有巨大的石油矿藏等待开发。

6. undergo *v.* 经历,承受

   The idea must *undergo* the checkout of experiment. 观念必须经得起实验的检验。

   Some stars do *undergo* changes, and such stars are called variables.

   有些星星经历着真正的变化,它们被叫做变星。

7. depict *v.* 描绘,描画,描述

   Margaret Atwood's novel *depicts* a gloomy, futuristic America.

   玛格丽特·阿特伍德的小说描述了一个前景黯淡的未来美国。

   I don't care to see plays or films that *depict* murders or violence.

   我不喜欢看描写谋杀或暴力的戏剧或电影。

8. inevitable *adj.* 不可避免的,必然发生的

   The defeat had *inevitable* consequences for British policy. 战败对英国政策不可避免地产生了影响。

   Turf wars are *inevitable* when two departments are merged. 两个部门合并时总免不了权势之争。

🔤 认知词汇

conviction	*n.* 信念	testimony	*n.* 证据,证明
historical	*adj.* 历史的,有历史根据的	artefact	*n.* 手工艺品,人工制品
relics	*n.* 遗产,遗物	chronicle	*n.* 编年史,年代记

veracity	*n.* 真实	authenticity	*n.* 可靠性,真实性
endure	*v.* 持续,持久	presentation	*n.* 显示,介绍
showcase	*n.* 玻璃柜台,玻璃陈列柜	jungle	*n.* 丛林
subtle	*adj.* 微妙的,难以察觉或描述的	competitive	*adj.* 竞争的,有竞争力的
ordinary	*adj.* 普通的,平凡的,平常的	accuracy	*n.* 精确(性),准确(性)
exclusive	*adj.* 专用的,独有的	correspond	*v.* 符合,相应
alter	*v.* 改变,更改	dominant	*adj.* 支配的,统治的,占优势的
heritage	*n.* 遗产,继承物	gesture	*n.* 手势,姿势
imperial	*adj.* 帝国的,皇家的	contemporary	*adj.* 现代的,当代的
prototype	*n.* 原型;典范	prejudice	*n.* 成见,偏见
virtual	*adj.* 实质上的,事实上的	bias	*n.* 偏见
adopt	*v.* 采用,采取,采纳	notion	*n.* 观念,见解

佳句赏析

1. On so-called heritage sites the re-enactment of historical events is increasingly popular, and computers will soon provide virtual reality experiences, which will present visitors with a vivid image of the period of their choice, in which they themselves can act as if part of the historical environment.

- 参考译文:在所谓的遗产地,历史事件重演越来越受到人们的欢迎,而不久之后,电脑将提供虚拟的现实体验,参观者选定一个时期,该时期的生动画面就会呈现出来,参观者身临其境,仿佛自己处在当时的历史环境中。

- 语言点:

  句型分析:

  (1)这个句子中有两个非限制性定语从句。

  第一个是which will present visitors with a vivid image of the period of their choice,先行词是virtual reality experiences。

  第二个是in which they themselves can act as if part of the historical environment,先行词是a vivid image。

  这样的定语从句嵌套的句型在雅思阅读中非常常见:

  These observations are generally consistent with our previous studies of pupils' views about the use and conservation of rainforests, in which girls were shown to be more sympathetic to animals and expressed views which seem to place an intrinsic value on non-human animal life. 这些观点与先前就学生对热带雨林的开发及保护状况所作的研究的结果基本一致,该结果表明女生更容易表现出对小动物的同情,其观点也更容易将内在价值观基于动物而非人类生命上。(*Cambridge IELTS* 4, Test 1, Reading Passage 1)

  (2)as if part of the historical environment是一个省略句,完整句子是as if they are part of the historical environment。

  as if可用于省略句中,如果as if引导的从句是"主语+系动词"结构,可省略主语和系动词,这样as if后就只剩下名词、不定式、形容词(短语)、介词短语或分词。例如:

  He acts as if (he is) a fool. 他做事像个傻子。

  She left the room hurriedly as if (she was) angry. 她匆忙离开房间,好像生气了。

2. Those who are professionally engaged in the art of interpreting history are thus in a difficult position, as they must steer a narrow course between the demands of 'evidence' and 'attractiveness', especially given the increasing need in the heritage industry for income-generating activities.

- 参考译文：因此，那些专业从事诠释历史这门艺术的人面临着一个困难，他们既要展示出充分的"证据"，又要满足参观者对于"吸引力"的要求，并在两者之间寻求平衡，特别是考虑到历史遗产产业对于创收活动不断增长的需求。

- 语言点：

    句型分析：

    （1）who are professionally engaged in the art of interpreting history是定语从句，修饰前面的指示代词those。

    （2）在这句话中，as引导原因状语从句，相似的例子还有：

    It was not a wise decision in the long run, as we had not reckoned on the dramatic rise in house prices.

    从长远角度来看，这不是一个明智的决定，因为我们未曾预期房价如此大涨。

    （3）given是介词，在这里引导条件状语，翻译成"考虑到；鉴于"，例如：

    Given the current situation, I don't think you should go. 考虑到现在的局势，我觉得你还是别去了。

    Given their experience, they have done a good job. 考虑到他们的经验，这工作他们做得不错。

    given that引导条件状语从句，一般表示所述第一件事情的真实性，例如：

    I don't see what I can do for you, given that you have no evidence.

    鉴于你拿不出证据来，我就不知道能为你做点什么了。

    Given that there is a living to be made at night, and given that alternative daytime trades are thoroughly occupied, natural selection has favoured bats that make a go of the night-hunting trade. 鉴于有些生物要在夜间谋生，并且白天的猎物资源都已经被占用，自然选择最终使蝙蝠们在夜间捕猎行当里大显身手。（*Cambridge IELTS 7*, Test 1, Reading Passage 1）

3. Such presentations tell us more about contemporary perceptions of the world than about our ancestors.

    - 参考译文：这样的呈现方式展示的更多是现代人对于世界的认知，而不是我们祖先对世界的认知。

    - 语言点：（1）more than用法解析

        ① "more than+名词"表示"不仅仅是"

        例句：But pictures are more than literal representations. 但是，图画不只是表面意思的体现。（*Cambridge IELTS 4*, Test 1, Reading Passage 3）

        ② "more than+数词"含"以上"或"不止"之意

        例句：Only 250 languages have more than a million speakers, and at least 3,000 have fewer than 2,500. 只有250种语言拥有超过100万的使用者，而至少有3,000种语言的使用者不足2,500人。（*Cambridge IELTS 4*, Test 2, Reading Passage 1）

        ③ "more than+形容词"等于"很"或"非常"的意思

        例句：Although the senses of taste and smell appear to have deteriorated, and vision in water appears to be uncertain, such weaknesses are more than compensated for by cetaceans' well-developed acoustic sense. 尽管鲸的味觉和嗅觉严重衰退，在水中的视力又不那么确定，然而这些缺陷完全可以被它们那高度发达的听觉系统所弥补。（*Cambridge IELTS 4*, Test 1, Reading Passage 2）

        （2）more...than...

        ① 比……多，比……更

        例句：But such projects must be built to higher specifications and with more accountability to local people and their environment than in the past. 但与过去相比，这些水利设施的建设一定要更加规范化，要对当地的人们作出更加细致的说明，同时还需要考虑环保的要求。（*Cambridge IELTS 7*, Test 1, Reading Passage 2）

Lozanov's instructional technique is based on the evidence that the connections made in the brain through unconscious processing （which he calls non-specific mental reactivity） are more durable than those made through conscious processing. Lozanov的教学技巧主要基于这样的证据：在无意识状态下（他称此为非特异心理反应）大脑所作出的各种联系要比在有意识状态下作出的持续更长的时间。(*Cambridge IELTS 7*, Test 1, Reading Passage 3)

② 与其……不如……

He is more lucky than clever. 与其说他聪明，不如说他幸运。

🛠 试题解析

Questions 27–30

- 题目类型：LIST OF HEADINGS
- 题目解析：首先，考生应该忽略例题中已经选出的v项；并且划掉文中的A段，做好做题前的准备工作。

  接着，浏览所有的Headings，画出关键词。

  这道LIST OF HEADINGS题目不难，几乎全是规则段落，即从首句、第二句、末句就能确定段意，无需通篇理解才能最终决定答案。当然有的考生还习惯通读段落，对于语言能力不强的考生，这完全没有必要，读得越多，信息摄入越多，越抓不住重点。不过对于语言能力比较强的考生，如果检验几次时间都够，可以有目的地浏览一下主题句以外的其他语句，看它们是如何支持、发展和描述主题句的。

  Headings翻译如下：

  i. 负责人所面临的商业压力　　　　　　　ii. 对于博物馆当今变化的不同观点

  iii. 为满足参观者的期待而诠释历史　　　　iv. 国际因素

  v. 事实证据的收集　　　　　　　　　　　vi. 公共景点之间细微的差异

  vii. 当今的总结和建议

题号	定位词	文中对应点	题目解析
27	Mixed views, current changes, museums	B段前两句： Recently, however, attitudes towards history and the way it should be presented have altered. The key word in heritage display is now 'experience', the more exciting the better and, if possible, involving all the senses. 结合最后一句的后半句： ...but the success of many historical theme parks and similar locations suggests that the majority of the public does not share this opinion.	B段从第三行开始就呈现例子，所以很容易确定这个段落是总分结构，因此前两句就变得尤其重要了。题干中的current changes对应于原文中的...presented have altered。题干中的mixed views对应于原文中的...suggests that the majority of the public does not share this opinion。因此正确答案为ii。

题号	定位词	文中对应点	题目解析
28	Fewer differences, public attractions	C段前两句： In a related development, the sharp distinction between museum and heritage sites on the one hand, and theme parks on the other, is gradually evaporating. They already borrow ideas and concepts from one another.	首先在C段第三行看到For example就可以确定这个段落是总分段落，主题句就在前两句。题干中的few differences, public attractions分别对应原文中的the sharp distinction...is gradually evaporating（显著差异正在渐渐消失）和...between museum and heritage sites...and theme parks（博物馆、名胜古迹与主题公园之间）。因此正确答案为vi。
29	commercial pressures, people in charge,	D段末句： Those who are professionally engaged in the art of interpreting history are thus in a difficult position, as they must steer a narrow course between the demands of 'evidence' and 'attractiveness', especially given the increasing need in the heritage industry for income-generating activities.	这个段落是相对几个段落中最有难度的，因为主题句不是出现在前两句。可以放在最后使用排除法，也可以通读整段。最后一句为整段的总结句。题干中的commercial pressures对应原文中的especially given the increasing need in the heritage industry for income-generating activities，含义为"特别是考虑到历史遗产产业对于创收活动不断增长的需求"。题干中的people in charge对应原文中的Those who are professionally engaged in the art of interpreting history，含义为"那些专业从事诠释历史这门艺术的人"。因此正确答案为i。
30	Interpreting the facts, meet visitor expectations	E段前两句： It could be claimed that in order to make everything in heritage more 'real', historical accuracy must be increasingly altered. For example, *Pithecanthropus erectus* is depicted in an Indonesian museum with Malay facial features, because this corresponds to public perceptions.	首先在E段第二行看到For example就可以确定这个段落也是总分段落，主题句就在首句。但是这个段落主题句光读首句信息并不明显，需要结合例子。题干中的interpreting the facts对应原文中的例子For example, *Pithecanthropus erectus* is depicted in an Indonesian museum with Malay facial features，含义为"比如，印度尼西亚的一家博物馆根据马来人的面部特征来描绘直立猿人"。题干中的meet visitor expectations（满足参观者的期待），对应原文中because this corresponds to public perceptions（因为这更符合公众的认知）。因此正确答案为iii。

Questions 31–36

- 题目类型：MULTIPLE CHOICE
- 题目解析：一般正确答案的特征都是切合题意、和原文表达一致、相对客观、比较概括和较为深刻的。

  定位：单选题的特征是一道题目对应一段原文，按顺序出题。我们看到Q35能定位到E段，因此可以大胆推测其余的题目来自A/B/C/D/F段，再根据其他信息即可定位成功。

题号	定位词	题目解析
31	museums, past	题目：和现在的博物馆相比，过去的博物馆 **A** 没有详细地呈现历史。 **B** 不是主要为大众服务的。 **C** 布置更加条理清晰。 **D** 更小心地保存展品。 对应点在A段第五行： Such conviction was, until recently, reflected in museum displays. Museums used to look—and some still do—much like storage rooms of objects packed together in showcases: good for scholars...but not for the ordinary visitor... 这句话中的but not for the ordinary visitor对应选项B中的were not primarily intended for the public。 故正确答案为B。
32	current trends, heritage industry	题目：根据作者的观点，当今遗产产业的趋势 **A** 强调个人参与。 **B** 源自于约克和伦敦。 **C** 依赖于计算机图像。 **D** 反映了少数人的品味。 对应点在B段第前两句： Recently, however, attitudes towards history and the way it should be presented have altered. The key word in heritage display is now 'experience', the more exciting the better and, if possible, involving all the senses. 其中第二句话对应选项A中的emphasise personal involvement。选项B和C都涉及细节问题，但选项B本身就是错误的，选项D根本没提。 故正确答案为A。
33	museums, heritage sites, theme parks,	题目：作者提到博物馆、名胜古迹和主题公园 **A** 经常紧密地合作。 **B** 努力保持各自的特点。 **C** 有相似的展览。 **D** 和以前相比更不容易区分。 对应点在C段前两句： In a related development, the sharp distinction between museum and heritage sites on the one hand, and theme parks on the other, is gradually evaporating. They already borrow ideas and concepts from one another. 这句话中的the sharp distinction...is gradually evaporating就相当于选项D中的are less easy to distinguish than before。其余三个选项在原文都没提及。 故正确答案为D。

题号	定位词	题目解析
34	preparing exhibits for museums, experts	题目：作者提到为博物馆准备展览时，专家 **A** 应该追求单一的目标。 **B** 需要做一定量的语言翻译工作。 **C** 应该摆脱商业束缚。 **D** 平衡相互冲突的工作重点。 对应点在D段倒数第五行： Those who are professionally engaged in the art of interpreting history are thus in a difficult position, as they must steer a narrow course between the demands of 'evidence' and 'attractiveness', especially given the increasing need in the heritage industry for income-generating activities. 这句话中的as they must steer a narrow course between...and...对应选项D中的have to balance conflicting priorities。选项A和B原文没提及，选项C提到了commercial，但没有提到should be free from。 故正确答案为D。
35	In paragraph E, writer suggests	题目：在E段中，作者暗示一些博物馆展览 **A** 没能达到参观者的期望。 **B** 建立在专业人士的错误假设上。 **C** 展示出的现代人的想法多于古代人的想法。 **D** 让参观者更加充分地利用他们的想象力。 对应点在E段第五行： Such presentations tell us more about contemporary perceptions of the world than about our ancestors. 这句话中的tell us more about contemporary perceptions of the world than about our ancestors对应选项C中的reveal more about present beliefs than about the past。一般遇到选项中带比较关系的都不是正确答案，但选项C正是这道题的答案，因为原文中也明确了这样的比较关系。 故正确答案为C。
36	our view, is biased, because	题目：文章结尾提到我们对历史的看法是有偏见的，因为 **A** 我们没能运用我们的想象力。 **B** 只有非常耐用的古代物品才得以保留。 **C** 我们容易忽略让我们不高兴的事物。 **D** 博物馆展览太过专注于当地。 对应点在F段前三句： Human bias is inevitable, but another source of bias in the representation of history has to do with the transitory nature of the materials themselves. The simple fact is that not everything from history survives the historical process. Castles, palaces and cathedrals have a longer lifespan than the dwellings of ordinary people. 这句话中的but another source of bias in the representation of history has to do with the transitory nature of the materials themselves对应选项B中的only very durable objects remain from the past。其余三个选项原文中都没有提及，即可以用排除法筛选出正确选项；选项B中出现了only，又可以从原文中提到的not everything from history中看出其包含了only的意思。 故正确答案为B。

- 题目类型：TRUE/FALSE/NOT GIVEN
- 题目解析：定位：因为Q39定位在F段，所以依照顺序原则，Q37和Q38可以在F段前面的段落中找答案，Q40在其后面找答案。

37. Consumers prefer theme parks which avoid serious issues.

参考译文	消费者更喜欢不那么严肃的主题公园。
定位词	theme parks
解题关键词	Consumers prefer
文中对应点	D段： Theme parks are undergoing other changes, too, as they try to present more serious social and cultural issues, and move away from fantasy. This development is a response to market forces and... 主题公园也正在经历着其他转变。它们试图摆脱梦幻的风格，呈现更加严肃的社会和文化问题。这种发展是对市场推动力的反应…… 可根据定位词定位至D段段首。原文中说，主题公园也经历着转变，摆脱轻松的梦幻风格，尝试着去呈现严肃的社会问题，而且这种发展是市场推动力的反应。说明这是消费者认可且接受的。而题干中说消费者更喜欢氛围轻松的主题公园，与原文陈述不一致。
答案	FALSE

38. More people visit museums than theme parks.

参考译文	参观博物馆的人要比参观主题公园的人多。
定位词	museums, theme parks
解题关键词	More...than...
文中对应点	根据TRUE/FALSE/NOT GIVEN题型的顺序出题原则，此题考点应在37题考点之后、39题考点之前，顺着上一题找下去，并未发现有提到参观博物馆的人要比参观主题公园的人多的地方。
答案	NOT GIVEN

39. The boundaries of Leyden have changed little since the seventeenth century.

参考译文	自17世纪以来，莱顿城的面积几乎没有改变。
定位词	Leyden, the seventeenth century
解题关键词	The boundaries...have changed little...
文中对应点	F段： In a town like Leyden in Holland, which in the seventeenth century was occupied by approximately the same number of inhabitants as today, people lived within the walled town, an area more than five times smaller than modern Leyden. 像荷兰的莱顿这样的小镇，17世纪的居民数量和现在大致相同。人们将小镇用城墙围起来，居住其中，该区域的面积比现代的莱顿要小5倍。 本题根据定位词很容易定位至F段。可以明显看出原文中提到的an area more than five times smaller than modern Leyden与题干中的have changed little陈述不一致。
答案	FALSE

40. Museums can give a false impression of how life used to be.

参考译文	关于过去的生活，博物馆可能会给人错误的印象。
定位词	Museums, impression
解题关键词	false impression
文中对应点	F段： In most of the houses several families lived together in circumstances beyond our imagination. Yet in museums, fine period rooms give only an image of the lifestyle of the upper class of that era...the evidence in museums indicates that life was so much better in the past. This notion is induced by the bias in its representation in museums and heritage centres. 大多数房间中都住着好几户人家，其生活环境超出我们的想象。但在博物馆中，上好的老房子仅展现了那个时代上流社会的生活。难怪参观展览的人会充满怀旧情绪；博物馆中的证据表明过去的生活比现在的好得多。这种理解正是由博物馆和历史遗产中心重现历史过程中的偏见所引起的。 根据定位段落可以看出，明明当时生活艰苦，在博物馆里却只展现了上流社会的好房子，给人错误印象。与题干表述一致。
答案	TRUE

参考译文

——— 博物馆的发展 ———

A 19世纪和20世纪早初，人们坚信历史遗迹可靠无误地证明过去，当时科学被认为是客观和价值中立的。正如一位作家观察到的："尽管文物可以像编年史一样被轻易改变，但公众仍然相信其真实性：一个有形的遗产本身似乎就表明它是真实的。"直到最近，人们的这种观点都还反映在博物馆的展览上。过去，博物馆（有些现在仍然）看起来很像储藏室，里面的橱窗里集中了摆放了包裹好的物品。这对那些想要研究其图案微妙差异的学者来说很有用，但对于普通参观者来说，这些东西看起来都一样。同样，和文物相配的说明对外行参观者来说也意义不大。那些说明的内容和形式始于博物馆还是科学研究者唯一研究领域的时代。

B 然而近来，人们对历史及其呈现方式的态度有所改变。如今，遗产展览的关键词是"体验"，而且越刺激越好，如果可能，还要触动各种感官。在英国，约克的约维克中心，布拉德福德的国家摄影、电影和电视博物馆，以及伦敦的帝国战争博物馆是运用该方式的成功例子。在美国，这种趋势出现得更早，一直以来威廉斯堡都是世界其他地区遗产发展的典范。无人可以预知这样的趋势何时会结束。在所谓的遗产地，历史事件重演越来越受到人们的欢迎，而不久之后，电脑将提供虚拟的现实体验，参观者选定一个时期，该时期的生动画面就会呈现出来，参观者身临其境，仿佛自己处在当时的历史环境中。有人批评这一方式，认为这种粗俗化的呈现方式无法接受。但许多历史主题公园和类似景点的成功表明，大多数公众并不认同这一观点。

C 在相关发展中，博物馆、名胜古迹与主题公园之间的显著差异正在渐渐消失。它们已经开始互相借鉴彼此的想法和理念。例如，博物馆为展览设计故事情节，名胜古迹将"主题"作为相关工具，而主题公园则逐渐开始采用以研究为基础、更真实的方式来呈现历史。在动物园，动物不再被关在笼子中，而是生活在野外或者巨大的温室等广阔的空间，比如荷兰伯格斯动物园内的丛林和沙漠环境。这种特殊的趋势被认为是20世纪自然历史呈现方式的主要发展之一。

D 主题公园也正在经历着其他转变，它们试图摆脱梦幻的风格，呈现更加严肃的社会和文化问题。这种发展是对市场推动力的反应，博物馆和名胜古迹虽然扮演着独特的、不同的角色，但它们也在竞争非常激烈的环境中运营，因为如何度过、在哪里度过闲暇时间由参观者自己决定。名胜古迹和博物馆专家不需要编造故事或重现历史环境吸引参观者：这些他们已经具备。然而众所周知，展览必须以文物和事实为基础，并将它们以吸引人的方式呈现出来。因此，那些专业从事诠释历史这门艺术的人面临着一个困难，他们既要展示出充分的"证据"，又要满足参观者对于"吸引力"的要求，并在两者之间寻求平衡，特别是考虑到历史遗产产业对于创收活动不断增长的需求。

E 可以断言，为使历史遗产中的一切看起来更加"真实"，历史的准确性必将被越来越多地改变。比如，印度尼西亚的一家博物馆根据马来人的面部特征来描绘直立猿人，因为这更符合公众的认知。类似地，华盛顿国立自然历史博物馆中，一位尼安德特男人正对他的妻子做出支配手势。这样的呈现方式展示的更多是现代人对于世界的认知，而不是我们祖先对世界的认知。然而，作出这种诠释的专家找到一种心理安慰：如果他们不作诠释，参观者将基于自己的想法、误解和偏见来解读历史。无论结果多么令人兴奋，都将比专家提供的诠释含有更多的偏见。

F 人类的偏见是不可避免的，但是在重现历史过程中，偏见的另一来源与物质本身短暂的寿命有关。一个简单的事实是，不是所有的物质在历史进程中都能幸存。城堡、宫殿、大教堂比普通的居民住所留存时间更长。同样，家具和房屋中的其他物品留存时间也相对短暂。像荷兰的莱顿这样的小镇，17世纪的居民数量和现在大致相同。人们将小镇用城墙围起来，居住其中，该区域的面积比现代的莱顿要小5倍。大多数房间中都住着好几户人家，其生活环境超出我们的想象。但在博物馆中，上好的老房子仅展现了那个时代上流社会的生活。难怪参观展览的人会充满怀旧情绪；博物馆中的证据表明过去的生活比现在的好得多。这种理解正是由博物馆和历史遗产中心重现历史过程中的偏见所引起的。

Notes

Writing

Task 1

题目要求

（见"剑9"P101）

审题

题目翻译：下面的曲线图来自一份2008年的报告，给出了关于美国自1980年至2030年能源消费及预测信息。

本题为曲线图，由六条曲线组成。消耗的能源种类有：petrol and oil（汽油和石油），coal（煤炭），natural gas（天然气），nuclear（核能），solar/wind（太阳能/风能），和hydropower（水电）。横坐标为1980年到2030年，纵坐标为以quadrillion units为基本单位的能源消耗量。

写作思路

曲线图的写作思路是要看共有多少条曲线，根据横轴分析每条曲线各自的变化，并把不同曲线进行比较。曲线大于等于三条的时候要注意归类。一种归类方法是把增长的归为一类，减少或者不变的归为另一类；同样都是增长或者减少的，则应该根据变化的幅度，从大到小排列，也可以先对比着写增长或减少幅度最大和最小的，然后写居中的。另一种归类方法是按照相对占有的比例归类，按照比例大小分类。

考官范文

（见"剑9"P168）

参考译文

该曲线图显示了美国1980年至2012年的能源消费，以及至2030年的预计消费情况。

汽油和石油是这个阶段最主要的燃料来源，从1980年使用的35万亿单位(35q)增加到2012年的42q。虽然一开始有波动，但从1995年开始稳步增长。这一趋势估计会继续，到2030年达到47q。

来自天然气和煤炭的能源消费趋势在此期间相似。1980年分别为20q和15q，天然气消费最初呈下降趋势，而煤炭则是逐渐增加，在1985年至1990年间两种燃料持平。1990年以后的消费出现波动，但两者现在都供应24q。据预测，煤炭会稳步增长到2030年的31q，而天然气则在2014年以后保持在25q。

1980年时，来自于核能、水力和太阳能/风能的能源消费情况相同，都仅为4q。此后，核能增加了3q，太阳能/风能增加了2q。水电在略有增长后下降到1980年的数值。据预测水电会一直保持在这一数值直到2030年，而其他能源在2025年后会略有增加。

总之，美国会继续依赖矿物燃料，可再生能源和核能依然相对不那么重要。

分析

首段分析

文章首段交代了图表的基本信息和写作对象，在题目原文基础上进行了改写，如把consumption of energy改成energy consumption（次序替换），把since 1980 with projections until 2030改成from 1980 to 2012, and projected consumption to 2030（词性改变和同义表达）。

主体段落分析

文章主体段落按照燃料来源及各自的消费量大小进行描述，把五种燃料来源分为三类，分别为汽油和石油，天然气和煤炭，核能、太阳能/风能和水电。先写量多的，然后写量少的。注意在描述同一类能源的时候，要既描写共同点，也描写差异点，而且除了进行比较之外，还要提及各自随时间变化的增减。

第二段描写能源消费量最大的汽油和石油。一般说来，描写单条曲线变化的时候，如果曲线的变化比较单一，那么只需要指出上升或下降的趋势，并给出曲线的起始和终止数据。如果曲线有波动，则需要综合判断在波动中的主体变化。除了描写上升下降以外，特别要指出曲线的转折点。本段先描述1980年至2012年的增长（即横轴中的History部分），然后指出虽然一开始有波动，但1995年之后处于平稳上升，并指出到2030年将增长到最高点（即横轴中的Projections部分）。

第三段指出天然气和煤炭的能源消费趋势与汽油和石油相似，基本都是增长，然后分析天然气和煤炭消费随着时间变化而产生的消费量差异情况。具体描述按照时间段来进行：1980~1985（天然气下降，煤炭上升），1985~1990（两者消费量相同），1990~2012（都有波动），2012/2014~2030（煤炭上升，天然气不变）。

第四段描述消费量相对较少的核能、太阳能/风能及水电。和第三段相似，描述基本按照时间排序：1980~现在（起点相同，然后核能、太阳能/风能上升，水电下降），现在~2030（水电保持不变，核能、太阳能/风能略有上升）。

结尾段分析

结尾段是本文的overview（概述），总结文章主体段落详细描述的趋势，指出矿物燃料（即第二、三段描述的石油和汽油、煤炭和天然气）占美国能源消费的主体，而可再生能源（太阳能/风能和水电）和核能（第四段描述）所占比例较低。

连贯与衔接

文章分段合理，连贯性很强，衔接手段非常丰富，涉及指代（reference）、省略（ellipsis）、和连接（conjunction）。其中，指代关系（reference）用到了指示指称（demonstrative reference）和比较指称（comparative reference）。

指代：

第二段第一句的this period指代第一段的from 1980 to 2012, and projected consumption to 2030。第三句的this指代第二句的steady increase。

第三段第一句中的similar体现了比较指称关系（comparative reference）。第三句的both指代第一句提到的natural gas and coal。

第四段第四句的it指代上一句的hydropower，this level指代上一句的the 1980 figure，the others指代第一句的nuclear和solar/wind power。

省略：

第三段第二句From 20q and 15q respectively in 1980, gas showed an initial fall and coal a gradual increase...其中，coal后面省略了showed。

第四段第二句Nuclear has risen by 3q, and solar/wind by 2. 其中solar/wind后省略了has risen。

连接：

转折关系：第三段的but和whereas，第四段的while。

用词

本文词汇使用熟练。表示"增加"的时候,既有以现在分词作状语形式出现的rising,又有分别以动词和名词形式出现的increase。表示"波动"的时候,分别用了名词形式的fluctuation和动词形式的fluctuate。表示"保持不变"的时候,分别用了remain stable和maintain this level。具体描述变化的稳定性的时候,用了steady,steadily和gradual。

难词

dominant	*adj.* 占首位的,主要的
quadrillion	*n.* 美国能源部常用的能源单位,为1015,等于千的五次方,或百万的四次方。
initial	*adj.* 开始的,最初的

derive from	来自,源自
respectively	*adv.* 分别,各自
maintain	*v.* 保持
fossil fuel	矿物燃料(如煤、石油、天然气等)
insignificant	*adj.* 不重要的

语法

From 20q and 15q respectively in 1980, gas showed an initial fall and coal a gradual increase, with the two fuels equal between 1985 and 1990.

本句的with结构里,the two fuels为逻辑主语,equal前面省略了逻辑动词being。

Overall, the US will continue to rely on fossil fuels, with sustainable and nuclear energy sources remaining relatively insignificant.

本句的with结构里,sustainable and nuclear energy sources充当逻辑主语,remain为逻辑动词。

注意时态表述:

- 描写过去和过去时间段——一般过去时:...gas showed an initial fall...
- 描写过去到现在的变化——现在完成时:Consumption has fluctuated since 1990...
- 描写未来的时间段——一般现在时的推测表达:is expected to或is predicted to;一般将来时:This is expected to continue, reaching 47q in 2030. // Coal is predicted to increase steadily to 31q in 2030, whereas after 2014, gas will remain stable at 25q.

Task 2

题目要求

(见"剑9"P102)

审题

题目翻译:每年都有数种语言消亡。一些人认为这并不重要,因为如果世界上语言少一些的话,生活会更加方便。对此观点你在何等程度上同意或不同意?

本题在题材上属于文化类话题,为Agree/Disagree题型。本题曾经是2004年10月30日雅思考题。

写作思路

我们在Test 2里讨论过同意不同意(Agree/Disagree)文章的三种写法。Test 2的范文采用的是第一种写法(Agree),和本文相同,但那篇是考官范文而本篇为4分范文,大家可以通过比较两篇文章体会区别。其实，本题我们也可以采取不同意(Disagree)的立场。我们可以在第一段明确表明观点：不同意语言的消亡会让生活更方便。文章主体段落可以先写一个让步段，分析为什么有些人认为语言的消亡是件好事，然后写反驳段，指出这种观点的荒谬之处，最后在结尾重申立场，主张应该保存语言的多样化。

☕ 考生作文

（见"剑9"P169）

🔁 译文

我同意这一观点。

现今有几种语言消亡。我认为这个状况是对的。世界上已经有太多语言了，至少100种，包括小国。但是我们只知道一些语言，像英语、法语、日语、汉语之类。

现如今，我们生活在世界上。所以我们需要世界的第一语言。因此一些语言需要消亡。

而且，小国家语言几乎都很难学会，而且没用。所以我们不需要学习这些语言。即使我们去学，这种语言在世界上也都不再使用了。只是在这个国家有用。而且我们找不到小语种教育机构。

所以我认为小国家语言使得花费金钱和时间，而且我们需要找到所有国家都使用的第一语言。这对所有发展中国家都很重要。

在我们决定第一语言之后我们和另一个国家人们的交流会更方便。此外，我们不需要投资另一种语言教育，而且我们可以通过减少教育费用的方法投资经济和文化另一方面的发展。

根据这一观点，

☕ 考官点评

（见"剑9"P169）

🔁 参考译文

本文表达了针对话题的立场，但由于重复和没有展开（文章未完成，而且字数不够），观点并不总是清晰的。信息的组织不连贯，很难连续读下去。虽然有一些衔接手法，但没有使用替换和指代，观点间的连接也不清晰。词汇量有限且重复，诸如small country language（小国家语言）、invest（投资）等不合理的词汇选择让读者很难理解文章意思。有写复杂句的尝试，也有一些语法结构使用正确，但基本句子构造及标点方面的错误和遗漏频繁，使得文章很难理解。

⚙ 分析

本文得分4分。

内容

作者的基本观点是认为语言的消亡是件好事。理由是语言太多，而且有些语言很难学习，使用的人也少，学起来耗费金钱和时间，而语言少一些的话各个国家人民的交流会更方便。但问题在于作者在论证的时候没有通过使用各种论证手法来支持自己的观点。

结构

文章用了一些衔接手法。

指代关系：第二段第二句this situation（指代上一句话）；第五段第二句this（指代上一句话）。

连接词：but, so, therefore, also, besides。

词汇与语法

词汇量有限且重复，很多词汇运用错误，导致文章很难理解。语法方面错误很多，尤其是在基本句子构造及标点方面。

文章尝试写复杂句，但基本不成功，例如：

In the world, already have to much languages minimum 100 languages include small country.

本句可改为：In the world, we already have too many languages, and there are at least 100 languages, including those used in small countries.

高分范文

本文为4分范文，对考生参考意义不大。此处附上一篇高分范文供大家参考：

Recent surveys suggest that many existing languages are facing extinction. Some people claim that there is nothing to worry about and communications between nations may even become less difficult as a result. However, I do not agree with this opinion because language diversity is crucial to the survival and development of human civilisation as a whole.

It is true that too many languages sometimes hinder communication and cause misunderstandings or even frustrations. We have to speak the same language to communicate well, which is why many people strive to learn a second language or even a third. But it does not mean that we do not have to protect the endangered languages as languages serve more important functions than communication. It is both a carrier of culture and a symbol of the identity of the people who speak it.

Undoubtedly, a language is a record of how the people who speak it have evolved. Therefore, it can provide clues as to how mankind as a whole has developed. Furthermore, the existence of a large number of languages is conducive to cultural diversity and cultural exchanges which have resulted in some of the most important inventions or discoveries in the world. But how could cultural exchanges be possible if there were very few, or only one language left?

Apparently the idea that life will be easier if there are fewer languages is too short-sighted. People holding this view fail to take into consideration the role that languages play in cultural diversity upon which the survival of mankind and social progress build.

Speaking

Part 1

在第一部分，考官会介绍自己并确认考生身份，然后打开录音机/笔，报出考试名称、时间、地点等考试信息。考官接下来会围绕考生的学习、工作、住宿或其他相关话题展开提问。

 话题举例

Bicycles

1. **How popular are bicycles in your home town?** [Why?]

   It's less popular than it was 10 years ago. Because our *living condition* is *advancing* rapidly, more and more people can afford private cars to commute to work or school. The government is also *paving* more roads and *expressways* to meet the needs of new automobile owners.

living condition 生活条件	advance 进步
pave 铺（路）	expressways 高速公路

2. **How often do you ride a bicycle?** [Why/Why not?]

   I ride a bike to work every day as it is faster than walking, and I don't have to get on a crowded bus. Plus, the traffic is always heavy in big city, especially in the *rush hour*. People can *get stuck* on road for two or more hours. So obviously a bicycle is the best way of transportation.

rush hour 高峰期	get stuck 被堵…; 被卡在…

3. **Do you think that bicycles are suitable for all ages?** [Why/Why not?]

   It's dangerous for kids to ride bicycles in China because there are many cars that turn very fast when you *cross the intersection*. I think that kids need to wear *helmets*. I hardly ever see anyone wear any kind of *protective gear*.

cross the intersection 过十字路口	helmet 钢盔，头盔
protective gear 保护装置	

4. **What are the advantages of a bicycle compared to a car?** [Why?]

   The thought of riding a bike becomes mere *nostalgia* of times when we were younger. However, if you stop to think about it, there are many benefits to riding a bicycle. Riding bicycles have physical, financial, and eco benefits. These reasons for cycling are great, and the benefits can make you happier and healthier.

nostalgia 怀旧之情

Part 2

考官给考生一张话题卡（Cue Card）。考生有1分钟准备时间，并可以做笔记（考官会给考生笔和纸）。之后考生要作1~2分钟的陈述。考生讲完后，考官会就考生的阐述内容提一两个相关问题，由考生作简要回答。

➡ 话题卡说明

　　人物话题是雅思口语的核心话题，考官主要考查考生是否能描述各类人物，如家人、朋友等。在讨论 Describe a person who has done a lot of work to help people 这个话题时，选择的人物需要有典型特征，一定有爱心、热衷于帮助他人。在描述人物五官相貌、性格特征等时，若举些实例，将使得考生的答案更具有说服力。类似的话题卡还有 Describe a singer or musician，Describe a child you know 等。

点题	I want to tell you about my *bosom friend*, Sam, who I met when we were both only five years old. When I think of him, the thing which *stands out* most is his *constantly smiling face*. His sense of humour, and his warm and caring *disposition* made his *inner-self* beautiful.
居住区域	He and I lived in the same neighbourhood. *Teens* and adults in this block all *paid tribute to* him and described him as a *good-hearted*, quiet yet *outgoing* boy who loved basketball. I'll always remember him because he was my *closest companion* before he left home to university.
所做善行	One day a few years ago when we were working at Starbucks it was *pouring* outside. Before the store was supposed to close he saw a woman walking without an umbrella in the pouring rain and holding a baby. He *grabbed* his umbrella and ran outside in the rain and said, "Madam, do you want an umbrella?" She was so happy and thanked Sam so much.
了解程度	He was always *concerned for* others and ready to help those in trouble. As *virtuous* cycles, others helped him happily if he needed. Besides he always lent me a hand whenever I was in trouble or I had a *puzzled and anxious look* on my face. Nowadays we live on opposite sides of the world and lead very different lives. When I see it is him calling, my heart beats like a drum, and just hearing his voice on the phone can make me smile so big that my cheeks hurt. He always tries his hardest to protect me. *If only* the world were full of people like him, and then we'd be able to feel safe.

🔤 重点词句

bosom friend 知己

constantly smiling face 保持微笑的面容

inner-self 内在

pay tribute to 称赞

outgoing 乐于助人的

pour 大雨倾盆

be concerned for 为…担心

puzzled and anxious look 困惑并且焦虑的神情

stand out 显著

disposition 性格

teen 青少年

good-hearted 热心肠的

closest companion 亲密伙伴

grab 抓住

virtuous 善良的

if only 真希望

Part 3

第三部分：双向讨论（4~5分钟）。考官与考生围绕由第二部分引申出来的一些比较抽象的话题进行讨论。第三部分的话题是对第二部分话题卡内容的深化和拓展。

🔍 话题举例

Helping other people in the community

1. **What are some of the ways people can help others in the community? Which is the most important?**
   There are a lot of things we can do to help in your community, whether it's with your mom's *chores*, or if a friend is *upset*. We can also do volunteer work. I *walk dogs* for the local lost dogs' home and visit kids in hospital and read for old guys a couple times a month. There are many little things you can do to *reach out to* other people. Children are always *in need of* help. Helping at community clubs as a teen *sponsor* or *mentor* is a crucial task. Sometimes *school guidance counselors* sponsor teens to come up with *skits* that have positive messages. What these "*older siblings*" said left a deep impression to those children.

chore 家务	upset 心烦的
walk a dog 遛狗	reach out to 帮助
in need of 需要	sponsor 保荐人
mentor 导师	school guidance counselor 学校辅导员
skit 小喜剧	older siblings 哥哥姐姐

2. **Why do you think some people like to help other people?**
   Because they are willing to *put themselves in other people's shoes*. Being *compassionate* gives them a strong reason to help someone else. *Instead of* considering volunteering as something you do for people who are not as fortunate as yourself, they think of it as an *exchange*. Most people find themselves in need *at some point* in their lives. So today you may be the person with the ability to help, but tomorrow you may be the *recipient* of someone else's volunteer effort.

put oneself in one's shoes 从…的角度思考	compassionate 有同情心的
instead of 不是…而是…	exchange 交换
at some point 在某些时候	recipient 接受者

3. **Some people say that people help others in the community more now than they did in the past. Do you agree or disagree? Why?**
   I don't agree with this view. I think people are also less likely to help than before. The majority of people are more *arrogant* and *self-centred* than the past generations. We have less patience and *tolerance* for each other, *let alone sympathy*. *Narcissism* and hate *is on the rise* in both rural and urban communities. Particularly, the rich are more focused on *holding onto* and attaining wealth, unlike the poor spend more time with friends and loved ones.

arrogant 傲慢自大的	self-centred 以自我为中心的
tolerance 宽容	let alone 更不用说
sympathy 同情心	narcissism 自恋
be on the rise 上涨	hold onto 紧抓不放

Community Services

1. **What types of services, such as libraries or health centres, are available to the people who live in your area? Do you think there are enough of them?**

   There are a number of important *neighbourhood conveniences*, like *grocery store chain*, *dry cleaners*, *salon* or *barber*, *a range of* restaurants to suit different tastes, natural spaces for enjoying the outdoors, and a gym that meets personal *fitness* needs. *Things like this are too numerous to mention*. But it couldn't be better if there are *coffeehouses* or bars for *hanging out* and socialising, and *auto-related amenities* like a *car wash* and *fueling station*.

neighbourhood convenience 社区便利店	grocery store chain 连锁商店
dry cleaner 干洗店	salon 沙龙
barber 理发店	a range of 一些
fitness 健身	
Things like this are too numerous to mention. 诸如此类，不胜枚举。	
coffeehouse 咖啡馆	hang out 和朋友在一起，闲逛
auto-related 汽车相关的	amenity 便利设施
car wash 洗车处	fueling station 加油站

2. **Which groups of people generally need most support in a community? Why?**

   I think *older people* are with high support needs and we have the responsibilities to *empower* them to enjoy a better life. They must live in *nursing care homes*, or *sheltered housing*, or relatives' homes, but many of them live in *substandard private sector housing* and some even live alone. Almost two thirds of older people felt they needed help in some aspects of daily living. The group of older people with high support needs is growing, becoming increasingly *diverse* and changing, and the *prevalence* of some *conditions*, such as *dementia*, increases.

older people 老年人	empower 使能够
nursing care home 医疗护理中心	sheltered housing 长者居住所
substandard 不够标准的	private sector housing 私人房屋
diverse 多种多样的	prevalence 盛行
conditions 健康状况	dementia 痴呆

3. **Who do you think should pay for the services that are available to the people in a community? Should it be the government or individual people?**

   For some public services, like *heath care*, they should *be charged by* governments. For example, one Community Service Card can help you and your family with the costs of health care. You will just pay less on some health services and *prescriptions*. But other services, like fitness centre, *are borne by* those consumers. Coz they satisfy individual needs.

heath care 医疗机构	be charged by 由…支付
prescription 处方药	be borne by 由…承担

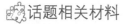 **话题相关材料**

下面是网友们心目中的好老板，你心中的好老板是什么样子的？

 The perfect boss is one who is well aware of what he is doing through his knowledge and experience; care about his staff; can delegate work among all the staff; is fair and considerate; can hear your work problems and solve them; and finally can build trust among all co-workers.

 One who leads by example, doesn't just instruct employees on what to do but is willing to do it himself, takes an active role in the way the business is run and managed, understands that in the end the ultimate responsibility for the success or failure of a business is his.

 Give clear instructions as to what's expected of each subordinate; praise in public, reprimand in private; never ask them to do anything you wouldn't be willing to do yourself; hold each subordinate responsible for their own actions; come up with non-monetary rewards for exceptional work performance; set the example by showing up early when scheduled and ready to work.

 He/she doesn't look down at the employees and treats them as a peer, not a lot of anger, likes to joke and laugh, and gives raises when they are deserved; has good communication skills; a good problem solver, and money-wise person that is generous but not a frivolous spender.

 An ideal boss should be fair, treat employees with respect, be supportive, and be understanding and, like others have said, should have good communication and organisational skills. But most of all should set a positive example in workplace!

Notes

Section 1

Questions 1–6

📋 篇章介绍

      体　　裁：应用文
      主要内容：职位招聘信息

📖 必背词汇

essential	*adj.* 必要的，必需的	formal	*adj.* 正式的；正规的
absolute	*adj.* 绝对的，无条件的	qualification	*n.* 资格
applicant	*n.* 应聘者，申请者	experienced	*adj.* 富有经验的
reference	*n.* 推荐信	let	*v.* 出租
wage	*n.* 薪酬（多指周薪）		

📖 认知词汇

snack	*n.* 小吃，零食	mature	*adj.* 成熟的，稳重的
enthusiasm	*n.* 热情，热忱	administrator	*n.* 管理者，管理人员
drop in	拜访，来访	secretary	*n.* 秘书，文秘
apply	*v.* 申请	soft furnishing	室内家装，室内装潢
nanny	*n.* 保姆	café	*n.* 小餐厅，小餐馆
carer	*n.* 看护者	venture	*n.* 冒险，探险
sensible	*adj.* 明智的，通情达理的	negotiate	*v.* 谈判，协商
imaginative	*adj.* 富有想象力的	start up	开始，发动
detail	*n.* 细节，详情，详细内容	catering	*n.* 餐饮供应，酒席承办
cleaner	*n.* 保洁员，清洁工	well-paid	*adj.* 薪酬优厚的
block	*n.* 大楼，大厦		

⚙️ 试题解析

- 题目类型：MATCHING
- 题目解析：

题号	定位词	答案位置	题解
1	a few hours a week, unskilled work, early mornings	D: 2 hours per day, cleaner, finish wok before the offices open	题目：一个人带有两个小孩，想要在早晨做一些非技术性的工作，且每周工作时间不长。 分析：原文中其他六则广告要么是有技术性要求，要么是全天工作或工作累计时间过长，要么是创业类，都无法满足题目的要求。因此，本题答案为D。

题号	定位词	答案位置	题解
2	no experience or qualification, short term, full-time, Monday to Friday	C: formal qualifications not as important as..., from January till July, 8.30-5.00 Mon-Fri	题目：一个没有经验或资格证书的人正在寻找一份短期的全职工作，工作时间为周一至周五。 分析：原文中其他六则广告要么要求周六、日工作，要么要求有工作经验或推荐信，要么是创业类，都无法满足题目的要求。因此，本题答案为C。
3	lively, no experience, cannot work on weekdays	A: energy and enthusiasm, experience not essential, Sat & Sun only	题目：一个活泼的没有经验的学生，只能在周末工作。 分析：原文中其他六则广告要么要求周一至周五工作或全职，要么要求有工作经验或推荐信，要么是创业类，都无法满足题目的要求。因此，本题答案为A。
4	more than 20 years' experience, catering, would like to run a business	G: very experienced, restaurant, start up on their own	题目：一个在餐饮行业具有超过20年工作经验的人希望自己创业。 分析：原文中其他六则广告要么与餐饮行业无关，要么属于打工性质，都无法满足题目的要求。因此，本题答案为G。
5	catering, college graduate, first...job, full-time	F: cook, new, full-time	题目：一个餐饮学院的毕业生正在寻找他的首份全职工作。 分析：原文中其他六则广告要么与餐饮行业无关，要么要求有工作经验或推荐信，要么是短期或兼职，要么是创业类，都无法满足题目的要求。因此，本题答案为F。
6	many years' experience, hotels, well-paid, part-time	B: experience and good references, hotel, excellent wages, part-time	题目：一个拥有多年酒店工作经验的人正在寻找一份薪酬优厚的酒店兼职工作。 分析：原文中其他六则广告要么与宾馆、酒店业无关，要么不要求有工作经验或推荐信，要么没有提到薪酬，要么是全职，要么是创业类，都无法满足题目的要求。因此，本题答案为B。

参考译文

A	求助——小吃店服务生 阳光，友善，无需工作经验 必须精力充沛、热情 只需周六、日工作 欢迎来电来访，地址：墨尔本罗伊斯顿国王路中心。 电话：01763 24272，找经理。
B	格兰塔酒店 需要一名白银级服务的兼职服务生，性别不限。 应聘者须有相关工作经验或推荐信。 薪酬优厚，提供工作餐。 联系电话：01223 51468（工作时间）

Test A · Reading

C	招聘：保姆一名，在一月到七月间照看一名叫托比的两岁孩童。无需资格证书，但要通情达理、热情且富于想象力。 工作时间：周一至周五的早8点30至下午5点 会驾车，不吸烟 有推荐信 如欲了解具体情况，请在下午6点后拨打电话01480 88056。
D	圣艾芙大街车站路区的一座12层现代化办公大厦招聘保洁员。 工作时间为周一至周五，每天办公室开放前的两小时 薪酬为每周80英镑 联系电话：01223 93292
E	一家酒店行业的室内装饰公司招聘成熟、有经验的管理者和秘书 工作时间：周一至周五下午1点至5点 联系电话：S·奎因先生01353 71251
F	全职厨师，开启一段新的、令人兴奋的餐厅工作之旅 工作环境良好。薪酬和工作时间可协商。 红餐厅联系电话：（01863）72052
G	可容纳50人的餐馆招租 极富经验者寻求创业的理想选择 餐馆坐落在彼兹A10街。 可回复信件至以下地址：纽马基特市剑桥路51号纽马基特报纸有限公司P762号信箱，邮编CB8 3BN。

Questions 7–14

📥 篇章介绍

体　　裁：应用文
主要内容：卧铺车票销售广告

📖 必背词汇

book	v. 预订，预约		valid	adj. 有效的
unbeatable	adj. 无敌的，无与伦比的		peak	n. 巅峰，顶点，最高点
non-refundable	adj. 不能退款的		departure	n. 离开，启程，出发
bargain	n. 物美价廉的商品		count	v. 计算，清点，算做
outward	adj. 向外的，外出的		previous	adj. 之前的，先前的
payment	n. 所付款额		turn up	到达，出现
administrative charge	管理附加费，手续费			

📖 认知词汇

intercity	adj. 城市之间的		reservation	n. 保留，预订
sleeper	n. 卧铺		berth	n.（轮船、火车的）卧铺
subject to	取决于，依赖于		cabin	n. 客舱

fare	*n.* 票价
biscuits	*n.* 饼干
continental breakfast	欧式早餐，英式早餐
apex	*n.* 顶端，顶点，顶峰
flexible	*adj.* 机动的，灵活的

standard class	标准舱
exclusive	*adj.* 专用的，专属的
inclusive	*adj.* 包含的
package	*n.* 包价(旅游)，套餐
option	*n.* 选项

⚙ 试题解析

- 题目类型：MATCHING
- 题目解析：

题号	定位词	答案位置	题解
7	advantages, with a friend	F: for two people, savings for both of you	题目：如果你和一个朋友一起订票，会有一些优惠。 分析：原文F中的It can mean savings for both of you的意思是你们两个人可以省一些钱，既提到了"你与朋友"即两个人，又提到了"好处、优点"即省钱，因此，原文与题目构成同义表述，答案选F。
8	cannot use, Friday	C: all Fridays	题目：你不能在周五使用此票。 分析：原文C中的...valid any day except these peak days: all Fridays...的意思是除了像周五这样的一些高峰时段外，任何一天都可以使用此票。因此，原文与题目构成同义表述，答案选C。
9	without restriction	G: valid, all	题目：此票的使用没有任何限制。 分析：原文G中的...valid for all trains and at all times的意思是对于任何车次、所有时间都有效。因此，原文与题目构成同义表述，答案选G。
10	7 days, before departure	B: a week, before outward travel	题目：只有在距启程至少七天的情况下才能订购此票。 分析：原文B中的...booking at least a week before outward travel的意思是至少在出行前七天预订。因此，原文与题目构成同义表述，答案选B。
11	cheapest ticket, a restriction	A: unbeatable price, available...after 9am	题目：这是最便宜的车票，但是有启程时间的限制。 分析：原文A中的Only available for travel after 9am的意思是只适用于9点后出行的旅客；the unbeatable price的意思是不会被打败的价格，即最便宜的价格。因此，原文与题目构成同义表述，答案选A。
12	can not get money back	A: non-refundable	题目：如果你在购买此票后你决定不去旅行了，那么票款概不退还。 分析：原文A中的This ticket is non-refundable unless the service is cancelled的意思是这种车票一经售出概不退款，除非车次取消。也就是说，由旅客自身造成车票没有使用的情况是不予退款的。因此，原文与题目构成同义表述，答案选A。

题号	定位词	答案位置	题解
13	out on a Monday, back the next day	E: must include a Saturday night away	题目：此票不适用于周一启程周二返程的出行。 分析：原文E中的The journey must include a Saturday night away的意思是此种车票须在周六晚间出行，即此票无法满足在周六晚以外任何时间的出行。因此，原文与题目构成同义表述，答案选E。
14	midnight, 10am	D: 10am, midnight	题目：你不能在午夜12点至次日上午10点之间使用此票出行。 分析：原文D中的Your ticket allows standard class travel on any train between 10am and midnight的意思是你可以在上午10点至午夜12之间乘坐任何火车的标准舱。因此，原文与题目构成同义表述，答案选D。

🎧 参考译文

—— 伦敦与苏格兰之间的城际卧铺火车 ——

绝大部分人出行可能还是会选择卧铺，关键是方便，而且支付25英镑就可以预订一个两人间的铺位，但单人车票和特别车票除外，因为上述费用已经包含在这两种车票中了。票价包含了早茶或者咖啡以及饼干的费用。如果有需要的话，欧式早餐或熟食早餐可以单点。

A–超值车票

只适用于上午9点以后出行。至少提前2周预订，往返于爱丁堡与伦敦或格拉斯哥与伦敦之间，最便宜的价格，只需59英镑。除非服务取消，否则此种车票一经售出，概不退款。

B–实惠车票

真是实惠的票价。只需69英镑便可往返于爱丁堡与伦敦或格拉斯哥与伦敦之间。旅行前至少提前一周时间预订此种卧铺车票。退票时收取25%的手续费。

C–超省车票

出行当天仍可购买，除以下高峰时段外，此票一律有效：所有的周五、12月18日至12月30日、3月31日和5月28日。凌晨0点至凌晨2点之间的出行算作前一天的出行。伦敦前往格拉斯哥或爱丁堡的车票价格为82英镑。

D–便省车票

这种车票每天都可以购买，出行当天也不例外，比较灵活。旅客凭此票可以乘坐上午10点至凌晨午夜之间任何一趟列车的标准舱。不接受铺位预订。伦敦前往格拉斯哥或爱丁堡的车票价格为95英镑。

E–单人车票

善待自己，独享标准舱。单人车票是往返车票，接受双程或单程卧铺预订，出程和返程的车票都要在订票时预订。必须包含一张在周六晚间发车的车票。往返于伦敦与爱丁堡或伦敦与格拉斯哥的车票价格为140~160英镑。

F–特别车票

特别车票是一种针对两人的往返程套餐车票，包含单程或往返的卧铺预订。这就意味着两人都可以节省一些费用。往、返程的卧铺车票需在订票时预订。车票价格为120英镑起。

G–标准车票

虽然不是最便宜的车票，但没有购买时间的限制且对于任何车次、所有时间一律有效。周五出行的话，建议提早。

Section 2

Questions 15–21

📇 篇章介绍

体　裁：应用文
主要内容：员工工作着装守则

📇 必背词汇

project	v. 展现，展示
in keeping with	与…保持一致
client	n. 客户
pressed	adj. 熨平的，平展的
wrinkled	adj. 起皱褶的（动词原形wrinkle）
tasteful	adj. 雅致的
item	n. 物品
flashy	adj. 闪光的，晃眼的
excessive	adj. 过多的，过度的

allergic reaction	过敏反应
substance	n. 物质
moderation	n. 适度，适量
head cover	头盖，头罩
violation	n. 违反，违背
persist	v. 依旧存在，继续存在
verbal	adj. 口头的
in line with	符合，与…一致

📇 认知词汇

professional image	职业形象，专业形象
input	n. 投入
site	n. 地点，场所
on a daily basis	每天
alternatively	adv. 作为选择地，或者
appropriate	adj. 合适的，适当的
accessory	n. 配件，配饰
torn	adj. 破损的（动词原形tear）
frayed	adj. 磨破的，磨损的（动词原形fray）
contingency	n. 偶然性，可能性
exert	v. 运用，使用
judgement	n. 评判，判断
supervisor	n. 监督者，监管者
footwear	n. 鞋类

conservative	adj. 保守的，传统的
walking shoes	轻便鞋
dress shoes	正装皮鞋
loafer	n. 平底便鞋
flat	n. 平底鞋
dress heels	正装跟鞋
backless shoes	露脚背的鞋
open toe shoes	露脚趾的鞋，鱼嘴鞋
makeup	n. 化妆，化妆品
cologne	n. 古龙水
casual	adj. 随便的，非正式的
logo	n. 标志，徽标
in case	以防，万一
meet	v. 满足，实现

Test A · Reading

试题解析

- 题目类型：NOTES COMPLETION
- 题目解析：

题号	定位词	答案位置	题解
15	aim, present, clients	第一段：objective, project, clients	题目的意思是正式着装守则的目的是呈现……给客户。原文第一段第一句指出公司制定工作着装守则的目的是使员工能够呈现出与顾客需求相一致的职业形象。其中，objective对应题目中的aim，project对应题目中的present。因此，本题答案为professional image。
16	jacket, suit, clothes, good condition, footwear	第二段：clothing, never wrinkled	由于文章的内容是关于着装的，而题目的定位词clothes和good condition自身特点不明显，所以本题在定位的过程中借助了已知信息中的更为明显的词。题目的意思是衣服必须……而且状况良好。原文第二段第三行说衣服应该是熨平的而且没有皱褶。其中，never wrinkled对应题目中的good condition. 因此，本题答案为pressed。
17	ties, carves, belts, jewellery	第四段：ties, scarves, belts, jewellery	题目的意思是领带、围巾、皮带和珠宝必须……而且不能是耀眼的颜色。原文第四段说鼓励穿戴优雅的领带、围巾、皮带和珠宝，但应避免过于发亮或耀眼。其中，Items which are flashy should be avoided对应题目中的not brightly coloured，可知空格处对应的是前一句。因此，本题答案为tasteful。
18	makeup, perfume	第五段：makeup, perfume	题目的意思是避免涂抹过多的化妆品和香水，这些东西有时会造成……。原文第五段第二句提到，有些员工可能会对化妆品和香水中的化学物质产生过敏反应，即化妆品和香水中的化学物质可能会造成有些员工的过敏反应。因此，本题答案为allergic reactions。
19	hat covers, religious reasons	第六段：head covers, faith	题目的意思是出于宗教原因或……而佩戴头饰是允许的。原文第六段第二句话提到，出于宗教信仰或尊重文化传统的头饰是允许的。其中，reasons of faith对应题目中的religious reasons，permitted对应题目中的allowed。因此，本题答案为cultural tradition。
20	casual clothing, Fridays	倒数第二段：casual clothing, Fridays	题目的意思是建议衣服上带有……。原文倒数第二段第三句提到，强烈建议衣服上佩戴公司徽标。其中，is strongly encouraged对应题目中的is recommended。因此，本题答案为company logo。

题号	定位词	答案位置	题解
21	breaking, dress code	最后一段：Violation, Dress Code	题目的意思是如果建议一再被忽略，……会被给出。最后一段说如果员工未能按照守则着装并且被上司发现的话，将会被要求不再穿戴不适宜的服饰来工作。如果该问题继续出现，员工将会受到口头警告，而且也许会被送回家中更换服饰。其中，If the problem persists对应题目中的 if advice is repeatedly ignored。因此，本题答案为verbal warning。

参考译文

────────────── 公司员工工作着装守则 ──────────────

在TransitEuropean公司，公司制定工作着装守则的目的是为了使我们的员工能够展示出与客户和消费者的需要相符的职业形象，这些客户和消费者寻求的是我们的指导、投入和专业的服务。我们的行业需要我们呈现出值得信赖、职业的商业形象，而且我们每天都要在公司为顾客提供所需服务，因此一个更加职业的着装守则对于我们的员工来说是必要的。

工作着装守则指南

在正式的商业场合，男士与女士的标准着装是西服。或者穿夹克的话也应该搭配一些适宜的配饰。破烂、脏乱或者磨损的衣服是不能穿的。衣服应该是平整的，绝不能有折皱。着装守则无法预见到所有可能出现的情况，因此员工必须在选择适合工作着装时运用一定的判断力。如果你有任何困惑，请询问你的上司以获取建议。

鞋袜

传统的休闲鞋、正装皮鞋、平底便鞋、靴子、平底鞋、正装跟鞋和露脚背的鞋都适宜工作时穿着。但是不穿长筒袜或短袜是不合适的。网球鞋和任何露脚趾的鞋不适合在办公室穿着。

配饰及珠宝

建议佩戴优雅的领带、围巾、皮带和珠宝首饰。应避免佩戴闪光、晃眼的配饰物品。

化妆与香水

鼓励职业的外在形象，但过度的浓妆并不职业。要记住有些员工可能会对香水和化妆品中的化学物质产生过敏反应，因此对这类物品适度使用为宜。

帽子及头饰

在办公室佩戴帽子是不合适的。出于信仰或尊重文化传统原因而佩戴头饰是允许的。

休闲着装日

某些工作日可以定为休闲着装日，通常是周五。在这些工作日，身着商务休闲装是允许的。强烈建议员工穿着带有公司徽标的衣物。印有运动队、大学和时尚品牌名称的衣服通常也是可以接受的。然而，员工最好在办公室准备一件夹克，以防客户临时造访。

违反着装守则

如果员工未能按照守则着装并且被上司发现的话，该员工将会被要求不再穿戴不适宜的服饰来工作。如果这一问题依然出现，该员工将会受到口头警告，而且也许会被送回家中更换着装。

Questions 22–27

篇章介绍

体　　裁: 应用文
主要内容: 公司福利制度

必背词汇

review	v. 复查, 复审
in the light of	基于, 按照
qualify	v. 达到标准, 证明合格

| eligible | adj. 合格的, 有资格的 |
| residential | adj. 住宅的, 与居住有关的 |

认知词汇

array	n. 一大组, 一大批
entitlement	n. 应得权益
graduate trainee	n. 毕业实习生, 毕业培训生
promotion	n. 晋升
outset	n. 起初, 开始
non-contributory	adj. 无须供款的, 不必缴费的
salary pension scheme	薪酬抚恤金计划
payable	adj. 应支付的, 可支付的
assurance	n. 保险
equivalent	adj. 相当的, 相等的
nominated beneficiary	被指定的受益人
subsidise	v. 补助

extensive	adj. 广泛的
netball	n. 篮网球
squash	n. 壁球
gliding	n. 滑翔
body	n. 机构, 组织
sabbatical	n. 休假
occupational	adj. 与职业有关的
staff	v. 担任, 提供
along with	(除……之外)还, 以及
one-off	adj. 一次性的
amusement park	游乐场

试题解析

- 题目类型: SENTENCE COMPLETION
- 题目解析:

题号	定位词	答案位置	题解
22	pay, depend on	引言: pay range, in the light of	题目的意思是薪酬的增加取决于每位员工取得的……。引言部分第一句指出工资水平会基于你的进步进行复审, 也就是说, 只要取得进步, 工资就会上涨。因此, 本题答案为progress。
23	minimum, pension	Pension Scheme: to most stuff who	由题目中的pension可定位至文章左栏第二个小标题。由题目中的minimum of...to be eligible可知本题考查条件限制, 即员工必须至少具备哪项条件才有资格享受养老金, 因此可以定位至staff后面的定语从句。原文的表述为对于绝大部分的员工来说, 只要顺利完成为期五年的考核期就能享受晚年薪酬养老金计划, 也就是说, 至少需要工作五年。因此, 本题答案为five years。

题号	定位词	答案位置	题解
24	holiday, provided by the company	Holiday and leisure facilities: The business owns	题目的意思是员工可以在公司提供的……中的一个度假。文章左栏最后一个小标题下的段落中提到，该公司拥有许多供应住宿的会所，可供员工度假食宿之用。因此，本题答案为(residential) clubs。
25	half the seat price, plays	Ticket subsidies: 50%, plays	题目的意思是公司替员工支付……和戏剧票价的50%。也就是说，员工只需支付票价的一半。文章右栏第二个小标题下的第一句提到公司的票类津贴提供戏剧和音乐会门票50%的折扣。因此，本题答案为concerts。
26	financial assistance, educational courses	Educational subsidies: financial support, education	题目的意思是公司给予教育类课程和……的资金支持，并将其作为员工个人发展的一部分。文章右栏第三个小标题下的段落指出，对于希望获得休闲技能或继续深造的员工，公司提供优厚的资金支持。其中，continue their education…or evening class对应题目中的educational courses。因此，本题答案为leisure skills。
27	difficult circumstances	Financial help, benefits and discounted deals: hardship	题目的意思是如果员工发现自己遇到困境，有权享受……。原文最后一段第一句话说如果员工遭遇困境，公司将向他们提供贷款。其中，particular hardship对应题目中的difficult circumstances。因此，本题答案为loan。

参考译文

―――――――――― JLP零售公司：员工福利 ――――――――――

无论在公司是什么职位，你的工资水平都将是极具竞争力的，并会基于你的进步进行重新鉴定。除了工资之外，从加入公司的那一刻起，你还会享受到公司提供的一系列优厚的福利。

带薪休假

每年可享受到的休假时间为四周，司龄三年以上的员工享受每年五周的休假(对于信息技术类毕业实习生而言，在晋升为编程员或实习分析员之前每年休假时间为四周，在此之后每年为五周)。对于绝大部分司龄在十年或十五年以上的员工来说，还可进一步享受长期服务增补假期。经理，包括毕业实习生，从进入公司后就享受每年五周的休假。

养老金计划

对于绝大部分的员工来说，只要完成为期五年的考核期，公司就会提供无须供款的晚年薪酬养老金计划，从60岁起开始支付。

人寿保险

公司的人寿保险计划将会向你指定的受益人支付你的三倍年薪的等额险款。

折扣优惠

司龄满三个月后，所有员工在公司商店的绝大部分消费都将享有12%的折扣。司龄满一年后，优惠额度上升至25%。

享有补助的餐厅

在绝大部分场所，我们会提供餐厅，在这里员工都可以享受到美妙的食物和绝对合理的价格。

度假与休闲设施

公司拥有许多供应住宿的会所，司龄三年以上的员工可以享受有补贴的度假餐饮和住宿。

健身俱乐部

公司提供种类繁多的体育活动，包括足球、篮网球、高尔夫、滑雪、帆船、壁球、骑马和滑翔。

票类津贴

票类津贴提供戏剧和音乐会门票价格50%的折扣。员工还可以享受到诸如科学博物馆这类机构的团体会员优惠。

教育津贴

对于希望获得休闲技能或想通过开放大学或夜校继续深造的员工，我们提供慷慨的资金援助。

长期休假

在公司工作满25年的员工可以享受最长可达六个月的带薪公休。

健康服务

员工可以享受由全职医生和健康顾问提供的职业健康服务。

资金救助、商业福利和折扣

如果员工遭遇困境，公司将向员工提供贷款。并且公司已为员工争取到一系列优惠福利，例如享受带有折扣的私人医疗保健、购车计划，还有一些与酒店和游乐场的一次性交易。

Section 3

⎘ 篇章介绍

体裁	说明文
主题	阿帕克宅第遭遇大火以及灾后废墟的重建。
结构	第一段：阿帕克宅第遭火灾
	第二段：残垣断壁目不忍睹
	第三段：灾后勘察整理残骸
	第四段：部分收藏得以幸免
	第五段：灾后重建众说纷纭
	第六段：尘埃落定招兵买马
	第七段：整缮修复系统更新
	第八段：功过是非后人评说

🔤 必背词汇

break out	突然发生，爆发	mobilise	v. 调动，组织
first floor	〈英〉第二层	salvage	n. 抢救，营救
apart from	除…之外，除去	utter	adj. 彻底的，完全的
retreat	v. 撤退，撤走	devastation	n. 毁坏，摧毁
ground floor	〈英〉第一层	categorise	v. 分类，归类

scale	*n.* 规模
unsound	*adj.* 不稳固的
restoration	*n.* 修复，复原
undertake	*v.* 从事，承担

call upon	要求
intricate	*adj.* 复杂的，繁冗的
ascertain	*v.* 确定，确立
sort through	整理，分类

认知词汇

stoke	*n.* 一次
fire brigade	消防队
survive	*v.* 幸存，幸免于难
sweep up	清扫，清理
blaze	*n.* 烈火
steward	*n.* 管家
porcelain	*n.* 瓷器
rage	*v.* 肆虐
conservator	*n.* 保护者，救护者
stationer	*n.* 文具店
bulk supplies of	大量的
blotting paper	吸墨纸
desperately	*adv.* 非常，特别，极其
sludge	*n.* 泥浆，烂泥
charcoal	*n.* 木炭
char	*v.* 烧黑，熏黑
timber	*n.* 木材，木料
swing into action	立刻行动起来
mark...out	划分，区分
grid	*n.* 格子

debris	*n.* 碎片，残片
sift	*v.* 筛选，甄别
remnant	*n.* 残骸，残存
lantern	*n.* 灯笼
wrap	*v.* 包；隐藏
reprieve	*v.* 缓解，舒缓
dismantle	*v.* 拆开，拆卸
commentator	*n.* （电台或广播的）时事评论员
vandalism	*n.* 蓄意破坏
property	*n.* 财产
setting	*n.* 状况，环境
tender	*v.* 提供；投标
fore	*n.* 前沿，一线
woodcarver	*n.* 木匠，雕刻匠
plasterer	*n.* 泥水匠，石膏匠
arise	*v.* 出现，产生
visibly	*adv.* 明显地，显而易见地
haunt	*n.* 故居
testament	*n.* 证据，证明

试题解析

Questions 28–33

- 题目类型：MATCHING
- 题目解析：

28. the procedure for sorting through the remains of the fire

参考译文	整理火后残骸的过程
定位词	procedure, remains
文中对应点	C段：first of all, and then, before, fragment, debris
答案解析	既然是对于过程的描述，就不可避免地会用到诸如first, second, moreover, furthermore, in addition, last等词。C段第五行至结尾在说"……先是对灾后现场进行标定，分成格区，进而对所有的残骸进行抢救，直到最后一个门把手。他们将每一个碎片的位置记录下来，并将所有的残片存放在不计其数的垃圾桶里，随后进行筛选、分类。"上述内容都是火灾后对现场残余的清理和分类工作的具体步骤。因此，本题答案为C。

29. how Uppark looked after the fire

参考译文	阿帕克宅第在火灾后的状况
定位词	Uppark, after the fire
文中对应点	B段: The following morning, Uppark
答案解析	after the fire是这道题的解题突破口，同时伴随有对于事物自身的描述。B段文字不多，几乎整段都是在描述阿帕克宅第在火灾后看起来是个什么样子: wet charcoal, charred and fallen timbers, smoke, scene of utter devastation。因此，本题答案为B。

30. improvements made to the rebuilt Uppark

参考译文	阿帕克宅第在重建中体现出的改进或完善
定位词	improvements
文中对应点	G段: upgrading, installing, modern
答案解析	题目中出现的improvements意味着原文中要么出现该词的同义词，要么出现两者或两者以上的举例或内容的描述。G段中最后一句话说"……进行供水和热力系统升级、实行现代环保控制措施和更新防火、防盗设备……"无论从形式上还是从内容上都满足我们对于题目的判断。因此，本题答案为G。

31. the selection of people to carry out the repair work

参考译文	选拔人员开展修缮工作
定位词	selection, people
文中对应点	F段: search for, craftsmen and women, woodcarvers, plasterers
答案解析	对于selection的对应更多的是依靠文字理解，对于people的对应多半可以找同义词或以"er"、"or"或"ist"结尾表人的单词。F段的第一句话已经很明显了: "搜寻能够胜任此项繁冗、复杂修缮的工匠的工作在全国范围内展开。"而且在接下来的文字中更是接连出现作为文中对应点的词。因此，本题答案为F。

32. why the National Trust chose to rebuild Uppark

参考译文	为什么国家信托选择重建阿帕克宅第
定位词	why, National Trust, rebuild
文中对应点	E段: the task to repair, National Trust, restoration, for three main reasons
答案解析	题目问的是原因，所以一方面可以留心引导原因出现的词，另一方面还可以留心诸如first, second, and then, furthermore, lastly这样的词。E段首先指出National Trust并不确定是否重建阿帕克宅第；第四句确定了the restoration programme began；随后从第五句至结尾都是在讲应该修缮阿帕克宅第的原因: It was undertaken for three main reasons... 因此，本题答案为E。

33. how people reacted to the rebuilt Uppark

参考译文	人们对于阿帕克宅第修缮的反应如何
定位词	reacted
文中对应点	H段: debate, whether or not it was right, judge
答案解析	"争论"、"是否正确"都属于人们对问题的看法的表现。H段最后两句提出人们对这一修缮工程的反应: "……关于修缮灾后的阿帕克宅第是否是正确的这一争论无疑还会继续……至于这项工程的成功与否还是留给他人去评说吧。"也就是说，人们对于这件事情的看法不一，反应不一。因此，本题答案为H。

Questions 34–37

- 题目类型：SHORT ANSWER QUESTIONS
- 题目解析：

题号	定位词	答案位置	题解
34	1989, roof, completed	A段前部：1989, roof, due to finish	题目：屋顶最初的修复工作本应在1989年的哪天完成？ 分析：A段前两句提到，1989年8月30日的下午，阿帕克宅第燃起大火……在之前的一年里，建筑工们一直在更换屋顶上面的铅……8月31日，也就是火灾发生的第二天，工程即可宣告结束。因此，本题答案为August 31st。
35	method, things, rescued immediately	A段中部：swift action, saved	题目：人们通过什么样的方法迅速地将物品从燃烧着的房屋中挽救出来？ 分析：这道题的定位词在定位答案的过程中效率低下，而对于原文内容的理解成为解答此题的突破口：对火灾的描述主要集中在A段，可以先在A段中进行查找。A段第四句话指出，"由于阿帕克宅第的前拥有者Meade-Featherstonhaugh一家、全体员工、管家和参观者的英勇表现以及敏捷的行动，大量的陶瓷、家具和油画通过人链的方式被转移到草坪上"，其中采用的方法是人们站成一排将东西传递出来，即人链的方式。因此，本题答案为human chain(s)。
36	conservators, large quantities	A段后部：conservators, bulk supplies of	题目：在火灾发生之后，什么是文物保护工作者大量需要的？ 分析：A段最后一句话说："伴随着火势的蔓延，来自国家信托的文物保护工作者也被调动起来。那天晚上当地的文具店也紧急营业以提供抢救文物所急需的大量的吸墨纸。"其中的bulk supplies of对应题目中的large quantities of。因此，本题答案为blotting paper。
37	conservators, put...into, material recovered	C段中后部：conservators, all the debris	题目：文物保护工作者将从火中抢救出来的东西放进什么中？ 分析：C段第二句提到，在志愿者的协助下，国家信托的考古学家和文物抢救工作者们开始了对残骸的抢救，但此时并未说明如何安置被抢救出来的东西。在接下来的一句话中，也就是C段的最后一句话指出"他们将每一个碎片的位置记录下来，并将所有的残片存放在不计其数的垃圾桶里，随后进行筛选、分类。"其中store in对应题目中的put into。因此，本题答案为(countless) dustbins。

Questions 38–40

- 题目类型：MULTIPLE CHOICE
- 题目解析：

题号	定位词	答案位置	题解
38	ground floor, basement, roof, first floor	A段：ground floor, basement, first floor D段：ceiling	题目主要问的是大火毁坏了什么。A段第三句话提到，除了一幅狗的油画之外，二层的珍贵收藏全都付之一炬，与选项D"大火毁坏了二层的所有收藏"不符。A段倒数第二句提到，一层和地下室里95%的收藏得以幸免，与选项A"大火毁坏了一层的所有收藏"不符，与选项B"大火毁坏了地下室的绝大部分收藏"也不符。根据D段最后一句"20分钟后，屋顶坍塌"可知，选项C"大火毁坏了房屋的屋顶"正确。因此，本题答案为C。
39	reasons, the National Trust	E段：three main reasons, the National Trust	题目主要问的是国家信托决定重建阿帕克宅第的一个原因是什么。E段第五句指出，决定修缮阿帕克宅第主要有三个原因，并在接下来的三句话中分别具体陈述。不难发现：Matthew Featherstonhaugh并没有要求国家信托修复阿帕克宅第，所以选项A不能选；房屋不稳固不是修复阿帕克宅第的三大原因之一，所以选项B不能选；国家信托从未承接过如此规模的修缮工作也不是修复阿帕克宅第的三大原因，所以选项D不能选。选项C"国家信托无需支付修缮费用"与第二个原因构成同义表述。因此，本题答案为C。
40	craftsmen and women, benefited	F段：craftsmen and women, had enormous benefits	题目主要问的是参与阿帕克宅第修缮工作的有些工匠能够因此而获益的原因。F段最后一句陈述了enormous benefits的具体内容：（1）a number of highly skilled people come to the fore；（2）relearnt the skills。其中的第二点内容与选项D"他们可以获得之前不曾拥有过的技术"构成同义表述。选项A"因为从事繁复的工作所以他们会得到优厚的报酬"在文中没有提及；选项B"他们的工作竞争更加激烈"是F段第二句话中所表述的"层层选拔，竞争上岗"的意思，而不是参与修缮而获得的好处；选项C"他们能够与Grinling Gibbons一起工作"是对原文following in the footsteps of Grinling Gibbons的曲解。因此，本题答案为D。

参考译文

灰飞烟灭疑不复，残垣断壁亦逢春

A 1989年8月30日下午，阿帕克宅第燃起大火——这是一栋位于英国苏塞克斯郡的、始建于18世纪的大型别墅。在之前的一年里，建筑者们一直在更换屋顶上面的铅，颇具讽刺意味的是，8月31日，也就是火灾发生的第二天，工程即可宣告结束。消防队在火警响起的15分钟之内赶到了现场，尽管如此，别墅二层的珍贵收藏全都付之一炬，除了一幅狗的油画，这是消防员最终撤离火灾现场时清理出来的。但是由于阿帕克宅第的前拥有者Meade-Featherstonhaugh一家、全体员工、管家和参观者的英勇表现以及敏捷的行动，大量的陶瓷、家具和油画通过人链的方式被转移到草坪上。别墅一层和地下室里95%的收藏得以幸免于难。随着火势的蔓延，来自国家信托的文物保护工作者也被调动起来，那天晚上当地的文具店也紧急营业以提供抢救文物所急需的大量的吸墨纸。

B 第二天清晨，阿帕克宅第颤立在广阔的天空下。别墅一层与地下室到处都是泥泞的炭浆，每个房间里都有烧焦、倒落的木头横躺在烟雾之中。完全一幅灾难过境的景象。

C 在遭受火灾的最初打击之后，接下来的几天人们不断地在废墟中找到了新的发现。在志愿者的协助下，国家信托的考古学家和文物抢救工作者们立刻展开行动，先是对灾后现场进行标定，分成格区，进而对所有的残骸进行抢救，直到最后一个门把手。他们将每一个碎片的位置记录下来，并将所有的残片存放在不计其数的垃圾桶里，随后进行筛选、分类。

D 当楼梯大厅的灯笼残片被从两个垮塌楼层的碎片中拽出来的时候，当以为丢失了的红屋地毯在三周后被发现隐藏在一架钢琴的残片下的时候，人们真是兴奋坏了。国家之床的失而复得同样缓解了人们的惋惜之情。火灾当晚凌晨三点撤离现场的人员认为损失是不可避免的，但是当他们第二天清晨返回现场的时候，发现大部分都没有受到损坏。在国家信托文物保护工作者的指导下，消防员从织绣屋的窗户外面拆卸了吊丝床，并将部件逐一传出。20分钟后，屋顶坍塌。

E 修复阿帕克宅第这样规模的工作在国家信托的历史上是史无前例的。是否应该对它进行修复便成为接下来的问题。必须迅速就这一问题作出决定，因为该建筑在大火后变得不稳固，所有未被大火破坏的结构也都暴露于自然条件之下。在历时一个月的时间里征求了许多专家的意见之后，国家信托执行委员会最终达成一致：修缮工程启动。作出这一决定主要有三个原因。大火之后残存结构及其奢华的内部装饰暴露无遗；正如一位时事评论员所暗示的那样，推倒该建筑等于蓄意犯罪。而且，阿帕克宅第的财产都上有保险，因此修缮工作无需国家信托出资。最后，大量被挽救的阿帕克宅第的精美收藏都来自于Matthew Featherstonhaugh爵士和他的儿子Henry自1747年以来的收藏。这些物品只属于阿帕克宅第，对此别墅的修缮将使得它们能够再现于世，使世人得以再次欣赏其历史原貌。

F 搜寻能够胜任此项繁冗、复杂修缮的工匠的工作在全国范围内展开。工匠或公司的资历技艺一旦被证实，他们即需通过一项经济测算，因为每一份工作都是竞聘上岗。这是件大有神益的事情，因为届时不仅会有大量技艺高超的人涌现——例如追随Grinling Gibbons（著名的雕塑家、木匠，代表作为英国的圣·保罗大教堂、布伦海姆宫和汉普顿宫）足迹的木匠们——而且他们当中的许多人，比如泥水匠，重新学习了17至18世纪时的技术，而当现在的其他乡村别墅主有需求时，这些技术就可以派上用场。

G 1994年6月，修缮工作按照预算准时完成。修缮房屋及其内部装饰的费用总计大约为两千万英镑，没有超过理赔金额。而且，投入时间和金钱对其进行供水和热力系统升级、实行现代环保控制措施和更新防火、防盗设备，这对于国家信托来说都是具有经济价值的。

H 房屋修缮和庞大的重建工程的最后阶段历时八个月。当Featherstonhaugh一家及其管家们重新回到故居的时候，他们的感动溢于言表，也许这是对阿帕克宅第精神并没有消亡的最好证明。但是关于修缮灾后的阿帕克宅第是否是正确的这一争论无疑还会继续。国家信托已经尽力再现了阿帕克宅第原貌；至于这项工程的成功与否还是留给他人去评说吧。

（注：国家信托是英国一家慈善机构，迄今已有一百多年的历史，致力于保护国家遗产。）

TASK 1

题目要求

（见"剑9" P117）

审题

你在一家公司上班，现需要请假休息一段时间，故征求公司经理的意见。

写一封信给你的经理。信中需涉及以下几点：

- 解释你想休息的原因
- 告知你需要请假的具体时间
- 说明在你请假期间，你的工作如何能顺利完成

写作思路

雅思考试中书信作文题目由两部分所组成：陈述性文字表明信件写作的背景以及由祈使句引出的写作任务，通常是三个要点（bullet points）。

具体的书信写作要求可以从官方发布的评分标准得到确切解读。

对于书信在写作内容上的要求如下：

Band	Task Achievement
9	• fully satisfies all the requirements of the task • clearly presents a fully developed response
8	• covers all requirements of the task sufficiently • presents, highlights and illustrates key features / bullet points clearly and appropriately
7	• covers the requirements of the task presents a clear purpose, with the tone consistent and appropriate • clearly presents and highlights key features / bullet points but could be more fully extended
6	• addresses the requirements of the task • presents a purpose that is generally clear; there may be inconsistencies in tone • presents and adequately highlights key features / bullet points but details may be irrelevant, inappropriate or inaccurate
5	• generally addresses the task; the format may be inappropriate in places • may present a purpose for the letter that is unclear at times; the tone may be variable and sometimes inappropriate • presents, but inadequately covers key features / bullet points; there may be a tendency to focus on details

分数	写作任务的完成情况
9	• 写作内容完全符合所有的写作任务要求 • 清晰地给出充分的回应
8	• 写作内容充分涵盖了所有的写作任务要求 • 就要点进行清晰和恰当地呈现、强调以及阐述
7	• 写作内容涵盖写作任务的要求 • 清晰地呈现写作目的,行文语气一致且恰当 • 能就要点进行清晰地呈现与强调,但未能更为充分地展开
6	• 根据写作要求行文 • 写作目的基本清晰;行文语气有时未能保持前后一致 • 呈现并充分强调了要点,但有时含有不相关、不恰当或不准确的细节信息
5	• 根据写作要求行文 • 写作目的基本清晰;行文语气有时未能保持前后一致 • 呈现并充分强调了要点,但有时含有不相关、不恰当或不准确的细节信息

通过考官评分标准的描述,要保证理想分数的取得,雅思书信写作要特别注意以下几点:

1. 信件要有明确的目的,这一点在题目的背景介绍中可以看出,通常在英文信件的开头就要向收信人呈现清晰的写信目的。这样的安排与中文书信写作开头一通寒暄是完全不同的。

2. 根据收信人的不同,要注意行文的语气。要充分考虑收信人与你的关系。一般来说,如果和收信人比较熟悉,那么语言就可以相对随意,正式的语言反而不合适;对比而言,如果收信人不是非常熟悉,那就要使用比较正式的语言而且要注意礼貌,当然投诉信的语气可以比较强烈。

3. 题目中提到的三个写作要点要在信件中全面涵盖,不能有任何遗漏,而且三个要点都要通过一定的联想进行适当拓展,使得信件内容充实饱满。

对于本题,题目叙述的写作背景是你作为企业雇员,需要向老板请假,要求你在信件中覆盖请假理由,希望请假的时长以及对假期工作的考虑。根据上述写作注意事项,对于这道题目,应该有如下考虑:

1. 收件人是自己的老板,应该知道其姓名,所以信件开头的称呼可以是 Dear Mr. (or Ms.) + 收信人的姓。例如, Dear Mr. Gates, ... 在信件主体部分,开篇就要明确给出写信的目的,要让老板在读完信件第一句话后就能清楚了解你要请假。

2. 这封信件的收信人是你的老板,你要向老板请求给你一段假期。所以在行文中要注意使用礼貌和客气的用语,不能强行要求甚至采用威胁的方式。在信件中出现"如不准假我就辞职"之类的用语就很不合适。

3. 三个写作要点信息要充分涉及并进行适当联想和拓展。在这里,需要考生发挥自己的想象力,结合自己的工作生活经验进行内容的构想。

第一个要点:请假原因。这个很容易发挥,我们大家都有过请假的经历,可能是最近自己身体不适或家人有恙需要你的照顾;可能是最近感觉学习、工作压力过大需要休息调整;也可能是家有喜事降临,诸如要与有情人终成眷属需要筹办婚礼以及蜜月旅行或是要迎接一个新生命的降生;当然还可能是一些不幸的发生,像亲人离世等等。

第二个要点:请假时长。这要根据你请假的原因来决定,要注意信息的合理性。根据我们的经验,一般请假时间在一周至十天会比较合适,不宜过长。一下向老板要求休息调整一年,那干脆写一封辞职信算了。要注意写作要点的拓展。不能就写一句话,说希望批准一个十天的假期,要把内容具体,比如稍微详细介绍一下十天的基本打算,简单的假期生活的安排,把这个要点扩展三句话左右,使书信能达到篇幅的要求同时内容更加饱满。

第三个要点：假期工作的安排。在信件的后半部分要让老板相信你不会因为休假而耽误工作，是个负责任的好青年。一方面你可以向老板保证在假期到来前尽量努力超额完成任务，愿意加班，保证基本工作的进行；另一方面你可以告诉老板在假期可以保证畅通的联系，随时可以处理工作上的安排，有突发紧急情况，会第一时间赶到公司应对处理。上述的内容只是给考生的一些提示，每个人都会有自己的想法，只要题目要点都涵盖，都进行了适当拓展发挥，而且内容合理，语气得当就可以满足信件写作内容的要求。

☕ 考官范文

（见"剑9" P170）

🔁 参考译文

亲爱的Jennifer，

我写信给您，希望下月能请几天事假。

3月21日是我父母六十周年结婚纪念日。他们计划与子孙共同庆祝这个具有重大意义的日子。为此，他们为全家租了一套大房子。

为了参加这个特殊的活动，我希望我能从19号（周一）到23号（周四）请四天假。我那周的工作安排相对较松，除了两次客户会议外，Netta可以替我参加，因为她也曾接待过这两家公司，认识那里相关的工作人员。那几天，我就没有其他急需完成的工作了。

如果您能同意我请假，我将非常感激。这短短的几天对我的父母和整个家庭而言非常重要。同时，我父母为我付出了很多，这也是对他们的一种报答。

最美好的祝愿。

⚙ 分析

根据前述信件写作的要求与注意事项，我们审视这篇考官范文，可以看出：

1. 明确的信件写作目的——信件开头直接告诉收信人此信目的是要请假。常用来提出写信目的的表达有：
   I am writing to...
   I would like to...
   I would like to draw your attention to...
   I just wanted to write you a quick note to...

2. 此信是向自己的老板请假，信件的称呼使用 Dear Mr. /Ms. + 收信人的姓。当然这个姓氏是考生自编的。鉴于给自己的上司写信请事假，在表达态度和语气上注意到了礼貌、诚恳且温和。在信件中强调了要请假参加父母结婚纪念日的重要性，同时对自己负责的工作有适当的安排，并对老板能给予自己假期的申请以考虑表示诚挚的感激。

3. 对于题目要求的三个写作要点，在文章中具有充分的涉及与扩展。

	要点提示	信中回应
1	请假原因	第二段：参加父母60周年纪念日，已经进行了充分的准备。
2	假期长度	第三段：4天，写出了具体的日期，让收信人有清晰的了解。
3	工作安排	第三段：交由同事处理，并解释了同事能够胜任的原因。

值得学习的用词

wedding anniversary	结婚纪念日		previous	*adj.* 以前的
accommodate	*v.* 容纳		urgent	*adj.* 紧急的
relatively	*adv.* 相对地		commitment	*n.* 承诺
apart from	除了…		grateful	*adj.* 感激的

TASK 2

题目要求

（见"剑9" P117）

审题

题目翻译：成为如著名影星或体育明星那样的名人，皆有弊益。你认为作为名人，益处多还是弊处多？

写作思路

　　本题属于"利弊分析"的题型。这种题型在写作时要注意两点：第一，事物的利弊一定要在文章中涉及全面，不能仅针对利或弊进行单边论述；第二，利和弊之间要有明确的对比关系呈现，不能简单罗列利弊双方；考生应明确，这种"利大于弊还是弊大于利"的提问实际上就是在要求作者就一个事物表出支持或反对的态度。本道题目问"作为明星是利大还是弊大？"换一种问法即"你是否愿意成为明星？"搞清这两个写作的要点，文章的组织与安排就不困难了。

　　文章采用四段或五段的安排均可，本质上相同。在文章开头，把需要论述的话题提出，可以明确表态也可以暂不表出利与弊孰轻孰重，引起讨论的展开；接下来一段简单论述弊端（或益处），罗列1~2点，不需要具体的扩展，然后在段落后方对上述的内容进行驳斥，即"虽有问题但采取一定的措施是可以有效解决的（或虽有好处，但与弊端相比就显得微不足道）"引起对反方的论述；在文章第三段：详细论述事物的2点利处（或弊端）。两个要点可以安排在一段内，也可以一个要点分一段。需要对此内容做详细展开，要有必要的解释说明以及多样论证方法的综合使用，包括对比论证、假设论证以及举例论证等；在文章结尾，需要作者重申或明确提出自己的观点。

　　这种写法兼顾了利和弊双方内容，在文章第二段有明确的驳斥一方内容的安排，所以观点很明确，比较关系很突出，希望考生能够学习并体会。

考生习作

（见"剑9" P171）

参考译文

　　名人的生活并不好过。当然，他们也有优势，比如物质上的富有，受到人们的喜爱，并且名声远扬，但也有不少缺点应该被考虑到。所以这是一个相当难的问题，我们不能只给一个简单的答案。

　　想想那些名人，他们尝试着享受成名带来的种种好处。而他们当中许多人之前经过相当长的时间才成名。

但是如果我们留意他们生活的每一天，我们可以说他们有很好的居住条件和生活方式：他们有着令人艳美的收入，住在大房子里，可以买他们喜欢的豪车。

然而，正如一条谚语所说：金钱并非是万能的。即便他们很富有，他们的个人生活并不像大家所看到的那样光鲜亮丽。就像著名的未成年歌手Britney Spears那样，最初，她是一个大家都想模仿的年轻女孩，但随着时间的流逝，她遇到一些成长中的个人生活问题。她被人发现在夜店里着装清凉；有次她还将头发剃光；她还有酗酒吸毒的坏习惯。总之，成为一个名人并不是大家所想的那样轻松和光鲜。

又例如paparazzos，名人仅是早上出门取份报纸都会被偷拍。他们对于私生活必须很小心谨慎，因为他们会被粉丝跟随，需时刻举止得体！即便我们普通人都不是十全十美，如果名人暴露出他们的缺点，他们的粉丝也会相当失望。

总而言之，考虑到所有的优缺点，我还是认为名人并不轻松！

分析

本文为6分。

考官点评

（见"剑9"P171页）

参考译文

这篇作文回应了题目的要求，对于名人缺点的论述比对于优点的论述要更详细。主要观点与文章的主题相关，但没有做更详尽的拓展，这一点略显不足。结论的内容有些重复。文章组织较为连贯，部分语句衔接紧凑，但第二、三、四、五段的开头有些局限，第二段和第三段没有很好地就所述话题进行拓展。词汇量基本满足写作的要求，但存在用词不太恰当的情况。另外词汇的多样性不够，表达有一定的局限性。在词汇的选择和拼写上出现的错误并未影响意思的表达。简单和复杂的句型都得到了使用，在句子结构和标点符号上有一些较为明显的错误，但意思表达基本未受影响。

内容和结构分析

文章回应了题目的要求，在一开始引起了对名人生活利弊这个话题的讨论。接下来非常简单地提到了作为名人，在生活上有一定的优势，他们收入高，生活奢华令人羡慕。接下来就转入了对名人负面影响的详细论述，提到了他们可能会面临诸多的生活问题以及毫无隐私可言，要时刻注意自己的言行，最后再次重申作为名人不轻松这个立场。从整体上来看，文章有明确的观点，也兼顾了话题正反双方，但对于双方的论述都没有做到详尽的拓展，仅是一些要点的罗列，自然没有形成很强的说服力，因此导致了在内容和段落安排方面的失分。

语言错误纠正

Being a celebrity was（is）not always the easiest way of life.

besides all the advanteges（advantages）of being rich...

loved and being famous there are many disadvantages, that（which）we have to take into consideration.

she had some growing personal life（private）problems.

She was seen in nightclubs wearing the least dress（skimpy clothes）

But if we just look into their every days（day），

In（At）the beginning she was just like a young girl

Section 1

Questions 1–7

📇 篇章介绍

    体　裁：应用文
    主要内容：青年铁路卡申请说明

📇 必背词汇

discount	v. 打折	latter	n. 后者
apply	v. 申请	officially	adv. 官方地，正式地
proof	n. 证明，证据	stamp	v. 盖章，盖戳
birth certificate	出生证明	minimum fare	最低票价
driving licence	驾驶证	bear	v. 具有
passport	n. 护照	signature	n. 签名、签署
medical card	医疗卡	invalid	adj. 无效的
acceptable	adj. 可以接受的，认可的	purchase facility	购买设备
alternatively	adv. 或者，作为一种选择	charge	v. 收取、征收（费用等）
mature	adj. 成熟的，成年的	submit	v. 提交
eligibility	n. 资格	holder	n. 持有者
headteacher	n. 校长	transferable	adj. 可转让的
tutor	n. 导师	board	v. 登（车、船、飞机等）
sign	v. 签字，签署	eligible	adj. 合格的，有资格的
application form	申请表		

📇 认知词汇

be defined as	被定义为	passport-sized	adj. 护照尺寸的
rail-appointed travel agent	铁路运营方指定的旅行社	Bank Holiday	银行假日（在英国指法定节假日）
anthorised student travel office	被授权的学生旅游办公室	full fare	全额
		inspection	n. 检查，检验
leaflet	n. 传单，单页	Belgium	比利时

⚙ 试题解析

- 题目类型：SENTENCE COMPLETION
- 题目解析：

题号	定位词	文中对应点	答案解析
1	applicants, over 25	第二段第四句: over this age, apply	题目: 年龄超过25周岁的铁路卡申请者需参与…… 分析: 原文第二段第四句Alternatively, if you are a mature student over this age but in full-time education, you can also apply. 意思是如果你是超过25周岁的全日制成年学生,也一样可以申请。也就是说,如果申请者年龄超过25周岁还想申请青年铁路卡则需要是全日制学生。因此,本题答案为full-time education。
2	mature, full-time students, photographs, signed	第二段倒数第二句: sign...as well as... photos	题目: 对于成年的全日制学生来说,提交的一张照片中需要有签字和…… 分析: 原文第二段倒数第二句指出: In order to...to sign the application form as well as one of your photos, the latter also needing to be officially stamped. 即申请表和照片需要签字,而照片还需要盖有官方印章。因此,本题答案为(officially) stamped。
3	certain times of the year, any time of day	第四段前两句: weekends, Bank Holidays, during the week, at any time, before 10 am	题目: 在一年中的某些时间段里,铁路卡的持有者在任何时间都无需……。 分析: 原文中第四段前两句的意思是此卡可以在任何一个周末、法定节假日或平时使用。但是如果在周一至周五(七、八月份中的除外)上午10点前出行的话,则需支付最低额度的票款。换言之,在有些时间段需要支付最低额度的车票,在另外一些时间段则不需要。因此,本题答案为minimum fares。
4	doesn't have, impossible to use	倒数第二段第一句: does not bear, invalid	题目: 如果你的铁路卡没有你的……,此卡将不能用于旅行。 分析: 原文倒数第二段第一句指出,铁路卡在没有使用者签名的情况下,将被视为无效。因此,本题答案为signature。
5	benefits, not transferable	倒数第二段第二句: Neither...nor...may be used by...	题目: 铁路卡的益处不能转移给…… 分析: 原文中倒数第二段第二句指出: Neither your railcard nor any tickets bought with it may be used by anybody else. 即无论铁路卡还是通过铁路卡购得的车票其他人都不能使用。也就是说,与铁路卡相关的益处不能转让他人。因此,本题答案为anybody else。
6	station without, ticket	倒数第二段第三句: no...available, station, ticket	题目: 如果在一个没有任何……的火车站无票上车,你仍然有资格购买打折车票。 分析: 原文倒数第二段第三句提到,除非进站上车的车站没有售票设备,否则一旦在旅途中发现无法出示有效车票,将被要求支付全额票款。也就是说,在查票时无法出示有效车票是由于进站上车的车站无法售卖车票造成的(而不是旅客蓄意逃票),就不需要支付全额票款,即照样享受折扣优惠。因此,本题答案为purchase facilities。

题号	定位词	文中对应点	答案解析
7	Eurostar	最后一段第一句：Eurostar	**题目**：如果铁路卡持有者想要乘坐"欧洲之星"的话，他们必须支付…… **分析**：最后一段的意思是，头等舱位和法国与比利时之间的欧洲之星旅程的车票不享受折扣优惠，乘客需支付全额票款。因此，本题答案为full fare/rate。

参考译文

──────────── **青年铁路卡** ────────────

青年人可以通过青年铁路卡在英国全境购买享受折扣的火车票。想象一下它能够带你去的地方——去各种节庆，去看望远方的朋友，或在周末休息时去伦敦。

谁能申请？

任何年龄在16~25周岁之间的人都可以申请。申请时需要出示年龄在26岁以下的相关证明。只有出生证明、驾驶证、护照或医疗卡可以作为此类凭证。或者，如果你是超过这一年龄限制的成年学生但正在接受全日制教育，那么也一样可以申请。申请者需要提交含有校长、导师或系主任签名的申请表，并且提交的照片中必须有一张同时含有上述签名和校方印章，以证明具备申请资格。"全日制教育"是指每周教学时间超过15小时、每年不少于20个教学周。

然后将此宣传单上的申请表填写完整，并携带28英镑、两张护照规格的照片以及相关的资格证明前往任何一个大型火车站、铁路运营方指定的旅行社或拥有授权的学生旅游办公室办理即可。

铁路卡的使用

此卡可以在任何时间使用——包括周末、法定节假日或平时。但是如果在周一至周五（七、八月份中的除外）上午10点前出行的话，需要支付最低额度的票款。有关上述规定的详细内容，可询问当地火车站或联系铁路运营方指定的旅行社。

铁路卡的使用条件

如果持卡人没有在铁路卡上签名，该卡将会被视为无效卡。铁路卡和任何经由该卡购得的车票只能本人使用。除非进站上车的车站没有售票设备（无法售卖车票），否则一旦在旅途中发现无法出示有效车票，都将被要求需支付全额票款。

头等舱位和法国与比利时之间的"欧洲之星"旅程的车票不享受折扣优惠，欲进行这类旅行的乘客需支付全额票款。

Questions 8–14

篇章介绍

体　　裁：应用文
主要内容：铁路车票种类及其说明

distinct	*adj.* 不同的		applicable	*adj.* 适用的
option	*n.* 选择，选项		be up to	是…的职责
discount	*n.* 折扣		access to	接近，进入
outward trip	出程		charter	*v.* 租，包租
alter	*v.* 改变		elderly	*adj.* 年长的，年老的
refund	*v.* 退款		concession	*n.*（对某类人）减价
senior citizen	老年人，年长者		get in touch with	与…取得联系
global-trotter	*n.* 环球旅行者		in the case of	在…的情况下
departure	*n.* 出发，启程		spare	*v.* 给，留出

认知词汇

railpass	*n.* 铁路通行卡		luggage	*n.* 行李
econopass	*n.* 经济通行卡		destination	*n.* 目的地
suitcase	*n.* 旅行箱		delay	*v.* 推迟、延误
item	*n.* 项，件		maximum	*n.* 最大值

试题解析

- 题目类型：SUMMARY
- 题目解析：

题号	定位词	文中对应点	答案解析
8	elderly person, studying full-time	senior citizens, students	题目：一个全日制学生身份的老年人会得到……的减价。 此题的关键在于题目中的concession（减价）与原文表格中的discount（折扣）是同义替换。表格中students和 senior citizens两栏分别显示学生和老年人各自享受25%的折扣。但是，表格下方带星号的信息表明每种车票只能享受一种折扣，即折扣不能累加。所以，尽管题目中的人有着老人与学生的双重身份，但只能享受一个25%的折扣。因此，本题答案为25%（25 per cent）。
9	large groups people	over 25 passengers	题目：人数众多的团体如要预订座位应该与……取得联系。 原文第四个小黑点处提到：If...or make reservations for over 25 passengers travelling together, call the Sales Department. 即如果要预订25人以上的座位请联系销售部。所以，本题答案为Sales Department。
10	cancel, ticket price	ticket price	题目：如果旅客取消行程，他们通常将收到少于票价金额……的票款。 原文中表格下方那段话提到：Tickets may be refunded...for a charge of 15% of the ticket price, 意思是退票时要加收票价15%的费用。因此，本题答案为15%（15 per cent）。

题号	定位词	文中对应点	答案解析
11	change the date, original value	change to another day, ticket price	题目：如果旅客改变他们的行程日期那么他们需支付原始票款的……。 原文中表格下方那段提到：...or the journey may be changed to another day for a charge of 10% of the ticket price，意思是行程改至另外一天需加收10%的费用。因此，本题答案为10%（10 per cent）。
12	concessions, not apply	Not applicable to	题目：……不适用于上述折扣。 原文表格下方那段括号里的Not applicable to same day returns的意思是上述内容不适用于当日往返的情况。因此，本题答案为same day returns。
13	responsibility, correct	is up to, as you requested	题目：乘客的职责是确保……和……是正确的。 原文第一个小黑点处：When you buy your ticket it is up to you to check that the dates and times of the journey on it are exactly as you requested，意思是当你购买车票时，有责任确保日期和时间是正确无误的。所以，本题答案为dates和times。
14	board the train	Ticket control, access to each train platform	题目：旅客准备登车时应确保至少提前留出……。 原文中第二个小黑点处：Ticket control and access to each train platform will be open until 2 minutes before departure of the train，意思是开车前两分钟开始检票，并向乘客开放站台。也就是说，乘客至少应该留出两分钟的时间上车。因此，本题答案为2 minutes。

参考译文

───── 火车旅行信息 ─────

我们提供七种不同种类的车票以便您可以选择最适合自己的车票。

车票种类	折扣*	说明
标准往返	20%	启程后60天内返程
当日往返	25%	车票不能变更或退款
儿童	40%	儿童年龄在4至11岁之间
学生	25%	须出示学生证
老年人	25%	须出示老年证
团体(10~25人)	15%	全程享受折扣
环球旅行者	依据车票而定	持有铁路通行卡、旅游卡和经济通行卡

*每类车票只能享受一种折扣优惠。

变更和退款

在距离开车时间不少于5分钟的情况下方可退票，退票时加收票价15%的费用；改签车票加收票价10%的费用。（此款项不适用于当日返程车票。）

同日往返车票的变更

同日往返车票改签为同日其他车次时不加收任何费用，但只能改签一次。

乘客权益保障信息

- 在购买车票时，乘客须确认日期和时间正确无误。
- 开车前2分钟开始检票，并向乘客开放站台。
- 每位乘客可以携带一个旅行箱和一件手提行李。也可以在不晚于发车前30分钟免费托运一件重量不超过15公斤的行李。
- 如果您需要包租列车或预订25个以上的座位，请电话联系销售部。

我们的守时承诺

如果由于我方原因导致您所乘坐的列车在到达目的地时比列车表的时间延迟5分钟以上，那么我们将全额退还您的票款。

Section 2

Questions 15–20

📑 篇章介绍

体　　裁: 应用文
主要内容: 给移民的建议

📖 必背词汇

immigrant	*n.* 移民	secure	*v.* 获取，获得
properly	*adv.* 完全地，充分地	screen	*v.* 筛
credential	*n.* 凭证，资质	diversity	*n.* 多样性
certificate	*n.* 证书	arrival	*n.* 到达者，抵达者
degree	*n.* 学位	academic	*adj.* 学术的
diploma	*n.* 文凭	qualification	*n.* 资格，资质
partially	*adv.* 部分地	initially	*adv.* 开始，最初
potential	*n.* 潜力，潜能	stability	*n.* 稳定性
security	*n.* 稳定	workforce	*n.* 劳动力
process	*n.* 过程		

📖 认知词汇

hire	*v.* 聘用，雇用	on-the-job	在工作中的
personnel	*n.* 员工	credit	*n.* 学分
evaluate	*v.* 评估，评价	assess	*v.* 评定，评估
human resources	人力资源	accredit	*v.* 委托，授权
attain	*v.* 获得	posting	*n.* 岗位，职位
apply for	申请，应聘	establish	*v.* 安顿
employment	*v.* 就业	integrate	*v.* 融合，整合
apprenticeship	*n.* 学徒身份	workplace	*n.* 单位，公司，车间
hands on	动手实践的	mosaic	*n.* 马赛克，镶嵌，拼接

试题解析

- 题目类型：SENTENCE COMPLETION
- 题目解析：

题号	定位词	文中对应点	答案解析
15	new arrivals, North America, academic qualifications	第一段：immigrant, North America, educational qualifications	**题目**：新来到北美地区的人需要确保他们的学术资质或者他们的……被接受。 **分析**：原文第一段中As an immigrant to North America, ……recognise your international credentials的意思是作为移居北美地区的移民，你需要确保你的国际化资质能够得到雇方和诸如学院、大学这类机构的充分认可。但是，并没有直接说明所谓"国际化资质"是什么。于是，在接下来的文字These may be trade certificates, ……or partially-completed中指出，所谓"国际化资质"不仅可以是行业资质认证，也可以是教育资质认证。其中，educational qualifications对应题目中的academic qualifications，因此，本题答案为trade certificates。
16	companies, view...as, major requirement	第二段第二句：employers, see...as, important	**题目**：大量企业将……视为一项主要的要求。 **分析**：原文第二段第二句But at the same time, ……when hiring的意思是但是与此同时，雇方在招聘的时候却又很看重正规的教育背景。其中，employers对应题目中的companies，see...as对应题目中的view...as，important对应题目中的major requirement。因此，本题答案为(formal) education。
17	North America, initially, immigrants	第三段第一句：North America, start with, immigrants	**题目**：与移民相比，在北美地区受过教育的人起初可能得到更高的……。 **分析**：原文第三段第一句 Research has shown that……their training in North America意思是研究表明，相比较那些在北美地区完成培训人员的薪资标准，移民的薪资水平要更低。其中，North America对应题目中的North America，start with对应题目中的initially，immigrants对应题目中的immigrants。因此，本题答案为salary (level)。
18	courses, job stability	第三段最后一句：training, job security	**题目**：……课程通常提供更高的工作稳定性。 **分析**：原文第三段最后一句There is a good potential……apprenticeship training的意思是在完成学徒培训后，这将为你的工作提供具有长期稳定性的良好潜力的。其中，training对应题目中的courses，job security对应题目中的job stability。因此，本题答案为apprenticeship (training)。

题号	定位词	文中对应点	答案解析
19	Most, find work, obtain	第四段最后一句前半部分: more than 50%, securing employment, getting	**题目**：找工作所付出的绝大部分努力被用来试图获得……。 **分析**：原文第四段最后一句话的前半部分Getting job interviews...of securing employment意思是获得面试机会对于获取一份工作来说可谓成功了一多半。即为了获取一份工作，绝大部分的精力被用来获得面试机会。其中，more than 50%对应题目中的most，securing employment对应题目中的find work，getting对应题目中的obtain。因此，本题答案为（job）interviews。
20	newcomers, workforce, increases	最后一段: immigrants, workforce, improving	**题目**：随着越来越多的新人加入到员工当中，……也随之增加。 **分析**：原文最后一段Establishing yourself...to the workplace mosaic. Employers are making...diversity at work的意思是在北美地区安顿下来是一个困难的过程，但是很多企业确实认为将来自不同国家的移民与公司员工融合在一起对于企业的国际化办公环境是很重要的。许多企业在提升工作多元化方面正在取得具有重要意义的进展。其中，immigrants对应题目中的newcomers，workforce对应题目中的workforce，improving对应题目中的increases。因此，本题答案为（workforce/ workplace）diversity。

✑✑参考译文

───── 职业资质认证：给移民的建议 ─────

作为移居北美地区的移民，你需要确保你的国际化资质能够得到雇方和诸如学院、大学这类机构的充分认可。这种国际化资质可以是行业资质认证，也可以是教育资质认证，比如学位或学历，包括已经完成的和部分完成的。

负责招聘的员工几乎没有或完全没有接受过有关如何评估非北美地区学术教育背景的培训，这是普遍的现象。但是与此同时，雇方在招聘的时候却又很看重正规的教育背景。有60%的工作岗位都会对应聘者的教育背景提出要求，但是在从事人力资源方面工作的人员当中，有40%的人表示，如果他们并不十分了解这些来自其他地区有关教育背景的资历证书的价值的话，他们将不会予以认可。

研究表明，相比较那些在北美地区完成培训的人员的薪资标准，有时移民的起薪水平要更低。也许你想通过那些了解你情况的员工所在的公司申请工作，或者更为重要的是那些知道把你送到什么地方可以帮助你获得北美地区的资质认证的公司。如果你需要在北美地区完成培训的话，技工学徒目前炙手可热。学徒培训是一种实践操作型培训，10%的内容是在社区大学举行的课堂教学，90%的培训要从工作实践中获取。这种培训包括培训期间的企业工作而且还可以因此获取报酬。有时，培训的期限是五年。你也许可以将此培训抵作你在学院或大学的学分或教育经历。完成学徒培训会为一份长期工作的稳定性提供良好潜力。

如果你在北美以外的国家或地区获得证书，而且想要在北美地区工作或学习，就需要将这些证书翻译成英文。当你在申请工作时，特别是在申请对教育背景有要求的工作的时候，需要具有授权的认证机构对你的教育背景进行认证，这一点很重要。而且，建议你出具一份该鉴定的复印件和一封说明信。建议你提早提交这些信息，不要等到面试的时候再提交。获得面试机会对于获取一份工作来说可谓成功了一多半；而且，有了这样的鉴定报告，你势必希望雇方能够录用你而不是将你淘汰。

在北美地区安顿下来是一个困难的过程，但是很多企业确实认为将来自不同国家的移民与公司员工融合在一起对于企业的国际化办公环境是很重要的。许多企业在提升工作多元化方面正在取得具有重要意义的进展。

Questions 21–27

📤 篇章介绍

体　　裁: 应用文
主要内容: 如何准备发言展示

🔤 必背词汇

presentation	*n.* 展示	identify	*v.* 识别
compliment	*n.* 赞美，称赞，恭维	briefly	*adv.* 简短地
condense	*v.* 浓缩，精简	participate	*v.* 参与
point	*n.* 要点	humorous	*adj.* 幽默的
demonstrate	*v.* 展示，说明	burst	*n.* 迸发，爆发
concept	*n.* 观点，想法	confidence	*n.* 信心
prop	*n.* 道具	sail through	顺利完成
alive	*adj.* 活泼的，有生气的	regard	*v.* 认为
dynamic	*adj.* 有活力的	appreciation	*n.* 感激，感谢
energetic	*adj.* 充满活力的	interact	*v.* 互动

🔤 认知词汇

department	*n.* 部门	start off	开始
client	*n.* 客户	enthusiastically	*adv.* 充满激情地
reaction	*n.* 反应	curiosity	*n.* 好奇
panic	*v.* 惊慌、恐慌	ending	*n.* 结尾
allot	*v.* 分配	memorable	*adj.* 难忘的
a short attention span 不能长久集中注意力；分心		memorise	*v.* 记住
overall	*adj.* 全部的	word-for-word	逐字地
hold up	举起	stilted	*adj.* 生硬的，死板的
receiver	*n.* 接收器	deliver	*v.* 传递，表达
signal	*v.* 标志，表示	effortlessly	*adv.* 不费力地
anecdote	*n.* 轶事		

⚙️ 试题解析

- 题目类型: SENTENCE COMPLETION
- 题目解析:

题号	定位词	文中对应点	答案解析
21	invitation	第一段第二句：being asked	题目：你应该将发言的邀请看成……。 分析：原文第一段第二句中的But remember that being asked to present is a compliment意思是被要求作发言展示其实是一种赞赏。其中，being asked对应题目中的invitation。因此，本题答案为compliment。
22	main idea	第二段第二句：topic	题目：以一个……来陈述你的主题。 分析：原文第二段第二句Condense your topic into one sentence意思是将你的主题浓缩成一句话，即以一句话的形式陈述你的主题。其中，topic对应题目中的main idea。因此，本题答案为sentence。
23	major points, support	第三段第一句：main points, support	题目：试着用一个……来支持你要论述的要点。 分析：原文第三段第一句Think of three main points you want to make to support your overall topic意思是想出三个用来支持主题的要点。其中，main points对应题目中的major points，support对应题目中的support。但是这句话并没有说明用什么来支持要点。于是接着往下看，紧接着看到这句话：Develop a story to demonstrate each of those concepts，意思是为上述每一个要点设计一个故事，即以故事的形式论证要点。因此，本题答案为story。
24	visual excitement	第四段第二句：watch	题目：通过……增加发言的视觉刺激。 分析：原文第四段第二句Think about how your presentation can be more interesting to watch意思是想想看如何使你的发言展示看上去更有趣。其中，watch对应题目中的visual excitement。虽然这句话中提到"看上去"，属视觉范畴，但是并未直接说明通过什么。于是接着往下看，紧接着看到这句话Props are a wonderful way to make your talk come alive，意思是使用道具是一种能够让发言生动活泼的绝好方式，即使用道具可以使你的发言展示看上去更有趣。因此，本题答案为props。
25	appreciation, listeners	第五段最后一句：thank, audience	题目：要对听众的……表示感谢。 分析：原文第五段最后一句After your energetic introduction, identify yourself briefly and thank the audience for taking the time to listen to you意思是在充满活力的开场之后，简短地介绍一下自己，感谢听众化时间来听你的发言。其中，thank对应题目中的appreciation，audience对应题目中的listeners。因此，本题答案为time。
26	audience, interact	第六段第二句：listener, participate	题目：一个……将会使听众互动起来。 分析：原文第六段第二句...so conclude with a game in which they can participate, or...意思是可以以游戏的方式作总结，让听众参与其中。其中，listener对应题目中的audience，participate对应于题目中的interact。因此，本题答案为game。

题号	定位词	文中对应点	答案解析
27	prepare well	最后一段第三句：practise, effortlessly	**题目**：以这样的方式充分准备将会增加你的……，这是很重要的。 **分析**：原文中最后一段第三句Instead, practice...deliver them effortlessly意思是你应该反复练习有活力的发言开头和结尾，直到能够轻松驾驭。其中，practise和effortlessly对应于题目中的prepare well。但是这句话并没有说像这样反复练习生动、活泼的发言开头和结尾能够增强什么。于是接着往下看，紧接着看到：If you do this you'll feel...the whole of the speech，意思是如果你这样做了，你将会感到有一股自信迸发而出，这将帮助你顺利完成发言的全过程。即如果这样做了，会感到信心倍增。因此，本题答案为confidence。

参考译文

———————— 如何准备一次发言展示 ————————

当老板第一次提议由你来给你的部门或客户作一次正式的发言展示时，也许你会感到惊慌。但是请记住被要求作发言展示其实是一种赞赏。有些人相信你拥有一些可以与团队分享的有价值的信息，而且他们愿意倾听你的想法。

你需要精确确定在分配给你的这段时间内的发言内容。将你的主题浓缩成一句话。你希望听众从你的发言中记住或获得什么内容？这才是你的"大思想"。请记住你将要应对每个人短时间的走神，这些人的脑子里可能有很多事情需要他们思考。

想出三个用来支持你的主题的要点。为上述每一个要点设计一个故事进行说明。它可以是发生在你或你认识的人身上的某些事情，也可以是你在报纸或杂志上读到的内容。

我们都听到过这样的说法："一张图片胜过千言万语。"想想看如何使你的发言展示看上去更有趣。使用道具是一种能够让发言生动活泼的绝好方式。你可以用一些简单的道具，比如说在谈论客户服务时举起一个玩具电话的听筒或者戴上一顶帽子以示不同部分的谈话内容。

思考一种有活力而又不同寻常的方式展开你的发言。它可以是涉及发言内容的一则轶事。千万不要以"谢谢你们邀请我今天来到这里与大家交谈"作为开场白，这会让你的听众立刻入睡。开场要充满激情，这样他们才会带着好奇心与兴趣去听。在充满活力的开场之后，简短地介绍一下自己，并感谢听众花时间来听你的发言。

设计发言的结尾，以一种令人印象深刻的方式结束。听众对发言的开头和结尾印象最为深刻，因此可以以游戏的方式作总结，让听众参与其中，或者讲一个幽默风趣的故事，让听众在欢笑中离场。

不要试图背记你的发言内容或逐字念读。那样听起来会很死板、无趣。相反，你应该反复练习有活力的发言开头和结尾，直到能够轻松驾驭。如果你这样做了，你将会感到有一股自信迸发而出，这将帮助你顺利完成发言的全过程。

Section 3

体裁	记叙文
结构	第一段 鹰击长空情愫不灭
	第二段 动力滑翔存在缺陷
	第三段 遭遇险情才知培训
	第四段 特技飞行魅力无限
	第五段 Rossy改行亲身体验
	第六段 借助翅膀飞行稳健
	第七段 即便梦圆恐不多见

📖 必背词汇

mechanise	v. 使机械化	grab	v. 攫,握
strap	v. 捆绑,捆扎	cockpit	n. 驾驶舱
propel	v. 推进,推动	submarine	n. 潜水艇
parachute	v. 用降落伞降落 n. 降落伞	soar	v. 急速上升
comparable	adj. 相似的,类似的	dive	v. 俯冲
in terms of	就…而言	skydiver	n. 跳伞运动员
ill-suited	adj. 不适合的	approach	v. 接触,接洽
commute	v. 往返于两地之间	specialise in	主营,专营
take off	起飞	miniature	adj. 微型的,小型的
close call	险象环生,死里逃生	rigid	adj. 坚硬的,坚固的
regret	v. 悔恨、后悔	aerodynamic	adj. 空气动力的
pick up	购买	carbon	n. 炭
land	v. 着陆	foldable	adj. 可折叠的
scare	v. 使惊恐、害怕	narrowly	adv. 一点,稍微
not in the same league as 不像…一样好		fortunate	adj. 幸运的
acrobatics	n. 特技飞行	in short supply	供不应求
daredevil	adj. 蛮勇的,不怕死的	pastime	休闲,娱乐
skim	v. 掠过	thoroughly	adv. 完全地,彻底地
fountain	n. 喷泉	exceed	v. 超过,超越

📖 认知词汇

put an end to	终止,结束	pack	n. 包裹,背包
enthusiast	n. 狂热者,发烧友	vertically	adv. 垂直地
ultimate	adj. 终极的	forwards	adv. 向前
fantasy	n. 梦幻,幻想	backwards	adv. 向后
jet	n. 喷气	stuntman	n. 特技表演者

paramotoring	*n.* 动力滑翔伞运动
paragliding	*n.* 滑翔伞运动
get about	移动
inspection	*n.* 检查
exhaust pipe	*n.* 排烟管，排气管
harness	*n.* 固定装置（用来固定位置的装置）
melt	*v.* 熔化
put sb. off	阻止，使…失去兴趣，使…失去勇气
enthusiastic	*adj.* 热情的
take up	开始从事，关注，对…产生兴趣

monitor	*v.* 检测
turbine	*n.* 涡轮机
release	*v.* 释放
float	*v.* 漂浮
unfold	*v.* 展开，打开
composite	*n.* 混合物，合成物，复合材料
ambition	*n.* 抱负，夙愿
thrust	*n.* 推力
tension	*n.* 紧张
swing	*v.* 摇摆，摇晃

试题解析

Questions 28–30

- 题目类型：MULTIPLE CHOICE
- 题目解析：

题号	定位词	文中对应点	答案解析
28	Vandenbulcke, paragraph 3	第三段：Patrick Vandenbulcke	题目：以下哪项关于Vandenbulcke的信息出现在第三段？ 分析：解题的关键在于与此人相关的来自第三段的原文信息。选项A"他险些未能避免一次危险情况"与原文中Another keen paramotorist recently experienced a close call when in the air以及这句话之后的关于事情经过的描述相对应。选项B"他不懂得自己使用的装备"在该段中没有出现。选项C"他没有对当时的情况作出迅速的反应"与原文中I realized I had to get to the ground fast意思相反。选项D"他幸运地得到了所需的帮助"在该段中没有提及。 因此，本题答案为A。
29	second-hand, equipment, sale	第三段：equipment secondhand, pre-used kit, sale	题目：当作者提到一些有待出售的二手动力滑翔设备时，他在强调 分析：选项A"动力滑翔设备供不应求"在原文中没有提到。选项B"动力滑翔设备需要认真测试"在原文中也没有对应的内容。选项C"动力滑翔运动是一项昂贵的兴趣爱好"与本话题无关。选项D"动力滑翔运动是一项可能带来危险的娱乐消遣活动"与第三段倒数第四句However he warns: 'Although it seems cheaper to try to teach yourself, you will regret it later as you won't have a good technique.'以及最后一句 'Scared myself to death,' the seller reported, 'hence the reason for this sale.'对应，构成同义表述。 因此，本题答案为D。

题号	定位词	文中对应点	答案解析
30	Lake Geneva, Rossy	第四段：Lake Geneva, Rossy	**题目**：对于在日内瓦湖所发生一幕的描述是为了说明Rossy **分析**：选项A "频繁地改变他的计划" 在原文中没有提到。选项B "喜欢做看起来不可能的事情" 与原文He has always enjoyed being a daredevil showman构成同义表述。选项C "是一个出色的全能运动员" 与原文Rossy, who has been labelled 'the Birdman'...from 1988 to 2000所提供的信息不符。选项D "对这一地区了解得很透彻" 在原文中没有信息对应。 因此，本题答案为B。

Questions 31-35

- 题目类型：SUMMARY
- 题目解析：

题号	定位词	文中对应点	答案解析
31	1959, Yves Rossy, military, pilot	第五段前两句：1959, Rossy, the air force, pilot	**题目**：Yves Rossy出生于1959年，他做过空军飞行员和……飞行员。 **分析**：原文中第五段前两句提到，Rossy于1959年在瑞士出生，20岁至28岁在空军服役，之后在一家商业航空公司做了四年的飞行员。其中，the air force对应题目中的military，pilot对应题目中的pilot。因此，本题答案为commercial。
32 & 33	firm, planes	倒数第二段倒数第三句：company, planes	**题目**：起初他让一家制作……飞机的公司为他生产一些……，但是这些东西不合适。 **分析**：原文倒数第二段倒数第三句提到，起初，他与一家名为Jet-Kit的公司接触过，这家公司是专营微型飞机的，但是他们生产的翅膀都不够坚固，无法承载引擎的重量。其中，initially对应题目中的first，company对应题目中的firm，planes对应题目中的planes，weren't rigid enough to support对应题目中的unsuitable。因此，题目的答案分别是miniature和wings。
34 & 35	May 2008	倒数第二段前两句：May 2008	**题目**：2008年5月，在一次飞行中，他成功实现了一个……的最高时速，轻而易举地超过了普通的……所能实现的速度。 **分析**：原文中倒数第二段前两句指出，2008年5月，他在3000米的高空跳出机舱。短短几秒钟之后，他便以每小时290公里的速度陡升和俯冲，有时时速可以达到每小时300公里，这个速度要比普通的跳伞运动员下降的时速还快104公里。其中，May 2008对应题目中的May 2008，300 kph对应题目中的top speed，faster对应题目中的exceeding，typical对应题目中的average。因此，题目的答案分别是300 kph和skydiver。

Questions 36–40

- 题目类型：MATCHING
- 题目解析：

题号	定位词	文中对应点	答案解析
36	Yves Rossy	倒数第二段最后两句	**题目**：他承认自己的设备在他创造飞行记录的过程中所起的作用。 **分析**：原文倒数第二段最后两句Rossy says he has become...have managed to do this意思是Rossy说，多亏了这些由航空碳制成的可折叠的翅膀，他才能够成为第一个保持平稳水平飞行的人。如果没有这些特殊的翅膀，他是否仍然能够做到这一点就不好说了。也就是说，Rossy肯定了这些翅膀在他那次最高速度为300kph的飞行中所起的重要的作用。因此，本题答案为D。
37	Eric Scott	第一段后半部分	**题目**：他对如何使用自己的飞行特技来推销产品进行了解释。 **分析**：原文第一段后半部分说到，Scott为一家体能饮品公司工作，工作内容就是戴着喷气背包在世界各地游历；Scott本来也提到：wherever I go I advertise，即在自己表演特技的同时为体能饮料做广告。因此，本题答案为A。
38	Yves Rossy	第五段倒数第二、三句	**题目**：他解释了是什么引导自己试验不同方式的飞行。 **分析**：根据原文第五段倒数第二、三句可知，Yves Rossy认为驾驶机舱是这个世界上最美的办公室，但他却没有亲身接触过身边的天空，这有点像待在水下的箱子或潜水艇里。也就是说，尽管自己的工作是整天与天空打交道，可自己从未亲身、真实感受过，所以他才会在先后服役于空军、民航之后做了特级飞行表演者。因此，本题答案为D。
39	Patrick Vandenbulcke	第三段第七句	**题目**：他描述了一些初学者可能会犯的错误。 **分析**：根据原文中第三段第七句可知，Vandenbulcke警告人们要去参加培训以获取好的技术。不要贪图便宜而自学——这正是初学者可能会犯的错误。因此，本题答案为C。
40	Chris Clarke	第二段最后两句	**题目**：他提到阻碍你离开地面的环境。 **分析**：由原文第二段最后两句可知，Chris Clarke指出了动力滑翔运动的缺陷，即它不适用于通勤，因为大风天无法起飞。因此，本题答案为B。

参考译文

———— "鸟人" ————

人类最终是否能够在没有飞机的情况下长距离飞行？
以下是John Andres的调查研究。

自从有文字记载以来，人类就梦想着能够展翅飞翔。早在15世纪，Leonardo da Vinci就画出了人类飞行器的详细构图。也许你会认为上述想法终因机械化飞行工具的出现而宣告结束。可事情远没有这么简单。对于许多狂热的飞行追逐者来说，终极梦想就是喷气背包，这是一种放置在背部的小型设备，使你能够垂直升空，向前或向后飞行，也能调头转弯。Eric Scott是一个飞行特技表演者，在好莱坞工作了将近十年的时间，先后600多次将喷气式背包捆绑在自己的背部，将自己推送到距离地面几百米的高空。他现在为一家体能饮品公司工作，工作内容是戴着他的喷气背包在世界各地游历。正如Scott所说："我投身于我喜爱的事业，而且走到哪里宣传到哪里：喝体能饮品吧！现在的这些喷气背包只能支撑30秒钟左右的时间，但是人们一直在努力设计能够让你来回飞行20分钟的喷气背包。那将太不可思议了，"Scott说。

动力滑翔运动是另一种能够让人飞行的方式。它由类似于滑翔伞运动中的降落伞、小引擎和助推器组成，这项运动现在正变得流行。Chris Clarke从事动力滑翔运动已有五年时间。"就费用而言，使用动力滑翔跟开汽油动力的轿车没什么区别。麻烦的是，动力滑翔不适用于通勤，因为大风天无法起飞，"克拉克说。

另外一个动力滑翔运动的痴迷者最近在空中经历了一次侥幸脱险。"起初，我觉得背部有些发热，"Patrick Vandenbulcke说，"我以为是出汗。可是后来开始有种灼烧的感觉，于是我意识到必须尽快着陆。在检查引擎之后，我发现排气管的位置在飞行中就已发生了变化，固定装置那时也已经开始熔化。"然而，这并没有把Vandenbulcke吓退，他还热情地说服其他人从事动力滑翔运动。但是他警告说："尽管自学看起来更便宜，但是将来你会因为自己没有掌握好的技术而后悔。"一期培训课的费用在一千多英镑，而设备的费用要好几千英镑。不过，你也可以购买廉价的二手设备。之前，网上售卖一套二手的装备：引擎外面的罩子有些破损，推进器也有些问题，这都是一次硬着陆引起的。"吓死我了，"卖家说，"这就是我要出售它的原因。"

尽管动力滑翔是项有趣的运动，但是比起Yves Rossy所展示的特技飞行还是略逊一筹。作为一个勇猛的特技飞行表演者，他一直陶醉其中。他曾经在日内瓦湖的上方携带着降落伞跳出飞机，在着陆的时候特意从一个喷泉的顶部掠过，降落在湖面上，紧接着他又抓住一些滑水设备，开始在湖面上滑水，在场的人群看得目瞪口呆。

Rossy于1959年在瑞士出生，被人们称为"鸟人"。从20岁起，他就在空军服役做飞行员直到28岁，继而在1988年至2000年间又在一家商业航空公司做飞行员。"驾驶机舱是这个世界上最美的办公室，"他说，"但是我却没有亲身接触过身边的天空，这有点像处身于水下的箱子或潜水艇里。"自打那以后，他便致力于成为第一个靠喷气式动力搏击长空的人。

2008年5月，他从3000米的高空跳出机舱。短短几秒钟之后，他便以290公里/小时的速度陡升和骤降，有时可以达到300公里/小时，这个速度要比普通的跳伞运动员在下降时的速度还快104公里/小时。他的速度被旁边飞行的一架飞机监测到了。起初，Rossy做自由落体运动，后来他发动了四个喷气式涡轮机使得自己停留在空中，之后才打开降落伞飘落到地面。这四个喷气式涡轮机与一些特殊的可以展开的翅膀连接在一起。这些翅膀的制造商是一家名为JCT复合材质的德国公司。起初，他与一家名为Jet-Kit的公司接触过，这家公司是专营微型飞机的，但是他们为Rossy生产的翅膀都不够坚固，无法承载引擎的重量。Rossy说，他之所以能够成为第一个保持平稳水平飞行的人，这些航空碳材质的可折叠的翅膀功不可没。如果没有这些特殊的翅膀，他是否仍然能够做到这一点就不好说了。

Rossy的夙愿之一是俯降科罗拉多大峡谷。要使这一梦想成真，他需要给那些翅膀装配更大、更有力的喷气设备。尽管他目前使用的引擎足以提供能使他在空中爬升的推力，但是要想在空中停留，Rossy仍需动力。就使用到的身体力量而言，Rossy认为并不比骑摩托车更难。"但是即便在位置上极为细小的变化也可能导致问题的发生。我必须努力专注于使身体在空中放松，因为如果你的身体感到紧张，你就会开始摇摆。"如果他实现了这一夙愿，其他的飞行者们会想知道是否有一天他们也同样可以在空中翱翔。答案是肯定的，有可能。但是，只能是一种昂贵的兴趣爱好而已。

TASK 1

题目要求

（见"剑9" P130）

审题

在最近的假期里，你遗失了一件贵重物品。所幸，你购买了旅行保险，这能补偿任何遗失。
给保险公司经理写封信。在信中：

- 描述你遗失的物品
- 解释你是如何丢失的
- 告知保险公司你希望他们如何解决

💡 写作思路

　　对于本题，题目叙述的写作背景是你作为保险公司的客户，在被保险的物品丢失后向保险公司申诉索赔。要求你在信件中对遗失物品进行必要交代，对遗失经过进行描述并提出你认为合理的赔偿方案。

　　根据前述写作注意事项，对于这道题目的写作，应该注意以下几点：

1. 收件人是保险公司，不知道收信人的姓名和性别，所以信件开头的称呼通常是 Dear Sir or Madam，或者To whom it may concern。在信件主体部分，开篇就要明确给出写信的目的，明确告知收信人这是一份索赔申请。

2. 这封信件的收信人是保险公司，是为你提供服务的一方。虽然理论上"消费者是上帝"，发生了保险条文中规定的事件保险公司理应赔偿，提出必要的索赔要求也是情理之中的事情。但是在行文中仍要注意一定的礼貌和态度，平和耐心地描述自己的遭遇，表达自己的合理要求。要注意，合理要求！漫天要价，甚至出现威胁言语是很不恰当的，这是一个人基本素质和修养的体现。

3. 三个写作要点信息要充分涉及并进行适当联想和拓展。

　　第一个要点：丢失物品的描述。这个很容易发挥，但请考生务必看清在背景句里有对于这个物品的修饰词：valuable(贵重的)，而且明确了丢失这个物品发生在假期里。如果写"早上起床，忽然发现家中进贼，电视冰箱洗衣机全部丢失"或是"昨天上班途中，下了地铁发现手机遗失"这样的内容是不行的。还要提醒考生注意题目要求的是物品丢失而不是损坏。可以写"在度假途中，停在青年旅馆外的轿车不见踪影"；或是"在乘飞机旅行的过程中，托运的内装有贵重物品的行李箱不翼而飞，查找未果"等等。

　　第二个要点：解释如何丢失。这个遗失过程的描写要尽量逼真。大家都有常识，保险公司一般不能为由主观过失造成的物品遗失负责。所以一定要强调自己尽到了保管义务，比如强调"把车辆停在了合法停车场并缴纳了足够的停车费用"；或是"乘飞机时按照航空公司的要求对行李进行了包装，并在行李箱上贴有包含个人信息的标签"等。以显示此贵重物品的遗失纯属客观意外，是天灾人祸，属于保险公司赔偿范围，这点很重要，需要考生考虑周到。

　　第三个要点：索赔要求。要求要适当，切忌狮子大开口。在这条内容的回应上，可以适当出现"根据保险合同的规定"之类的表达，以示所提出的赔偿要求合情合理。除了提出对物品本身的价值进行赔偿的要求，适当争取一些其他方面的补偿也是未尝不可的。比如要求保险公司在自己车辆遗失的情况下所产生的其他交通费用给予考虑，对行李遗失带来的时间的耽误和对正常工作的影响进行补偿都是不为过的。
还是要强调，上述的内容只是一些提示，每个人都会有自己的想法，只要题目要点都涵盖，都符合题目的要求，都进行了适当拓展发挥，而且内容合理，语气得当就能写出一篇高分书信。

☕考生例文

（见"剑9" P172）

参考译文

尊敬的先生或女士，

在我最近的一次泰国旅行中，我丢失了我的行李。在行李中，有我许多重要文件和我为朋友在新加坡买的价值1500澳元的金表。幸运的是，这些损失都在我购买的贵公司保险的理赔范围内。我有这金表的所有详细信息，包括完税发票。

我们先是在酒店，接着我们将其中一个行李落在了当地的一辆出租车里。我们试着找到这个行李，但没有足够的时间容我们找。

我在此向您提出赔付。将来我们将是您的常客，并且分期付完所有保险。

我将把我的报单号和其他物品寄到您给的地址。

谢谢！

您忠实的客户

✿分析

本文为5分。

✿考官点评

（见"剑9"P172页）

参考译文

这篇文章涉及了所有要点，但并没有进充分的论述。一方面信息量不足（要点二），另一方面也不够清晰（要点三）。这封信的目的也不够清楚。虽然此文较有逻辑地组织各个要点，但并未达到连贯性。有使用指代词和替代词，但指代不够清楚。词汇量比较有限，仅能满足对于此文写作的最基本要求。虽然没有拼写错误，但用词不当增加了阅读者的理解难度。作者虽尝试使用复杂句式，但大多数局限于which从句。过多的语法错误和标点错误也增加了理解的难度。

对文章的评判包含以下几个方面：

1. 信件内容——考官明确提出这封信件写作目的不清晰。考生要切记在信件开篇就给出写信意图，不能让收信人把信件看完才明白你写信的动机。这是跟中文信件写作很大的不同，需要考生注意并适应。另外考官指出作者虽然涵盖了三个写作要点，但是有的要点拓展不够，有的要点表述不够清晰，容易引起读者的误解。

	要点提示	信中回应	点　评
1	描述遗失物品	第一段——在泰国丢失内有重要文件和金表的旅行箱	尚可
2	遗失过程	第二段——先在酒店然后行李箱落在了出租车，找了但时间仓促没找到	缺乏丢失在出租车上的具体情况的介绍，以及找寻过程的交代，拓展不足。
3	索赔要求	第三、四段——提出赔付。保证缴纳保费，并邮寄单号和其他物品	信息交代不清。提出了赔付要求，但没有具体的赔偿条目或金额建议；另外你已经是保险公司的客户，谈何先赔付再交保费呢？这个信息显然不符合题意。最后出现的邮寄单号和其他物品的内容也十分令人费解。

2. 连贯性和衔接性——此封信件有较合理的段落安排，但信息的组织在逻辑性上还有很大的提升空间。英文句子之间的逻辑关系通常是借助连接手段（逻辑连词、副词、短语等）来实现的，另外代词的有效使用也可以提升句子之间的连贯性。在本文中，连接手段的使用严重不足，代词的指代也没有引起足够的重视，导致连贯性和信息的衔接性不够，造成分数的损失。

3. 词汇和语法的使用——在写作中对于词汇和语法，一是有准确度的要求，要保证词汇和句子能传递准确的信息，使读者有精确的把握；二是有多样性的要求，需要考生能用更加灵活更加多样的表达，凸显出考生过硬的词汇和语法功底。本文中，虽然单词拼写基本准确，但存在多处词汇误用的情况，在句子表达中有一定的失误以及时态的错误，造成读者理解障碍。

语言失误主要有：（括号内为更正表达）

On my recently (recent) holiday trip 词性错误

import (important) documents 单词误用

my gold watch costs (cost) me 1500 australian(Australian) Dollar单词大小写错误＋时态错误

this cames (comes) under my travel insurance 时态错误

which I did (bought) from your Insurance company 词义不准

It happens (happened) when we enjoyed in a hotel 时态错误

Later on we forget our one of the bag (bags) 语法错误 one of ＋ 可数名词复数

I will send you all my policies numbers (client number) 表达失误

or other thing (things) in your given address 语法之名词单复数

TASK 2

 题目要求

（见"剑9" P130）

审题

题目翻译：有些人认为童年时光是大多数人们最快乐的日子。而有些人认为，虽然需承担更重的责任，但成年后的日子能带来更多的快乐。

讨论双方观点并给出你的观点。

💡写作思路

对于议论文的处理，需要考生首先仔细审题，明确题目要求。在本题中，题目给出两个对立观点，双方针对在人生的哪个阶段能收获更多快乐有不同的看法，需要考生写一篇文章对这两种不同的意见进行讨论，并表明自己的态度。对于"讨论并表态"的题型，必须在文章中涉及双方的观点，不能只进行单边论述。

一般有两种写作方法可以采纳：

第一种——完全平衡式。全文安排四段。第一段：引出双方观点，引起下文讨论；第二段：罗列正方观点的2~3个理由；第三段：罗列反方观点的2~3个理由；第四段：简单总结上文讨论，树立自己的评价标准，提出自己的观点。这种写法比较简单，只需要在主体两段中各简单提出两到三点理由，无需详细拓展。虽然双方观点的理由都有所提及，但仅在最后的段落强调了自己关心的重点，即树立评价的标准，然后表出自己的态度，所以有时会让读者感到自己的观点不够明确，论证不够充分。

第二种——部分平衡式。文章同样四段式安排。第一段：介绍双方观点，可以明确表态也可以暂不明确自己的观点，引起讨论的展开；第二段：提出自己不太支持的一方观点及简单的理由，并对其进行驳斥；第三段：提出自己比较赞同的一方观点并通过2~3个理由加以论述；第四段：重申或明确提出自己的观点。这种写法在文章的第二段有驳论的内容，即要对反方观点进行攻击，指出其观点的不合理性。找到反方观点的攻击要点有一定的难度。文章第三段对于己方观点的正面论述需要对所给论据做适当展开，以实现论证的充分。部分平衡式的安排让文章的内容重点更加突出，而且观点更加明确，是值得考生学习和采纳的高分写作方法。

☕考官范文

（见"剑9" P173）

🔄参考译文

什么时光是人生中最快乐的？年轻或年长？学校里还是工作时？抑或是退休后？这些都有可能，而有些人认为最快乐的时光是童年的日子，有些人则感觉成年的日子更欢乐。

那些坚信童年时光最快乐的人们，把不用承担责任视作一个重要的因素。儿童在物质和感情上都受到父母的支持。即便他们参与决定家庭事务，并不承担最终责任。然而，对于那些已处于青春期并即将迈入成年人行列的人，他们已达到可以从事兼职工作的年龄要求，所以他们将初次尝试着经济独立，而且未来的教育和工作就在前方。

除去这些重要的事情，年轻人和他们的朋友开始社交活动，通常仅是和朋友出去玩。当然，也会因初次恋爱和初次失恋而感到激动。正因为有这些经历，年轻人认为父母的日子相当枯燥并且有压力。

然而，反方观点也有道理。成年人渴望着自我主导，并期待着成熟而带来的欢乐。这包括让人满意的家庭生活，持久的友谊和一份工作。因为有着相同的经历，持久的感情可能没有青年时的那份激情，但它更为强烈。工作上，我们多数人接受着专业技能增长所带来的挑战和鼓舞，这就保证我们的工作充满乐趣。

话虽如此，最大的好处在于成熟后的时光能让你在生活的各方面对自我判断更加自信。你可以勇于表达自己的想法，即便他人都不认可。而且，与年轻人不同，成年人更懂得取舍。

两段时光都很快乐，但回首我个人年轻时的经历，我并不希望重新回到年轻时光。成年生活可能缺少了戏剧性的激情，但火花并不能让你感到温暖。

⚙分析

内容和结构的分析

这篇文章作者采用的就是上面提到的"部分平衡"式写作方法。文章第一段引出了论题，使读者明确了解文章接下来将要涉及"童年和成年时光哪个更快乐"的内容。

第二段首先指出认为童年时光更快乐的理由——不用承担责任。后面指出了反对性意见，作者提到，随着年龄的增长，对于处在青春期的孩子，虽然青春期仍是童年的时光，他们要逐渐承担必要的工作和家庭责任，但这并不一定会让他们感到不快。

第三段再次指出了童年时光的乐趣——广泛的社交活动，自由的恋爱会让他们感到活力与激情四射。

第四段和第五段回到了反方的观点，继续指出成年后的乐趣。这包括不断成熟带来的和睦的家庭生活、友谊的加深以及稳定的工作；还有来自工作生活的挑战以及个人信心的不断增长。

结尾段根据自己的经历，明确表达了作者的立场——成年时光更快乐。

连贯与衔接：

希望考生能仔细体会反驳段落信息的组织与安排：例如本文第二段中的

Those who believe... They are... However...so...

首先提出一方观点，随后指出此方观点的理由，接下来通过强转折词指出不合理的地方，即驳斥性论述，最后得到结论，引出另一方观点。

Away from...表示"除了……以外"，这个短语的使用起到了很好的承上启下的作用，考生要体会这个短语的使用。

However, the reverse is also true. 引出了对另一方观点的论述。

The greatest benefit, though, is that 让步状语从句的使用，预示转折内容的到达。

值得学习的用词

retirement	n. 退休	reverse	adj. & n. 相反(的)；反方
teenage	adj. 青少年的	anxious	adj. 焦急的
teenager	n. 青少年	self-dramatising	adj. 自我陶醉的
financially	adv. 财政地，经济地	appreciate	v. 领会
emotionally	adv. 情感上地	maturity	n. 成熟
ultimately	adv. 最终地	contented	adj. 满意的
adolescent	n. & adj. 少年；青春期(的)	fireworks	n. 火花
threshold	n. 门槛，入口	challenged	adj. 受到挑战的
financial independence	经济独立	stimulated	adj. 受到激励的
away from	prep. 除了	judgement	n. 评价
hang out	v. 闲逛	desire	n. 渴望
heartbreak	n. 极度伤心	dramatic	adj. 戏剧性的